DAN SIMMONS

Dan Simmons, né en 1948 dans l'Illinois, aux États-Unis, a eu très jeune la vocation de l'écriture. Diplômé de littérature, il a exercé pendant dix-huit ans le métier d'enseignant avant de se consacrer entièrement à l'écriture.

Depuis 1982, date de ses débuts – très remarqués – en littérature, Dan Simmons a publié une vingtaine de nouvelles et une dizaine de romans. Fasciné par la transcendance du mal et l'horreur de la souffrance, il est souvent présenté comme un spécialiste de la terreur. C'est pourtant la science-fiction qui lui a inspiré son chef-d'œuvre, *Les cantos d'Hypérion* (*Hypérion* en 1989 et *La chute d'Hypérion* en 1990), un grand cycle cosmogonique habité par les ombres de Keats et de Dante, qui se poursuit avec deux autres volets, *Endymion* (1996) et *L'éveil d'Endymion* (1997).

ENDYMION II

SCIENCE-FICTION
Collection dirigée par Jacques Goimard

DAN SIMMONS

LES VOYAGES D'ENDYMION

ENDYMION II

ROBERT LAFFONT

Titre original :

ENDYMION

Traduit de l'américain par
Guy Abadia

Si vous souhaitez recevoir régulièrement
notre zine **« Rendez-vous ailleurs »**, écrivez-nous à :

« Rendez-vous ailleurs »
Service promo Pocket
12, avenue d'Italie
75627 PARIS Cedex 13

PRESSECO

PAPIER RECYCLÉ
NATURE PROTÉGÉE

© Dan Simmons, 1995
© Traduction française : Éditions Robert Laffont, S.A., 1996
ISBN 2-266-10575-2

— Fascinant, murmura A. Bettik.

Ce n'était pas exactement le terme que j'aurais utilisé, mais il faisait l'affaire pour le moment. Ma première réaction fut de commencer à faire le point sur notre situation par la négative. Nous n'étions plus au milieu de la jungle. Nous n'étions même plus sur un fleuve, mais sur un océan qui nous entourait de toutes parts. Ce n'était plus le jour, mais la nuit. Enfin, nous n'avions plus l'impression de couler.

Le radeau se comportait différemment sur la houle régulière mais profonde qui agitait la mer. Mon regard exercé de batelier avait remarqué que, si les vagues étaient un peu plus fortes quand elles se brisaient sur les côtés du radeau, le bois de gymnosperme, par contre, avait une flottabilité accrue dans ces eaux. Je me penchai à l'arrière et pris dans le creux de ma main un peu de liquide que je portai à mes lèvres. Je le recrachai aussitôt pour me rincer la bouche avec l'eau douce de ma gourde. Cet océan était encore plus salé que ceux d'Hypérion.

— Ouah ! fit Énée entre ses lèvres.

Je devinai que c'étaient les trois lunes qui suscitaient cette réaction. Elles étaient de couleur orangée, énormes, particulièrement celle du centre, qui remplissait à elle seule, à mesure qu'elle se levait, la moitié du ciel dans la direction que je continuais à me représenter comme l'est. Énée se dressa pour mieux la regarder, et sa silhouette ne remplissait même pas la moitié du demi-hémisphère orangé. Je fixai la godille et allai rejoindre les deux autres à l'avant. La houle nous secouait tellement que nous devions nous tenir au mât où la chemise blanche de l'androïde battait toujours au vent. Elle brillait d'un éclat pâle à la lueur des lunes et des étoiles.

J'oubliai un instant mon point de vue de batelier pour observer le ciel avec les yeux d'un berger. Mes constellations préférées dans ma jeunesse — le Cygne, le Gazier, les Sœurs jumelles, le Vaisseau d'ensemencement et le Marbre — étaient absentes ou si déformées que j'étais incapable de les reconnaître. Mais la Voie lactée était bien là. La grande avenue sinueuse de notre galaxie était visible à partir de l'horizon houleux derrière nous jusqu'au halo entourant les lunes, où elle s'estompait. Normalement, les étoiles étaient beaucoup moins brillantes lorsqu'une lune, même de type terrestre, occupait le ciel, et a fortiori trois géantes. La raison de ce phénomène extraordinaire, supposais-je, était que l'air, exempt de toute particule en suspension, ne contenait aucune autre source de lumière réfléchie. J'avais du mal à imaginer le spectacle que devaient présenter ici les étoiles par une nuit sans lunes.

« Ici », mais où ?

Mû par une soudaine intuition, je rapprochai mon bracelet persoc de mes lèvres pour demander :

— Vaisseau, vous êtes là ?

Je fus réellement surpris lorsqu'une voix fluette me répondit :

— Les secteurs téléchargés sont là, H. Endymion. En quoi puis-je vous être utile ?

Mes deux compagnons s'arrachèrent à la contemplation de la lune géante en train de se lever pour regarder mon bracelet.

— Vous n'êtes pas le vaisseau ? m'étonnai-je. Je croyais...

— Si vous voulez savoir si vous êtes en communication directe avec le vaisseau, la réponse est non, continua la voix fluette. Les canaux de communication ont été perdus lors du franchissement du dernier portail distrans. La présente version abrégée du vaisseau reçoit cependant des signaux vidéo.

J'avais oublié que le persoc possédait ses propres capteurs photosensibles.

— Pourriez-vous nous dire où nous sommes ? demandai-je.

— Un instant, je vous prie. Si vous pouviez soulever légèrement votre bracelet... comme cela, oui, merci. Je vais faire une recherche céleste afin de procéder à une confrontation avec mes tables de coordonnées navigationnelles.

Pendant que le persoc se livrait à ses investigations, A. Bettik murmura :

— Je crois savoir où nous sommes, H. Endymion.

Je pensais le savoir aussi, mais je laissai parler l'androïde.

— Ce monde me semble correspondre à la description de Mare Infinitus, murmura-t-il. L'un des anciens mondes du Retz, qui fait maintenant partie de la Pax.

Énée ne disait rien. Elle contemplait toujours la grosse lune avec une expression de ravissement total. Je levai les yeux vers la sphère orange qui occupait une grande partie du ciel et me rendis compte que l'on pouvait distinguer les nuages rouille qui se déplaçaient au-dessus de sa surface poussiéreuse. En regardant encore plus attentivement, je distinguai même un relief, sous la forme de crêtes brunes qui étaient peut-être des coulées de lave volcanique, une longue incision représentant une vallée avec ses affluents, quelques glaciers au pôle Nord et une série de lignes convergentes correspondant probablement à des chaînes montagneuses. Cela ressemblait un peu à des holos que j'avais eu l'occasion de voir et qui montraient Mars, dans le système de l'Ancienne Terre, avant la terraformation de cette planète.

— Mare Infinitus a trois lunes, nous dit A. Bettik, bien que, en réalité, ce monde soit lui-même le satellite d'une planète rocailleuse de taille quasi jupitérienne.

Je désignai la lune poussiéreuse.

— Un monde comme celui-là ?

— Précisément, fit l'androïde. J'en ai vu des images. Il est inhabité, mais a fait l'objet d'une exploitation intensive par des robots à l'époque de l'Hégémonie.

— Je pense aussi qu'il s'agit de Mare Infinitus, approuvai-je. J'ai entendu beaucoup de chasseurs venus d'outre-ciel se raconter leurs parties de pêche là-bas. Ils disaient qu'il y avait, en particulier, des spécimens de céphalocordés à antennes qui pouvaient atteindre plus d'une centaine de mètres de long et qui étaient capables d'engloutir des bateaux de pêche entiers quand ils n'étaient pas capturés les premiers.

Je gardai le silence. Nous contemplâmes tous les trois les eaux lie-de-vin, sans dire un mot. Soudain, la voix fluette de mon persoc se fit entendre.

— Ça y est ! Le relevé concorde parfaitement avec mes tables ! Vous vous trouvez sur un satellite gravitant autour d'un monde de taille subjupitérienne, lui-même en orbite autour de l'étoile Soixante-dix Ophiuchi A, à vingt-sept virgule neuf années-lumière d'Hypérion et seize virgule quatre mille quatre-vingt-deux années-lumière du système de l'Ancienne Terre. Il s'agit d'un système binaire, dans lequel Soixante-dix Ophiuchi A est l'étoile primaire, à zéro virgule soixante-quatre UA, et Soixante-dix Ophiuchi B l'étoile secondaire, à huit virgule neuf UA. Comme vous semblez avoir là-bas une atmosphère respirable et de l'eau, il me paraît raisonnable d'assumer que vous êtes actuellement sur la deuxième lune du monde binaire subjupitérien Soixante-dix Ophiuchi A Prime, connu à l'époque hégémonienne sous le nom de Mare Infinitus.

— Merci, dis-je au persoc.

— J'ai de nouvelles coordonnées astrales navigationnelles qui..., commença le bracelet.

— Plus tard, coupai-je en l'éteignant.

A. Bettik ôta sa chemise du mât improvisé et la revêtit. La brise océanique était vive, et l'air plutôt glacé. Je sortis ma veste capitonnée de mon paquetage. Mes deux compagnons m'imitèrent. L'incroyable lune continuait son ascension dans un ciel étoilé tout aussi étonnant.

Le tronçon Mare Infinitus du fleuve Téthys peut être considéré comme un agréable quoique bref interlude entre deux passages à orientation plus récréative, soulignait le *Guide du voyageur à travers le Retz.*

Nous étions tous les trois assis en tailleur autour du galet-foyer pour lire la page à la lueur de notre dernière lanterne portative. Elle ne servait pas à grand-chose, de toute manière, car le clair de lunes diffusait presque autant de lumière que le ciel d'Hypérion par temps nuageux.

La coloration violette de la grande mer planétaire est due à une forme de phytoplancton en suspension dans l'eau et n'est en aucune manière le résultat de la dispersion atmosphérique grâce à laquelle le touriste peut généralement admirer de merveilleux couchers de soleil. Alors que le tronçon Mare Infinitus est très court — cinq kilomètres de voyage océanique suffisent, dans la plupart des cas, à en faire admirer les beautés au voyageur qui parcourt le fleuve —, il comporte tout de même le célèbre aquarium océanique Chez Gus, avec son non moins célèbre grill-room. Le visiteur se fera un devoir d'y déguster une tranche de géant des mers, sa soupe à l'hectapus et son excellent vin aux herbes jaunes. Il dînera sur l'une des nombreuses terrasses de la plate-forme océanique, d'où il admirera l'exquis coucher de soleil de Mare Infinitus et ses levers de lunes encore plus somptueux. Si cette planète est réputée pour l'immensité quasi désertique de ses étendues océaniques (il ne possède ni continents ni îles) et pour l'agressivité de ses créatures marines (celle du léviathan gueule-de-lampe, en particulier), soyez assuré que votre bateau touristique ne quittera à aucun moment la sécurité du Courant mi-littoral qui relie les deux portails et que vous serez, de plus, escorté par plusieurs navires de la Sécurité de Mare afin que votre bref séjour sur cette planète aquatique, après un bon dîner chez Gus, ne vous laisse que d'agréables souvenirs. (N.B. La section Mare Infinitus de la croisière Téthys pourra être supprimée sans préavis en cas de mauvais temps ou de conditions dangereuses dues à des activités de la faune aquatique. Auquel cas il ne vous restera plus qu'à remettre ça au cours d'une croisière ultérieure !)

C'était tout ce qu'il y avait dans le guide. Je le rendis à l'androïde, qui éteignit la lanterne, alla se poster à l'avant du radeau et commença à scruter l'horizon avec ses amplificateurs de vision nocturne. Mais les lunettes n'étaient pas vraiment nécessaires sous la clarté des trois lunes.

— Le livre ment, déclarai-je. L'horizon est au moins à vingt-cinq kilomètres de nous, et je ne vois aucun portail.

— Il a peut-être changé de place, fit A. Bettik.

— Ou bien coulé, renchérit Énée.

— Très drôle !

Je remis les lunettes dans mon paquetage et allai m'asseoir à côté d'eux autour du cube de chauffage rougeoyant. Il commençait à faire très froid.

— Il est possible, estima l'androïde, qu'il y ait deux parcours, un court et un long, pour traverser ce monde. C'est le cas pour plusieurs segments du fleuve.

— Pourquoi est-ce que nous tombons toujours sur les parcours les plus longs ? demandai-je.

Nous étions en train de préparer le petit déjeuner. Nous avions tous les trois très faim après la nuit de tempête dont nous venions de sortir, mais cette collation de pain, de café et de céréales ressemblait plus à un en-cas de minuit sous les lunes.

Nous nous étions vite habitués au roulis et au tangage de l'océan, et aucun de nous ne semblait souffrir du mal de mer. Après ma deuxième tasse de café, je me sentis beaucoup mieux à tous points de vue. Quelque chose, dans la manière dont le guide décrivait ce monde, avait piqué mon sens de l'absurde. Je devais admettre, cependant, que je n'aimais pas tellement cette histoire de « léviathan gueule-de-lampe ».

— On dirait que tout ça t'amuse, me dit Énée.

Nous étions assis devant la tente, et A. Bettik était à l'arrière, à la godille.

— C'est vrai, avouai-je. Ça m'amuse un peu.

— Pourquoi ?

J'écartai les mains.

— L'aventure, sans doute. Tant qu'il n'arrive rien de fâcheux à personne.

— C'était tout juste, la dernière fois.

— Oui, euh...

— Il y a peut-être une autre raison ?

La voix de l'enfant laissait percer une réelle curiosité.

— J'ai toujours aimé la vie en plein air, déclarai-je sincèrement. Camper, être loin de tout. Il y a je ne sais quoi, dans le contact avec la nature, qui me met... Comment dire ? En harmonie avec quelque chose de plus grand...

Je m'interrompis avant de commencer à parler comme un

gnostique zen orthodoxe. La fillette se pencha vers moi pour murmurer :

— Mon père a écrit un poème sur ce thème. En fait, il s'agit du vieux poète préhégirien à partir duquel le cybride de mon père a été cloné, naturellement, mais toute sa sensibilité y était quand même.

Avant que j'aie pu poser une question, elle poursuivit :

— Ce n'était pas un philosophe. Il était jeune, plus jeune que toi, même, et son vocabulaire philosophique était des plus primitifs, mais il avait essayé, dans ce poème, de recenser les différents stades qui aboutissent progressivement à la fusion totale avec l'univers. Dans une de ses lettres, il appelle cet enchaînement « une sorte de thermomètre du plaisir ».

J'avoue que je fus surpris et un peu désarçonné par ce petit discours. Je n'avais jamais entendu Énée parler de manière aussi sérieuse sur quelque sujet que ce soit, avec des mots aussi abstraits. La notion de « thermomètre du plaisir » sonnait comme quelque chose de vaguement obscène à mes oreilles, mais je l'écoutai attentivement tandis qu'elle poursuivait :

— Papa était persuadé que le premier stade du bonheur était « la camaraderie avec l'essence », murmura-t-elle tandis que A. Bettik, intéressé, se penchait en avant, en tenant sa godille, pour mieux l'écouter. Il entendait par là, reprit Énée, une communion sensuelle avec la nature... Exactement le genre de sentiment que tu décrivais tout à l'heure, Raul.

Je me frottai la joue à l'endroit où ma barbe avait poussé le plus. Encore quelques jours sans me raser et je serais véritablement barbu. Je pris une gorgée de café tandis que la fillette poursuivait :

— Il rangeait la poésie, la musique et la peinture au nombre des éléments constitutifs de cette communion avec la nature. C'est une manière non infaillible mais humaine d'être en résonance avec l'univers. La nature nous a dotés de cette énergie de création. Pour papa, l'imagination et la vérité étaient une seule et unique chose. Il a un jour écrit que « l'imagination peut être comparée au rêve d'Adam : à son réveil, c'était devenu la réalité ».

— Je ne suis pas sûr de très bien comprendre, lui dis-je. Cela signifie-t-il que la fiction dépasse la vérité ?

Elle secoua la tête.

— Non. Je pense que ce qu'il voulait dire, c'est... Par exemple, dans le même poème, il y a un hymne à Pan...

Redoutable gardien qui ouvres
Les mystérieuses portes
Du savoir universel

Énée souffla sur sa tasse de thé brûlant pour refroidir le liquide.

— Pour papa, Pan était devenu une sorte de symbole de l'imagination... Particulièrement de l'imagination romantique. (Elle but une gorgée.) Savais-tu, Raul, que Pan était le précurseur allégorique du Christ ?

Je battis des paupières. C'était la même enfant qui m'avait demandé, deux nuits plus tôt, de lui raconter des histoires de fantômes.

— Du Christ ? répétai-je.

J'étais suffisamment un produit de mon temps pour ciller devant ce qui pouvait apparaître comme un blasphème.

Ayant fini de boire son thé, elle leva les yeux vers les lunes, le bras gauche autour du genou droit.

— Pour papa, reprit-elle, certaines personnes — mais pas toutes — étaient poussées par leur instinct de communion avec la nature à réagir devant cette imagination élémentale digne du vieux Pan.

Demeure pour nous la retraite inimaginable
Des pensées solitaires ; celles qui esquivent
La connaissance jusqu'aux confins du ciel,
Puis abandonnent une tête vide ; sois encore le levain
Qui, se disséminant en cette terre morne et lourde,
La rend spirituelle et légère, lui donne une vie nouvelle :
Sois toujours symbole de l'immensité,
Firmament qui réfléchit la mer,
Élément qui remplit les intervalles de l'espace ;

Inconnu [1]...

Nous demeurâmes tous silencieux un bon moment après cette récitation. J'avais passé toute mon enfance à écouter de la poésie : de solides épopées de bergers, les *Cantos* du vieux poète, l'*Épopée de Garden* avec les jeunes Tycho et Glee et le centaure Raul, etc. J'avais l'habitude des vers sous un ciel étoilé. Cependant, la plupart des poèmes que j'avais entendus, appris par cœur et aimés étaient plus faciles à comprendre que celui-là.

Au bout d'un moment de silence uniquement troublé par le bruit des vagues contre le radeau et celui du vent sur notre tente, je murmurai :

— C'était ça, le bonheur, pour ton père ?

Elle rejeta la tête en arrière, de sorte que ses cheveux volèrent au vent.

— Oh ! non, dit-elle. Ce n'était que le premier stade de bonheur de son « thermomètre du plaisir ». Il y avait ensuite deux autres stades.

— Lesquels ? demanda A. Bettik.

La voix douce de l'androïde me fit presque sursauter. J'avais oublié qu'il était sur le radeau avec nous. Énée ferma les yeux et se mit de nouveau à parler d'une voix musicale exempte de l'intonation chantante de ceux qui gâchent la poésie.

Mais il est
De plus magnifiques engagements,
Des esclavages encore bien mieux
Destructeurs du moi, et qui, peu à peu, conduisent
À l'extase souveraine. Voyez-en la couronne :
Elle est faite d'amour et d'amitié ; elle est posée très haut
Sur le front de l'humanité [2].

Je levai les yeux vers les tempêtes de poussière et les

1. John Keats, *Endymion*. La traduction est d'Albert Lafay, éd. Aubier. *(N.d.T.)*
2. Traduction Albert Lafay. *(N.d.T.)*

éclairs volcaniques à la surface de la lune géante. Les nuages couleur sépia voilaient les reliefs orange et ocre.

— C'est ça, les autres stades ? demandai-je, un peu déçu. D'abord la nature, ensuite l'amour et l'amitié ?

— Pas exactement, me dit Énée. Papa pensait que la vraie amitié entre humains se situait à un niveau encore plus élevé que notre sentiment de communion avec la nature, mais que le plus haut de tous était l'amour.

Je hochai la tête.

— C'est ce que nous enseigne l'Église, murmurai-je. L'amour du Christ. L'amour de ses semblables.

— Pas tout à fait, me dit Énée. Papa voulait parler de l'amour physique. De l'érotisme et de la sexualité.

Elle ferma de nouveau les yeux.

Ayant goûté au tréfonds de son âme
Je trouve sans profondeur les autres cavités.
Les essences, jadis spirituelles, sont des limons boueux
Aptes uniquement à fertiliser
Mes racines terrestres
Et à dresser mes branches
Chargées d'un fruit doré
Vers la splendeur du ciel.

J'avoue que je ne sus quoi répliquer à cela. Je remuai le fond de café qui restait dans ma tasse, me raclai la gorge, étudiai de nouveau pendant un bon moment les lunes en mouvement et la Voie lactée encore visible, puis déclarai :

— Et alors ? Tu crois qu'il avait une idée derrière la tête ?

Je regrettai aussitôt d'avoir dit ça. Ce n'était qu'une enfant. Elle pouvait réciter par cœur de vieux vers, de la pornographie, même, sans pour autant comprendre de quoi elle parlait.

Elle tourna ses grands yeux vers moi. Le clair de lunes les rendait encore plus lumineux.

— Je crois qu'il y a plus de niveaux dans le ciel et sur la terre, Horatio, que la philosophie de mon père n'en avait rêvé, me dit-elle.

— Je vois, répondis-je gravement.

Qui c'est, cet Horatio, encore ?

16

— Mon père était très jeune quand il a écrit ça, me dit Énée. C'était son premier poème, et ce fut un bide. Ce qu'il voulait, pour son héros pastoral, c'était qu'il apprenne à quel point ces choses-là pouvaient relever de la plus pure exaltation : la poésie, la nature, la sagesse, la voix des amis, les actions d'éclat, la gloire de certains lieux exotiques, le charme du sexe opposé. Mais il s'est arrêté avant d'avoir pu accéder à l'essence authentique.

— Quelle essence authentique ? demandai-je tandis que notre radeau montait et descendait au rythme de la respiration de l'océan.

— « *La signification profonde de chaque mouvement, chaque forme et chaque son*, murmura la fillette... *toutes formes et substances / Droit chez elles au cœur de leur essence-symbole.* »

Pourquoi ces mots m'étaient-ils si familiers ? Il me fallut un bon moment pour me le rappeler tandis que le radeau voguait à travers la nuit de Mare Infinitus.

Une nouvelle fois, les soleils se levèrent après quelques heures de repos, et nous prîmes notre petit déjeuner. Je m'occupai ensuite de régler les viseurs de nos armes. C'était bien beau de philosopher et de faire de la poésie au clair de lunes, mais disposer d'armes qui tiraient juste et droit était une nécessité plus urgente. Je n'avais pas eu le temps d'essayer nos armes à bord du vaisseau ni après notre accident sur le monde de la jungle. Avoir avec nous des armes non réglées, jamais testées, me rendait nerveux. Durant la courte période où j'avais servi dans la Garde Nationale, et durant les années plus longues où j'avais travaillé comme guide, j'avais découvert qu'il était aussi important — et probablement plus vital — de posséder une arme que l'on connaissait bien plutôt qu'une arme sophistiquée.

La plus grosse lune était toujours dans le ciel lorsque les soleils se levèrent : d'abord le plus petit du système binaire, qui formait un disque brillant dans le ciel, faisant pâlir la Voie lactée au point de la rendre invisible, et estompant les détails de la grosse lune, puis l'étoile primaire, plus petite que celle d'Hypérion, de type Sol, mais dotée d'un éclat très intense. Le ciel prit une coloration bleu outremer puis bleu cobalt. Les deux étoiles et la lune orangée occupaient tout l'horizon derrière nous. La lumière solaire rendait floue la surface de la lune, dont les reliefs étaient devenus indiscernables. Peu à peu, l'air du jour devint plus chaud, puis torride. La mer grossissait à vue d'œil. Des vagues de deux mètres secouaient le radeau, mais se succédaient à intervalles suffisamment espacés pour ne pas nous incommoder outre mesure. Comme le guide l'avait promis, l'eau était d'un violet déroutant couronné par la crête des vagues d'un bleu foncé, presque noir, occasionnellement brisé par des bancs flottants de varech jaune ou par l'écume d'un violet encore plus intense. Le radeau continuait de voguer en direction de l'horizon, là où les lunes et les soleils avaient surgi. Pour nous, c'était l'est, et nous ne pouvions qu'espérer que les courants nous conduisaient quelque part. S'il nous arrivait de douter de leur réalité, nous laissions traîner un filin ou nous jetions par-dessus bord quelque débris flottant pour le voir tiraillé entre le courant et le vent. Les vagues étaient orientées dans le sens nord-sud. Et notre cap à l'est ne variait pas.

Je sortis d'abord mon .45. Je tirai un coup en l'air, pour voir si les balles étaient bien en place dans le magasin. J'avais peur que le système archaïque consistant à séparer les munitions de la structure du magasin ne me fasse oublier de recharger en un moment critique. Nous n'avions pas grand-chose à lancer en l'air pour nous exercer au tir, mais j'avais quelques emballages de rations alimentaires vides à mes pieds. J'en lançai un et attendis qu'il ait dérivé dans l'air d'une quinzaine de mètres avant de tirer.

L'automatique fit un bruit incongru lorsque la balle partit. Je savais que ces archaïques lanceurs de projectiles étaient bruyants — j'avais eu l'occasion d'en utiliser à l'entraînement, car les rebelles des Crocs de Glace s'en servaient souvent —, mais la détonation fut si forte qu'elle me fit presque lâcher le pistolet dans la mer violette. Elle fit sursauter Énée, qui contemplait l'horizon au sud, perdue dans ses pensées, et troubla même l'androïde autrement imperturbable.

— Désolé, leur dis-je.

Tenant le gros automatique à deux mains, je tirai de nouveau.

Après avoir gaspillé deux précieux chargeurs, j'acquis la certitude de pouvoir toucher une cible à quinze mètres. Au-delà de cette distance, il ne me restait plus qu'à espérer que mon objectif aurait des oreilles et que le fracas de la détonation suffirait à le faire fuir.

Tout en ouvrant l'arme après avoir tiré, je fis remarquer à mes compagnons qu'elle pouvait très bien avoir appartenu à Brawne Lamia. Énée se pencha pour la regarder.

— Je te l'ai déjà dit, je n'ai jamais vu ma mère avec une arme à la main.

— Elle l'a peut-être prêté au consul quand il est retourné dans le Retz avec le vaisseau, suggérai-je en nettoyant le pistolet ouvert.

— Non, fit A. Bettik.

Je me retournai pour le regarder. Il était appuyé contre la godille.

— Pourquoi non ? demandai-je.

— J'ai vu l'arme de H. Lamia quand elle était sur le *Bénarès*. C'était une arme ancienne — qui avait appartenu à son père, je pense — mais avec une crosse de nacre et un viseur laser. De plus, elle était adaptée pour recevoir des chargeurs à fléchettes.

— Ah, bon, murmurai-je.

Tant pis pour mon idée première, que j'avais trouvée séduisante.

— En tout cas, repris-je, celui-là a été bien conservé et rénové.

Il avait dû rester dans une sorte de boîte à stase. Autrement, il était impossible qu'un pistolet vieux de dix siècles fonctionne encore. À moins que ce ne soit une reproduction pour collectionneur que le consul aurait dénichée au cours de l'un de ses voyages. Cela n'avait pas beaucoup d'importance, naturellement, mais j'avais toujours été frappé par... l'aspect historique, en quelque sorte, qui semblait émaner des vieilles armes.

Je tirai ensuite avec le pistolet à fléchettes. Un seul coup me suffit pour m'assurer qu'il fonctionnait parfaitement, merci. L'emballage de ration flottant vola en éclats de mousse lovée trente mètres plus loin. La crête de vague tout entière se stria et s'irisa comme si une pluie d'acier la bombardait. Les armes à fléchettes étaient sournoises, rataient difficilement leur cible et ne lui laissaient généralement aucune chance. C'était d'ailleurs la raison pour laquelle j'avais choisi celle-là. Je mis la sûreté et replaçai le pistolet dans mon paquetage.

Le fusil à plasma était plus difficile à régler. La mire optique à crans permettait théoriquement d'ajuster n'importe quelle cible, de l'emballage de ration qui flottait à trente mètres de là jusqu'à l'horizon, à vingt-cinq kilomètres environ ; mais, si j'atteignis la ration du premier coup, il était difficile de dire si j'aurais la même précision avec des tirs plus longs. Il n'y avait absolument rien, à ces distances, sur quoi tirer. En théorie, ces armes pulsantes pouvaient toucher tout ce qui était visible, sans aucune correction nécessaire pour la vitesse du vent ou la balistique, et je pus constater, dans le viseur, que le rayon perçait une trouée dans les vagues vingt kilomètres plus loin, mais ce n'était pas comme si j'avais atteint une cible. Je braquai le fusil en direction de la lune géante qui se couchait maintenant derrière nous. Dans le viseur, j'aperçus indistinctement des sommets montagneux couronnés de blanc — probablement du CO_2 gelé plutôt que de la neige — et pressai la détente, histoire de m'amuser un peu. L'arme était particulièrement silencieuse, comparée au pistolet semi-automatique à projectiles. Elle ne laissait entendre qu'un crachotement de chat quand on tirait avec. La mire n'était pas assez puissante pour laisser voir ce que l'on avait atteint, et la rotation des deux mondes, à cette distance, devait poser de sérieux problèmes, mais il aurait été surprenant que je n'aie pas touché la montagne. Les casernements de la Garde Nationale bourdonnaient d'histoires de gardes suisses qui avaient décimé des commandos extros en tirant dessus à des milliers de kilomètres sur un astéroïde ou un endroit comme ça. Le problème, depuis des millénaires, avait toujours été le même : apercevoir l'ennemi d'abord.

C'est en pensant à cela, après avoir tiré une fois avec le fusil et après l'avoir nettoyé puis rangé avec les autres, que je dis à mes compagnons :

— Il faudra faire une petite reconnaissance, aujourd'hui.

— Tu as peur qu'il n'y ait pas d'autre portail ? me demanda Énée.

Je haussai les épaules.

— D'après le guide, il aurait dû être à cinq kilomètres du précédent. Nous en avons parcouru au moins une centaine depuis la nuit dernière. Sans doute davantage.

— On prend le tapis hawking ? demanda Énée.

Les rayons des deux soleils brûlaient sa peau diaphane.

— Je crois que je préfère la ceinture de vol, cette fois-ci. *Moins de profil radar, si jamais quelqu'un nous observe*, me disais-je, mais je gardai ma réflexion pour moi.

— Et tu n'es pas du voyage, ma petite, ajoutai-je tout haut. J'y vais tout seul.

Je sortis la ceinture, m'y harnachai solidement, pris le fusil à plasma et activai la commande manuelle.

— Merde, murmurai-je.

La ceinture ne faisait aucun effort pour me soulever. Un instant, je me dis que nous devions être sur un monde du même genre qu'Hypérion, avec des champs EM complètement erratiques, mais mon regard se posa sur l'indicateur de charge. Il était vide. Complètement épuisé.

— Merde ! répétai-je.

Je me débarrassai du harnais, et nous nous penchâmes tous les trois sur la machine inutilisable pour vérifier les circuits, la batterie et l'unité de vol.

— Elle était chargée à bloc quand nous avons quitté le vaisseau, déclarai-je. Nous l'avons vérifiée en même temps que le tapis hawking.

A. Bettik voulut lancer un programme d'autodiagnostic, mais la ceinture était trop à plat pour qu'il fonctionne.

— Votre persoc doit avoir le même sous-programme, me fit remarquer A. Bettik.

— Vous croyez ? demandai-je stupidement.

— Vous permettez ? fit l'androïde en indiquant le bracelet.

Je l'ôtai pour le lui donner.

A. Bettik ouvrit un petit logement que je n'avais même pas remarqué, en retira une fiche minuscule au bout d'un microfilament et l'inséra dans la ceinture. Des lumières cli-gnotèrent.

— Cette ceinture de vol est endommagée, annonça la voix fluette du persoc. La batterie s'est déchargée il y a environ vingt-sept heures. Je pense qu'il s'agit d'une défail-lance des cellules de stockage.

— Bravo ! m'écriai-je. Et c'est réparable ? La batterie tiendra la charge si nous trouvons un autre chargeur ?

— Pas celle-là, fit le persoc. Mais il y a trois unités de rechange dans le compartiment AEV du vaisseau.

— Bravo ! répétai-je.

Je soulevai la lourde ceinture avec son harnachement et balançai le tout par-dessus bord. Elle sombra dans les vagues violettes sans laisser de traces.

— Parée de mon côté, fit Énée, déjà assise en tailleur sur le tapis hawking, qui flottait à vingt centimètres au-dessus du radeau. Tu veux m'accompagner ?

Je ne discutai pas. Je m'assis les jambes croisées derrière elle et la regardai manipuler les fils de vol.

À cinq mille mètres d'altitude environ, haletant pour res-pirer un peu d'air, penchés par-dessus bord pour essayer de voir quelque chose, nous avions bien plus peur que sur le radeau. La mer violette était vaste et vide, notre esquif n'était qu'un point perdu dans l'immensité, minuscule rec-tangle noir à la surface de la mer quadrillée. De l'altitude où nous étions, les vagues qui paraissaient si menaçantes vues du radeau étaient totalement invisibles.

— J'ai l'impression que nous avons découvert un nou-veau stade de cette « communion d'essences » avec la nature dont parlait ton père, déclarai-je.

— Et c'est quoi ?

Énée frissonnait dans l'air glacé du courant atmosphérique qui nous portait. Elle n'avait sur elle que le tricot de peau et la veste qu'elle portait sur le radeau.

— Le trouillomètre à zéro, murmurai-je.

Elle se mit à rire. Je dois dire que j'adorais son rire, et sa seule pensée me fait chaud au cœur encore aujourd'hui.

C'était un rire doux, mais chaleureux, naturel et mélodieux à l'extrême. Il me manque énormément.

— Nous aurions dû laisser A. Bettik venir ici à notre place, murmurai-je.

— Et pourquoi ?

— Parce qu'il l'a déjà fait, à très haute altitude. De toute évidence, il n'a pas besoin de respirer, et il est insensible aux petits détails qui nous empoisonnent la vie, comme les problèmes de dépressurisation.

Énée se colla à moi en arrière.

— Il n'est pas insensible à ces choses, me dit-elle. Simplement, il est conçu pour être un peu plus résistant que nous. Sa peau peut faire office, pendant une période de temps limitée, de combinaison pressurisée, même dans des conditions de vide poussé. Il retient sa respiration plus longtemps que nous, c'est tout.

Je lui jetai un regard curieux.

— Tu t'y connais beaucoup en androïdes ?

— Non, je lui ai simplement posé quelques questions.

Elle se pencha légèrement en avant pour manipuler les fils de vol. Nous obliquâmes vers ce que nous appelions l'« est ».

J'avoue que j'étais terrifié à la pensée de perdre le contact avec le radeau et de tourner au-dessus de cet océan planétaire jusqu'à ce que notre tapis perde entièrement sa charge et que nous tombions comme une pierre dans la mer, probablement pour nous faire dévorer par un gueule-de-lampe. J'avais programmé mon compas inertiel en prenant le radeau comme point de référence et, à moins de le laisser tomber dans le vide, chose peu probable dans la mesure où je le portais autour du cou, attaché à un cordon, nous n'avions aucun souci à nous faire pour trouver le chemin du retour, mais cela ne m'empêchait pas de m'inquiéter.

— Ne nous éloignons pas trop, dis-je à Énée.

— D'accord.

Elle n'allait pas particulièrement vite. Elle ne dépassait pas soixante ou soixante-dix kilomètres à l'heure, je pense, et nous étions redescendus à une altitude où nous pouvions respirer plus librement et où l'air n'était pas aussi froid. Au-dessous de nous, la mer violette demeurait totalement déserte jusqu'à son horizon circulaire.

— Tes distrans t'ont joué un tour, semble-t-il, lui dis-je.

— Pourquoi les appelles-tu mes distrans, Raul ?

— Parce que c'est toi qu'ils... reconnaissent.

Elle ne répondit pas.

— Sérieusement, Énée, crois-tu que les mondes où ils nous envoient aient vraiment un sens ?

Elle me jeta un coup d'œil par-dessus son épaule.

— Oui, Raul. Je le crois.

J'attendis. Les champs de déflection, à cette allure, fonctionnaient au minimum, de sorte que le vent me soufflait les cheveux de l'enfant dans la figure.

— Tu sais beaucoup de choses sur le Retz ? me demandat-elle. Et sur les distrans ?

Je haussai les épaules. Puis, voyant qu'elle ne me regardait plus, je lui criai :

— Ils étaient gérés par les IA du TechnoCentre. D'après l'Église comme d'après les *Cantos* de ton oncle Martin, les distrans représentaient une sorte de complot des IA visant à utiliser le cerveau humain — ou ses neurones — comme une sorte d'ordinateur géant à base d'ADN. Ils nous parasitaient chaque fois qu'un humain transitait par un portail, c'est bien ça ?

— Oui, fit Énée.

— Donc, chaque fois que nous passons par un de ces portails, les IA — où qu'elles soient — se collent à notre cerveau comme de grosses tiques gorgées de sang, pas vrai ?

— Faux, me dit la fillette en pivotant de nouveau vers moi. Tous les relais distrans n'ont pas été construits ou mis en place par les mêmes éléments du TechnoCentre. Les *Cantos* achevés par mon oncle Martin ne parlent donc pas de la guerre civile dans le Centre telle que mon père l'a découverte ?

— Ils en parlent, répliquai-je.

Fermant les yeux, j'essayai de me rappeler les vers du récit mémorisé dans ma jeunesse. C'était à moi de déclamer.

— Dans les *Cantos*, murmurai-je, il y a une sorte de personnalité IA à laquelle le cybride Keats s'adresse dans la mégasphère de l'info-espace.

24

— Ummon. C'était son nom. Ma mère a voyagé un jour là-bas avec mon père, mais c'est... mon oncle... le second cybride Keats... qui a finalement affronté Ummon. Continue.

— Pourquoi ? demandai-je. Tu dois savoir tout ça mieux que moi.

— Pas du tout. Oncle Martin n'avait pas repris le travail sur ses *Cantos* quand je vivais avec lui. Il disait qu'il n'avait pas l'intention de les achever. Dis-moi comment il raconte ce que disait Ummon de la guerre civile dans le Centre.

Je fermai de nouveau les yeux.

Deux siècles durant nous avons ruminé cela,
puis les deux groupes se sont séparés
chacun de son côté :
les Stables, qui voulaient préserver la symbiose,
les Volages, qui voulaient mettre fin à l'humanité,
les Ultimistes, qui ajournèrent leur choix jusqu'à l'appa-
                                                              rition
du niveau ultérieur de conscience.
Le conflit faisait déjà rage entre eux,
la guerre véritable fait rage aujourd'hui.

— Pour toi, cela remonte au moins à deux cent soixante-dix années standard, murmura Énée. C'est-à-dire juste avant la Chute.

— C'est exact.

J'ouvris les yeux et scrutai l'océan à la recherche d'autre chose que les vagues violettes.

— Le poème de l'oncle Martin expliquait-il les motivations des Stables, des Ultimistes et des Volages ?

— Plus ou moins, répliquai-je. Mais ce n'est pas toujours facile à suivre. Dans le poème, Ummon et les autres IA du Centre s'expriment en koans zen.

Énée hocha la tête.

— C'est une bonne chose, dit-elle.

— D'après les *Cantos*, le groupe d'IA du Centre connu sous le nom de Stables voulait continuer de parasiter notre cerveau humain lorsque nous utilisions le Retz. Les Volages voulaient nous annihiler. Et les Ultimistes, à mon avis, s'en fichaient complètement, du moment qu'ils pouvaient continuer à travailler à l'évolution de leur propre dieu mécanique. Comment l'appelaient-ils, déjà ?

— L'IU, répondit Énée, ralentissant le tapis et perdant un peu d'altitude. L'Intelligence Ultime.

— C'est ça. Plutôt ésotérique comme truc. Est-ce qu'il y a un rapport avec notre passage à travers ces portails distrans ? Si jamais nous en découvrons un autre ?

Au moment où je prononçais ces mots, je doutais sérieusement que cela se réalise. Ce monde était trop grand, l'océan trop vaste. Même si le courant poussait notre petit radeau dans la bonne direction, les chances de tomber juste dans le cercle d'une centaine de mètres du prochain portail me semblaient dérisoires.

— Tous les relais distrans n'ont pas été créés et entretenus par les Stables pour être... comment disais-tu ? De grosses tiques gorgées de sang et collées au cerveau.

— D'accord. Qui d'autre les a créés ?

— Ceux du fleuve Téthys ont été conçus par les Ultimistes. Il s'agissait d'une sorte d'expérience, je pense que tu appellerais ça comme ça, avec l'Espace qui Lie — c'est l'expression du Centre. L'oncle Martin ne l'utilisait pas dans les *Cantos* ?

— Oui, répondis-je.

Nous étions maintenant assez bas, à moins de mille mètres au-dessus des vagues. Mais ni le radeau ni rien d'autre n'était en vue.

— Retournons, proposai-je.

— D'accord.

Nous consultâmes notre compas et réglâmes le cap sur le bercail... si toutefois un radeau bancal peut être appelé ainsi.

— Je n'ai jamais réussi à comprendre ce que c'était au juste que cet « Espace qui Lie », murmurai-je. Sans doute une sorte d'hyperespace utilisé par les portails et par le Centre pour se cacher en attendant de nous tomber dessus. Ça, ça va. Mais je pensais que tout avait été détruit quand Meina Gladstone a tout fait bombarder.

— On ne peut pas détruire l'Espace qui Lie, me dit Énée d'une voix lointaine, comme si elle était en train de penser à autre chose. Comment l'oncle Martin le décrivait-il ?

— Le temps de Planck et la longueur de Planck, répliquai-je. Je ne me souviens pas exactement. Quelque chose qui combinait les trois constantes fondamentales de la physique : la gravité, la constante de Planck et la vitesse de la lumière. Je me rappelle que cela donnait de minuscules unités de longueur et de temps.

— Environ 10^{-35} mètre pour la longueur, déclara la fillette en accélérant légèrement le tapis, et 10^{-43} seconde pour le temps.

— Ça ne me dit pas grand-chose. Tout ce que je comprends, c'est que c'est foutrement petit et court, si tu me passes l'expression.

— Je t'absous, me dit-elle tandis que nous reprenions peu à peu de l'altitude. Mais ce n'étaient pas la durée ni la longueur qui comptaient. C'était la texture qu'elles tissaient. L'Espace qui Lie. C'est ce que mon père a essayé de m'expliquer avant ma naissance...

Je tiquai légèrement en entendant cette expression, mais la laissai continuer.

— Je suppose que tu sais ce que c'est qu'une infosphère planétaire, reprit-elle.

— Oui, déclarai-je en tapotant mon persoc. Mais, d'après ce bidule, il n'y en a pas sur Mare Infinitus.

— C'est exact. Pourtant, la plupart des mondes du Retz en possédaient une. Et les infosphères formaient la mégasphère.

— Le médium distrans — l'Espace machin truc — était là pour relier les infosphères, c'est bien ça ? demandai-je. La Force, le gouvernement électronique de l'Hégémonie, la Pangermie et tout le reste se servaient de la mégasphère comme des distrans pour assurer leurs liaisons.

— Ouais, fit Énée. La mégasphère, en fait, n'existait qu'en tant que sous-catégorie de l'espace distrans.

— Je ne savais pas cela, lui dis-je.

Le médium mégatrans n'existait pas de mon vivant, en réalité.

— Te souviens-tu du dernier message distrans qui est passé juste avant la Chute ? me demanda l'enfant.

— Oui, murmurai-je en fermant les yeux.

Les vers du poème ne me revinrent pas en mémoire, cette fois-ci. J'avais toujours trouvé trop vague la fin des *Cantos* pour en mémoriser les strophes, malgré l'entraînement acquis au contact de Grandam.

— C'était une sorte de mystérieux message du Centre, murmurai-je. Quelque chose comme « libérez la ligne, vous emboutaillez le réseau. »

— Le message, fit Énée, disait exactement ceci : « IL NE DEVRA PLUS Y AVOIR DE NOUVELLE UTILISATION ABUSIVE DE CE CANAL. VOUS GÊNEZ CEUX QUI L'UTILISENT POUR DES MOTIFS SÉRIEUX. L'AUTORISATION D'ACCÈS VOUS SERA RESTITUÉE QUAND VOUS AUREZ COMPRIS À QUOI IL SERT. »

— Ce sont les termes des *Cantos*, approuvai-je. Juste après, le support hypercorde a cessé de fonctionner. Le Centre a émis son message, et les distrans ont été coupés.

— Le Centre n'a émis aucun message, me dit Énée.

Je me souviens du lent frisson qui s'empara de moi, en entendant ces mots, malgré la chaleur des deux soleils.

— Tu crois ? demandai-je stupidement. Qui l'a émis, alors ?

— Question judicieuse. Quand mon père parlait de la métasphère — cet infoplan plus vaste censé être en contact avec l'Espace qui Lie —, il disait toujours qu'il était rempli de lions, de tigres et d'ours.

— Des lions, des tigres et des ours, répétai-je.

C'étaient des animaux de l'Ancienne Terre, et je ne pense pas qu'aucun d'eux soit arrivé jusqu'à l'Hégire. Aucun n'était encore là pour faire le voyage, pas même sous forme d'ADN en conserve, lorsque l'Ancienne Terre s'était engloutie dans son trou noir après la Grande Erreur de 08.

— Hum, fit Énée. J'aimerais faire leur connaissance, un de ces jours. On y est.

Je regardai par-dessus son épaule. Nous étions à présent à un millier de mètres au-dessus de la mer. Le radeau, bien visible, paraissait minuscule. A. Bettik se tenait à la godille, de nouveau en bras de chemise, sous la chaleur de midi. Il nous salua en agitant son bras bleu. Nous lui rendîmes son salut.

— J'espère qu'il y aura quelque chose de bon à manger, me dit Énée.

— Sinon, on ira faire un tour chez Gus, au grill-room océanique.

Énée se mit à rire et piqua sur le radeau.

La nuit venait de tomber et les lunes ne s'étaient pas encore levées lorsque nous vîmes clignoter les lumières à l'horizon, à l'est. Nous nous précipitâmes à l'avant du radeau pour essayer de savoir ce que c'était. Énée prit les jumelles, A. Bettik les lunettes de vision nocturne avec leur amplification réglée au maximum, et moi le fusil avec son viseur.

— Ce n'est pas l'arche, fit Énée. C'est une plate-forme au milieu de l'océan. Elle est énorme, et montée sur des pieds ou un truc comme ça.

— En tout cas, j'aperçois l'arche, annonça l'androïde, fixant un point situé à plusieurs degrés au nord des lumières clignotantes.

Énée et moi, nous regardâmes dans cette direction.

L'arche était tout juste visible, sous la forme d'une corde d'espace négatif ressortant sur le fond de la Voie lactée au-dessus de l'horizon. La plate-forme, avec ses balises clignotantes destinées à l'atterrissage des engins aériens et ses fenêtres éclairées de l'intérieur, était plus proche de plusieurs kilomètres. Elle nous barrait la route du portail.

— Zut ! m'exclamai-je. Je me demande de quoi il peut bien s'agir.

— Chez Gus, tu crois ? me demanda Énée.

Je soupirai.

— Si c'est le cas, il y a eu un changement de propriétaire. Les touristes se sont faits plutôt rares sur le Téthys ces deux derniers siècles.

J'étudiai attentivement la plate-forme à travers le viseur du fusil.

— Il y a plusieurs niveaux, dis-je à mes compagnons. Avec pas mal de bateaux amarrés. Des bateaux de pêche, on dirait. Je vois aussi une aire réservée aux glisseurs et autres engins aériens, avec deux ornis attachés un peu plus loin.

— Qu'est-ce que c'est qu'un orni ? demanda Énée en abaissant ses jumelles.

Ce fut A. Bettik qui répondit :

— Une forme d'engin volant avec des ailes mobiles, comme un insecte, H. Énée. Ils étaient très populaires à l'époque de l'Hégémonie, bien que plutôt rares sur Hypérion. Je crois qu'on les appelait aussi des libellules.

— On les appelle toujours ainsi, déclarai-je. La Pax en avait quelques-unes sur Hypérion. J'en ai vu une, un jour, sur le glacier d'Ursus.

Je portai de nouveau le viseur à mon œil. J'aperçus les verrières, comme des yeux, à l'avant de la libellule, illuminées par une fenêtre éclairée.

— Ce sont bien des ornis, déclarai-je.

— Je crois que nous allons avoir du mal à dépasser cette plate-forme pour arriver jusqu'à l'arche sans nous faire repérer, nous dit A. Bettik.

— Vite, murmurai-je en tournant le dos aux lumières clignotantes. Démontons la tente et le mât.

Nous avions réinstallé la microtoile de manière à former une sorte de mur-abri sur tribord arrière, pour des raisons sanitaires qu'il n'est pas nécessaire de développer ici, mais nous eûmes vite fait d'abattre la tente et de la réduire à une petite boule de la taille de ma main. Pendant ce temps, A. Bettik couchait le mât à l'avant.

— Et la godille ? me demanda-t-il.

Je me tournai une seconde vers l'arrière.

— Laissez-la. Elle n'a pas de surface équivalente radar très importante, et elle n'est pas plus haute que nous.

Énée étudiait de nouveau la plate-forme avec ses jumelles.

— Je ne crois pas qu'ils puissent nous détecter pour le moment, dit-elle. Nous sommes cachés par les creux de la houle la plupart du temps. Mais quand nous serons plus près...

— Et que les lunes se lèveront, ajoutai-je.

A. Bettik vint s'asseoir à côté de nous devant le foyer.

— Si nous pouvions décrire une large courbe pour arriver au portail..., commença-t-il.

Je me grattai la joue, faisant crisser ma barbe de plusieurs jours.

— J'y ai pensé, murmurai-je. J'aurais pu utiliser la ceinture de vol pour remorquer le radeau, mais...

— Il y a le tapis hawking, fit Énée en se rapprochant du cube de chauffage.

La plate-forme surélevée, sans la tente, paraissait bien nue.

— Comment y fixer un câble de remorque ? demandai-je. En brûlant le tissu pour y faire un trou ?

— Si seulement nous avions un harnais, murmura l'androïde.

— Nous en avions un beau avec la ceinture de vol. Mais je l'ai donné à manger au léviathan gueule-de-lampe.

— On pourrait en fabriquer un autre, proposa l'homme bleu, et passer le câble autour des épaules de la personne qui pilotera le tapis.

— C'est possible, mais il offrira alors un écho maximal. Si cette plate-forme peut recevoir des glisseurs et des ornis, elle dispose nécessairement d'un système de contrôle aérien et de détection, même rudimentaire.

— Nous pourrions rester au ras des vagues, suggéra Énée. Pas beaucoup plus haut que le radeau.

Je me grattai le menton.

— On pourrait essayer, c'est vrai, reconnus-je. Mais si nous faisons un détour suffisant pour demeurer hors de vue de la plate-forme, nous n'arriverons devant le portail que bien après le lever des lunes. Et d'ailleurs, même si nous foncions droit dessus dès maintenant, avec ce courant, nous n'arriverions pas avant. Ils ne manqueraient pas de nous apercevoir, avec toute cette lumière. De toute manière, le portail est à moins d'un kilomètre de la plate-forme, et celle-ci est assez haute pour qu'ils nous voient quand nous nous en approcherons.

— Rien n'indique qu'ils nous recherchent, déclara la fillette.

Je hochai la tête. L'image du prêtre capitaine qui nous avait attendus dans les systèmes de Parvati et de Renaissance ne me quittait jamais longtemps, avec son col romain sur l'uniforme noir de la Pax. Je m'attendais à moitié à le voir apparaître sur cette plate-forme, entouré de gardes du Vatican.

— L'important n'est pas là, murmurai-je. À supposer

qu'ils veuillent nous secourir, avons-nous une histoire plausible à leur raconter ?

Énée sourit.

— Nous sommes sortis faire une petite croisière au clair de lunes, et nous nous sommes perdus ? Je crois que tu as raison, Raul. Ils nous « sauveraient la vie », et nous passerions tout un an à expliquer qui nous sommes aux autorités de la Pax. Ils ne nous recherchent peut-être pas spécialement, mais si vous dites qu'ils sont établis sur cette planète...

— La chose ne fait aucun doute, déclara A. Bettik. La Pax possède de gros intérêts sur Mare Infinitus. D'après les renseignements que nous avons glanés lorsque nous nous cachions dans la ville universitaire, il est clair que l'Église s'est installée ici depuis longtemps pour restaurer l'ordre, créer des sociétés d'exploitation des produits de la mer et convertir les survivants de la Chute au christianisme régénéré. Mare Infinitus était un protectorat de l'Hégémonie. Aujourd'hui, c'est une dépendance de la Pax à part entière.

— Mauvaise nouvelle, ça, fit Énée.

Elle se tourna vers l'androïde, puis vers moi, pour me demander :

— Tu as une idée ?

— Peut-être, répondis-je en me levant.

Nous tenions cette conversation à voix basse, bien que nous fussions encore séparés de la plate-forme par une distance de quinze kilomètres au moins.

— Au lieu d'essayer de deviner qui est là et pourquoi, murmurai-je, est-ce qu'il ne vaudrait pas mieux que j'aille y jeter un coup d'œil de plus près ? Il ne s'agit peut-être que des descendants du vieux Gus et de quelques pêcheurs endormis.

Énée renifla.

— Quand nous avons aperçu ces lumières, vous savez à quoi ça m'a fait penser ?

— À quoi ? demandai-je.

— Aux toilettes de l'oncle Martin.

— Je vous demande pardon ? fit l'androïde.

Énée se frappa les genoux des deux mains.

— Je vous assure. Maman me racontait que, quand il était

un grand écrivain connu, à l'époque du Retz, il avait une maison multiplanétaire.

Je fronçai les sourcils.

— Grandam m'en a parlé. Il y avait des portes distrans pour passer d'une pièce à l'autre. Une seule maison, mais une planète pour chaque chambre.

— Des douzaines de mondes, pour la maison d'Oncle Martin, à en croire ma mère. Et il avait une salle de bains sur Mare Infinitus. Rien de plus. Juste une plate-forme flottante avec des sanitaires. Pas même de murs ni de plafond.

Je scrutai l'immensité de la mer.

— Autant pour l'harmonie avec la nature, murmurai-je en me frappant à mon tour les cuisses. Bon, je crois que je vais y aller avant de craquer.

Personne n'essaya de me retenir ni ne proposa de prendre ma place. Je me serais peut-être laissé faire, dans ce dernier cas.

Je mis un pantalon noir et mon sweater le plus foncé, avec par-dessus mon gilet de chasse camouflage. Je me sentais un peu ridicule. *Rantanplan s'en-va-t'en-guerre*, me soufflait la partie la plus cynique de mon esprit. Je la fis taire. Je gardai mon ceinturon avec le pistolet, ajoutai trois détonateurs et un pain de plastic à mon équipement, glissai les lunettes de vision nocturne autour de mon cou pour les laisser pendre discrètement sur le gilet lorsque je ne les portais pas, insérai l'un des écouteurs de l'unité com dans mon oreille et collai le micro à ma gorge pour pouvoir parler en mode subvocal. Énée prit la deuxième paire d'écouteurs, et nous fîmes quelques essais. Je retirai mon persoc et le donnai à l'androïde.

— Ce truc-là reflète trop la lumière stellaire, lui dis-je. Et la voix du vaisseau pourrait se mettre à couiner des données de navigation au mauvais moment.

L'androïde hocha la tête et glissa le persoc dans la poche de sa chemise.

— Vous avez un plan, H. Endymion ?

— J'en improviserai un en chemin.

Je fis grimper le tapis hawking juste au-dessus du niveau du radeau. Puis je touchai l'épaule d'Énée. Le contact me fit soudain l'effet d'une secousse électrique. Ce n'était pas la première fois que cela se produisait entre nous. Je l'avais déjà remarqué lorsque nos mains se touchaient. Rien de sexuel, naturellement, mais la sensation n'en était pas moins électrique.

— Ne t'éloigne pas trop, lui chuchotai-je à l'oreille. Si j'ai besoin de toi, je crie.

Elle leva vers moi ses grands yeux graves à la lumière des étoiles.

— À quoi bon, Raul ? Nous ne pourrons même pas arriver jusqu'à toi.

— Je sais. Je plaisantais.

— Il ne faut pas plaisanter avec ces choses, murmurat-elle. N'oublie pas que si tu n'es pas avec moi sur le radeau quand il franchira le portail, nous serons séparés à jamais.

Je hochai la tête. Cette pensée me refroidissait davantage que l'idée de me faire tuer.

— Ne t'inquiète pas, je reviendrai à temps, murmurai-je. Je pense que le courant nous fera passer devant la plate-forme dans... Qu'est-ce que vous en pensez, A. Bettik ?

— Environ une heure, H. Endymion.

— Oui, c'est ce que j'avais calculé, moi aussi. Cette maudite lune devrait se lever à peu près au même moment. Je... trouverai bien quelque chose pour les distraire.

Je donnai de nouveau une petite tape sur l'épaule d'Énée, adressai un signe de tête à l'androïde et m'éloignai au ras de l'eau sur le tapis hawking.

Malgré l'incroyable clarté des étoiles et les lunettes de vision nocturne, j'eus du mal à guider le tapis sur les quelques kilomètres qui me séparaient de la plate-forme. Il me fallait rester le plus possible dans les creux de la houle, c'est-à-dire que je devais voler plus bas que la crête des vagues. La manœuvre était délicate. Je n'avais pas la moindre idée de ce qui se passerait si j'étais obligé de couper à travers l'une de ces grosses lames écumeuses. Peut-être rien. Peut-être que les fils de vol du tapis seraient court-circuités. Je n'avais pas l'intention d'essayer de le découvrir, en tout cas.

La plate-forme, vue de près, était énorme. Cela me changeait par rapport au radeau. Elle semblait faite d'acier et, surtout, de bois foncé, avec de nombreux pylônes qui la maintenaient à une quinzaine de mètres au-dessus des

34

vagues. Cela me donnait une idée de ce que pouvaient être les tempêtes locales. Je me félicitais que nous n'en ayons pas encore essuyé. La plate-forme proprement dite était à plusieurs niveaux. Tout en bas, j'aperçus des pontons, avec au moins cinq longs bateaux de pêche amarrés. Des escaliers de fer reliaient les différents niveaux, et des compartiments étaient éclairés au-dessous de ce qui semblait être le pont principal. Il y avait deux tours visibles de l'endroit où je me trouvais, l'une d'elles surmontée d'une petite antenne parabolique, et trois aires d'atterrissage, dont deux étaient demeurées complètement invisibles à partir du radeau. J'apercevais à présent au moins une demi-douzaine d'ornis, avec leurs ailes de libellule repliées, et deux gros glisseurs garés sur l'aire circulaire au pied de la tour radar. J'avais imaginé un superplan en me rapprochant avec le tapis. Je voulais créer une diversion. C'était la raison pour laquelle j'avais amené les détonateurs et le plastic. C'était un explosif très faible, mais suffisant pour faire naître au moins un foyer d'incendie que je mettrais à profit pour voler une des libellules et m'en servir pour franchir le portail, si nous étions poursuivis, ou pour remorquer le radeau un peu plus vite, dans le cas contraire.

C'était un bon plan, mais il y avait une faille : je ne savais pas piloter un orni. Je n'avais rien vu de la sorte dans les holodrames que je suivais dans les salles de Port-Romance ou dans les centres de loisirs de la Garde Nationale. Les héros de ces histoires savaient piloter tout ce qu'ils dérobaient : glisseurs, VEM, ornis, hélicoptères, aérostats, vaisseaux spatiaux. De toute évidence, il me manquait un cours de la Formation de Base des Héros. Si je réussissais à m'emparer d'un de ces trucs, je serais probablement encore en train de me ronger un ongle en examinant les commandes avec perplexité lorsque les hommes de la Pax m'appréhenderaient. Ce devait être plus facile d'être héroïque du temps de l'Hégémonie, où les machines étaient plus intelligentes, ce qui compensait la stupidité des héros. À dire la vérité, mais je n'aurais pas voulu l'avouer à mes compagnons, il n'y avait pas beaucoup d'engins que je savais conduire. Une péniche, un véhicule de sol, et encore à condition qu'il s'agisse de l'un des modèles utilisés par la Garde Nationale d'Hypérion. Quant aux engins atmosphériques ou spatiaux, disons que j'avais été bien content de constater que le vaisseau du consul n'avait même pas de salle de commande.

M'arrachant à mes réflexions sur mes insuffisances héroïques, je me concentrai sur mon approche de la plate-forme, dont je n'étais plus séparé que par quelques centaines de mètres. Je voyais clairement les balises sur les tours et les aires d'atterrissage. Il y avait une lumière verte clignotante sur chaque ponton, et les fenêtres éclairées étaient nombreuses. Beaucoup trop de fenêtres à mon goût. Je décidai de tenter de me poser dans le secteur le plus sombre de la plate-forme, juste au pied de la tour radar, à l'est. Je décrivis avec mon tapis une large courbe au ras des vagues pour arriver dans cette direction. Lorsque je jetai un coup d'œil par-dessus mon épaule, je m'attendais presque à voir le radeau en train de s'approcher, mais il était toujours invisible.

J'espère qu'il est invisible pour eux aussi.

J'entendais à présent des rires et des voix. C'étaient des voix masculines et de gros rires sonores, qui me rappelaient ceux des chasseurs d'outre-monde que je guidais dans les marais, bourrés d'alcool et de bonne humeur. Mais cela ressemblait aussi aux grosses brutes que j'avais connues dans la Garde Nationale.

Je redoublai d'efforts pour raser la surface de l'eau au moment d'aborder la plate-forme.

— J'y suis presque, annonçai-je dans mon micro subvocal.

— D'accord, fit la voix d'Énée à mon oreille.

Nous étions convenus qu'elle ne ferait que répondre à mes appels, à moins qu'il n'y ait une urgence de leur côté.

Faisant du sur-place, j'aperçus un enchevêtrement de poutres, de poutrelles, de passerelles et de coursives de mon côté sous le pont principal. Contrairement aux escaliers brillamment éclairés des côtés nord et ouest de la plate-forme, ils étaient plongés dans le noir. Ce n'étaient peut-être que des passerelles d'entretien. Je choisis l'endroit le plus bas et le plus sombre pour y poser le tapis. Je l'enroulai et le calai entre deux poutrelles, en l'attachant avec la corde dont je m'étais muni. Je la coupai d'un coup sec avec mon poignard. En remettant celui-ci dans son étui, j'eus la soudaine vision d'être obligé de tuer quelqu'un avec cette arme. Je frissonnai à cette pensée. Hormis l'accident qui s'était produit lorsque H. Herrig m'avait attaqué, je n'avais jamais tué personne au corps à corps. Et je priais Dieu pour que cela ne m'arrive jamais plus.

Les marches craquaient sous mes pas, mais j'espérais que le bruit serait couvert par celui des vagues dans les pylônes et des rires qui descendaient du pont. Je grimpai deux volées de marches, découvris une échelle et la suivis jusqu'à une trappe. Elle n'était pas verrouillée. Je la soulevai prudemment, m'attendant à moitié à faire tomber un garde armé à la renverse.

Je passai lentement la tête et vis que la trappe donnait sur un pont d'envol situé le long de la mer au pied de la tour. Dix mètres plus haut, l'antenne radar tournait, occultant à mes yeux une partie de la Voie lactée à chaque rotation.

Je me hissai sur le pont, réprimai l'instinct de marcher sur la pointe des pieds et m'avançai jusqu'au coin de la tour. Deux énormes glisseurs étaient amarrés sur le pont à cet endroit. Leurs masses sombres paraissaient vides. Sur les ponts d'envol inférieurs, j'apercevais les reflets des étoiles sur les ailes d'insecte des ornis. La lumière galactique faisait briller leurs coupoles d'observation noires. Sûr qu'on était en train de m'observer, je sentis un picotement atroce entre les omoplates tandis que je m'avançais à découvert pour plaquer une petite boule de plastic sous le fuselage du premier engin et mettre en place un détonateur que je pourrais activer avec un code approprié de mon unité com. Puis je redescendis par l'échelle sur le pont des ornis et répétai l'opération. J'étais certain que l'on m'observait de l'une des baies éclairées de la plate-forme, mais personne ne donna l'alerte. Aussi nonchalamment que possible, je gravis silencieusement la passerelle qui conduisait au pont d'envol et passai la tête au coin de la tour.

Un nouvel escalier descendait du module de la tour jusqu'à l'un des niveaux principaux. Les baies y étaient brillamment éclairées, uniquement voilées par des tentures, leurs volets levés. Les rires étaient très forts, accompagnés de bribes de chansons et de bruits de vaisselle.

Retenant ma respiration, je descendis quelques marches,

traversai le pont et pris une passerelle qui me faisait passer à quelque distance de l'entrée. Je baissai la tête pour éviter les lumières des fenêtres éclairées. Je fis un gros effort pour reprendre mon souffle et ralentir le rythme de mes battements de cœur. Si quelqu'un s'avisait de sortir maintenant sur le pont, ma retraite jusqu'au tapis serait coupée. Je tâtai la crosse de mon .45 sous mon gilet et m'efforçai d'entretenir des pensées courageuses. Mais je voulais surtout regagner le radeau le plus vite possible. J'avais mis toutes mes charges en place. Pourquoi m'attarder davantage ?

Ce n'était pas seulement la curiosité qui me retenait, en fait. Si la plate-forme n'était pas occupée par des hommes de la Pax, je n'avais pas tellement envie de faire exploser le plastic. Les rebelles que j'avais combattus sur les Crocs de Glace faisaient des bombes leurs armes de prédilection. Ils en posaient aussi bien dans les villages que dans les casernes de la Garde Nationale, dans les tracteurs des neiges, dans de petites embarcations qu'ils dirigeaient aussi bien contre les civils que contre les soldats de la Garde Nationale. J'avais toujours considéré cette pratique comme lâche et détestable. Les bombes étaient des armes aveugles, qui tuaient sans discrimination les innocents aussi bien que les soldats ennemis. J'étais peut-être ridicule de moraliser de cette façon, mais, même si je savais que mes charges de plastic ne feraient rien de plus que mettre le feu à des engins inoccupés, je n'avais pas l'intention de les faire exploser sans nécessité absolue. Ces hommes, ces femmes, probablement, et ces enfants, peut-être, ne nous avaient rien fait.

Prudemment, avec une lenteur absurde et exaspérante, je passai la tête pour essayer d'apercevoir quelque chose par l'une des fenêtres. Un coup d'œil me suffit, et je baissai promptement la tête. Les bruits de vaisselle venaient d'une grande cuisine bien éclairée. Une cambuse, plutôt, puisque nous étions, pour ainsi dire, à bord d'une sorte de navire. En tout cas, il y avait là une demi-douzaine d'occupants, tous des hommes, tous d'âge militaire, mais sans uniforme, en tablier ou en sous-vêtements, occupés à nettoyer et à ranger des piles d'assiettes et d'ustensiles de cuisine. Visiblement, j'étais arrivé trop tard pour me faire inviter à dîner.

Rasant la paroi, j'allai sur la pointe des pieds jusqu'au

bout de la passerelle, descendis par une autre échelle et m'arrêtai devant une nouvelle série de fenêtres. Là, dans l'ombre de la jonction de deux modules, je pouvais voir ce qui se passait de l'autre côté sans avoir à coller la tête au carreau. C'était un réfectoire ou une salle à manger. Une trentaine d'hommes — sans la moindre femme ! — étaient assis devant une tasse de café. Certains fumaient une cigarette recomb. L'un d'eux au moins me parut avoir devant lui un verre de whisky, ou tout au moins de liquide ambré qui se trouvait dans une bouteille non loin de lui. Je l'aurais bien accompagné, quelle que fût la substance.

Beaucoup de ces hommes étaient en kaki, mais j'étais incapable de dire s'il s'agissait d'un uniforme local ou de l'accoutrement traditionnel des pêcheurs sportifs. Je ne voyais aucun uniforme de la Pax, ce qui était plutôt encourageant. Cette plate-forme avait peut-être été reconvertie pour la pêche ou pour accueillir de riches touristes d'outre-monde qui n'hésitaient pas à dépenser des années de déficit de temps — ou plutôt à les faire payer, chez eux, à leurs familles et à leurs amis — pour le seul plaisir de tuer quelque chose de gros ou d'exotique. En fait, j'en connaissais peut-être quelques-uns, chasseurs de canards sur Hypérion, pêcheurs ici. Mais je n'avais pas l'intention d'entrer pour vérifier.

Un peu plus confiant, je m'avançai sur la passerelle, exposé à la lumière des fenêtres. Il ne semblait pas y avoir de gardes ni de sentinelles. Nous n'allions peut-être pas avoir besoin de diversion. Nous n'aurions qu'à passer tranquillement sur le radeau devant ces types, clair de lunes ou pas clair de lunes. Ils seraient tous en train de dormir, de boire ou de rire, et le courant nous emporterait droit sous le portail distrans que j'apercevais maintenant à moins de deux kilomètres au nord-est, arche sombre à peine visible contre le ciel étoilé. Quand nous arriverions au portail, j'émettrais le signal codé qui, au lieu de faire exploser le plastic, désactiverait les détonateurs.

J'étais en train de regarder le portail lorsque, au détour d'un angle, je me cognai littéralement contre un type adossé au mur. Il y en avait deux autres penchés sur le bastingage. L'un d'eux tenait contre ses yeux des jumelles de vision nocturne qu'il braquait vers le nord. Tous les deux étaient armés.

— Hé ! s'écria celui à qui je m'étais cogné.

— Pardon, lui dis-je.

Je n'avais jamais vu une scène pareille dans un holo-drame. Les deux hommes penchés au bastingage avaient des minipistolets à fléchettes en bandoulière, et leur main était posée dessus avec cette arrogance nonchalante commune aux militaires de toutes les époques. L'un des deux pointa alors son arme dans ma direction. Celui que j'avais bousculé était en train d'allumer une cigarette. Il secoua l'allumette pour l'éteindre, ôta la cigarette de sa bouche et me regarda d'un air furieux.

— Qu'est-ce que vous faites sur le pont ? me demanda-t-il.

Il était plus jeune que moi. Il devait avoir une vingtaine d'années standard. Je vis qu'il portait une variante de l'uni-forme des forces de la Pax au sol, avec la barrette de lieute-nant que j'avais appris à saluer sur Hypérion. Son accent était prononcé, mais j'étais incapable de le situer.

— Je suis sorti prendre l'air, balbutiai-je.

Une partie de moi-même se disait qu'un vrai héros aurait déjà sorti son pistolet pour faire feu. Mais la partie la plus intelligente ne voulait même pas entendre parler de cette solution.

L'autre soldat de la Pax avait également orienté son arme automatique vers moi la bretelle tendue. J'entendis le déclic d'une sécurité qui se défaisait.

— Vous êtes avec le groupe Klingman ? me demanda-t-il avec le même accent épais, ou avec les Outres ?

J'avais entendu *hou avé les zauteurs*. J'ignorais s'il avait voulu dire « les autres », « les Outres » ou même encore « les auteurs ». J'étais peut-être tombé dans un camp de con-centration maritime pour mauvais écrivains. J'essayais peut-être trop fort d'être mentalement décontracté alors que mon cœur battait si fort que j'aurais pu faire un infarctus devant eux.

— Klingman, murmurai-je, en m'efforçant de rester aussi concis que possible.

40

En ce que concernait l'accent que j'aurais dû avoir, j'étais sûr de ne pas être dans le coup.

Le lieutenant de la Pax fit un signe du pouce vers la porte qui se trouvait un peu plus loin.

— Vous connaissez le règlement. Couvre-feu absolu à la nuit tombée.

Hou cohaissé le hègleman. Couve-heu hasso-hu à la nuit ton-hé.

Je hochai la tête en m'efforçant de prendre un air contrit. Mon gilet de chasse couvrait l'étui de mon pistolet sur la hanche. Ils n'avaient peut-être pas repéré l'arme.

— Venez, me dit le lieutenant en balançant de nouveau le pouce mais en se tournant pour me précéder.

Ve-hé !

Les deux troufions avaient toujours la main sur leur pistolet à fléchettes. À cette distance, s'ils me tiraient dessus, on pourrait me ramasser à la petite cuiller pour m'enterrer dans une tasse à thé.

Je suivis le lieutenant sur la passerelle. Il m'ouvrit la porte, et j'entrai dans la salle la plus illuminée et la plus bondée qu'il m'eût jamais été donné de voir.

32

Ils commencent à se fatiguer de la mort. Après avoir visité huit systèmes stellaires en soixante-trois jours, connu chacun huit fins atroces et huit résurrections douloureuses, le père capitaine de Soya, le sergent Gregorius, le caporal Kee et le lancier Rettig en ont assez de la mort et de la régénération.

Chaque fois qu'il ressuscite, à présent, de Soya se tient nu devant un miroir, regarde sa peau à vif, luisante comme celle d'un écorché vivant, et touche délicatement le cruciforme tantôt livide et tantôt écarlate qui fait saillie sous la peau de sa poitrine. Après ces résurrections, durant plusieurs jours, il est comme fou, ses mains tremblent un peu plus chaque fois. Il entend des voix lointaines. Il est incapable de se concentrer totalement, que son interlocuteur soit un amiral de la Pax, un gouverneur planétaire ou un prêtre paroissial.

De Soya commence à s'habiller en prêtre. Il troque son fringant uniforme de père capitaine de la Pax contre la soutane et le col blanc. Il porte un rosaire à sa ceinture-cordelette et l'égrène continuellement, comme s'il s'agissait de boules antistress. La prière le calme, elle remet ses pensées en ordre. Le père capitaine de Soya ne rêve plus d'Énée comme si c'était sa fille. Il ne rêve plus du vecteur Renaissance ni de sa sœur Maria, mais d'Armageddon. Dans ses terribles cauchemars, il voit des forêts orbitales en flammes, des mondes embrasés, des rayons de la mort qui balaient des vallées fertiles et ne laissent derrière eux que cadavres et désolation.

Après le premier monde du Téthys, il comprend qu'il a mal calculé. Deux années standard pour visiter deux cents mondes, avait-il dit dans le système Renaissance, en prévoyant trois jours pour la résurrection dans chaque système, pour donner l'alerte puis pour passer dans le système suivant. Mais ça ne marche pas comme ça.

Son premier monde est Tau Ceti Central, l'ancienne capitale administrative des provinces reculées du Retz hégémonien. Demeure de dizaines de milliards de personnes à l'époque du Retz, entouré d'une véritable ceinture de cités et d'habitats orbitaux, desservi par les ascenseurs de l'espace, les distrans, le fleuve Téthys, le Confluent, le mégatrans et d'autres moyens encore, centre de la mégasphère de l'infoplan, siège de la Maison du Gouvernement, site du lynchage de Meina Gladstone par la foule en furie après la destruction des distrans du Retz par les vaisseaux de la Force placés sous son commandement, TC^2 a été frappé de plein fouet par la Chute. Les immeubles flottants se sont écrasés au sol lorsque le réseau d'énergie s'est écroulé. Les spires urbaines, certaines atteignant plusieurs centaines d'étages, n'étaient desservies que par distrans, sans le moindre ascenseur ou escalier. Des dizaines de milliers d'êtres humains y sont morts de faim ou se sont jetés par la fenêtre avant d'avoir pu être sauvés par les glisseurs. Ce monde n'avait pas de production agricole propre. Il importait sa nourriture d'un millier de mondes différents par l'intermédiaire des distrans planétaires et de grands portails orbitaux. Les Émeutes de la Grande Famine durèrent cinquante années locales sur TC^2. Quand elles prirent fin, des milliards d'humains avaient reçu la mort des mains d'autres humains, s'ajoutant aux milliards de victimes de la faim.

Tau Ceti Central, à l'époque du Retz, était un monde sophistiqué et frivole. Rares étaient les religions qui avaient pu s'y enraciner, à l'exception des plus sybarites et des plus violentes. L'Église de l'Expiation Finale — celle du culte gritchtèque — était relativement populaire dans les cercles blasés. Mais durant les siècles de l'expansion hégémonienne, le seul véritable objet du culte sur TC^2 fut le pouvoir, dont la poursuite, la proximité et la conservation servaient de credo à des milliards d'individus. Lorsque ce credo s'écroula, en entraînant dans sa chute des cohortes de victimes, les survivants maudirent, parmi leurs ruines urbaines, tout ce qui pouvait leur rappeler ce pouvoir, et s'efforcèrent de retrouver un mode de vie paysan à l'ombre de leurs gratte-ciel en ruine. Ils passèrent leurs charrues improvisées dans les anciens parkings, le long des autoroutes ou des pistes d'envol abandonnées, sur les terrains des anciennes galeries marchandes du Confluent. Ils pêchèrent la carpe dans les eaux du Téthys, là où passaient naguère chaque jour des milliers de yachts et barges de plaisance.

Tau Ceti Central était mûr pour le christianisme régénéré et le néo-catholicisme. Lorsque les missionnaires de l'Église et la police de la Pax arrivèrent, soixante années standard après la Chute, la conversion des quelques milliards de survivants de la planète fut sincère, immédiate et totale. Les hautes spires en ruine, mais toujours blanches, des corporations et du gouvernement du temps du Retz avaient fini par s'écrouler. Leurs façades de pierre, de verre intelligent et de plastacier s'étaient recyclées en cathédrales massives érigées par les mains des nouveaux régénérés de Tau Ceti et remplies, chaque jour de la semaine, par les fidèles et les âmes reconnaissantes.

L'archevêque de Tau Ceti Central devint l'un des personnages les plus importants et aussi l'un des plus puissants du domaine renaissant aujourd'hui connu sous le nom d'Espace de la Pax. Il rivalisait même en influence avec Sa Sainteté sur Pacem. Ce pouvoir grandissant se heurtait à des limites qui ne pouvaient être franchies sans encourir la fureur papale. L'excommunication de Son Éminence le cardinal Klaus Kronenberg, en l'an de grâce 2978 ou 126 après la Chute, aida à définir ces limites. Et TC^2 continue de grandir dans ce cadre.

C'est ce que le père capitaine de Soya découvre à son premier saut en provenance de l'espace Renaissance. Deux années, c'est ce qu'il avait prévu. Approximativement six cents jours et deux cents morts volontaires pour couvrir la totalité des anciens mondes du Téthys.

Ses gardes suisses et lui sont sur Tau Ceti Central pour huit jours. Le *Raphaël* pénètre dans le système en émettant tous ses codes automatiques. Les vaisseaux de la Pax répondent et viennent à sa rencontre moins de quatorze heures plus tard. Il leur faut encore huit heures pour décélérer et s'insérer dans la circulation orbitale de TC^2, plus quatre pour transférer les corps dans une crèche de résurrection officielle de la capitale planétaire de Saint-Paul. C'est donc un jour entier qui est ainsi perdu.

Au bout de trois jours de résurrection dans les normes plus un jour de repos forcé, de Soya a une entrevue avec l'archevêquesse de TC^2, Son Excellence Achilla Silvaski, et doit se soumettre à une nouvelle série de formalités qui dure une journée de plus. De Soya est porteur d'un disque papal, ce qui représente une délégation d'autorité pratiquement jamais vue, et l'entourage de l'archevêquesse est comme une meute de chiens qui flaire ce pouvoir pour essayer d'en déterminer les raisons et d'en projeter les conséquences. En l'espace de quelques heures, de Soya a un aperçu des intrigues et des complexités de cette lutte pour le pouvoir provincial. L'archevêquesse Silvaski ne peut espérer devenir cardinale. En effet, à la suite de l'excommunication de Kronenberg, aucun chef spirituel de TC^2 ne peut accéder à un rang plus élevé que celui d'archevêque sans être d'abord transféré sur Pacem et au Vatican. Son pouvoir dans ce secteur de la Pax dépasse cependant largement celui des cardinaux, et les retombées temporelles de ce pouvoir maintiennent à leur place les amiraux de la Flotte de la Pax. Elle s'est donné pour tâche d'identifier la nature de l'autorité papale dont est investi de Soya et de la neutraliser dans l'optique de ses propres fins. Mais le père capitaine de Soya se fiche pas mal de la parano de l'archevêquesse touchant à la politique de l'Église sur TC^2. Il ne se soucie que d'une seule chose, c'est de bloquer les issues des portails distrans locaux. Le cinquième jour suivant sa translation dans l'espace de Tau Ceti, il parcourt la distance de cinq cents mètres qui sépare du fleuve la cathédrale de Saint-Paul et le palais de l'archevêquesse. Ici, le fleuve n'est qu'un affluent mineur aménagé en canal qui traverse la cité, mais qui faisait jadis partie du Téthys. Les énormes portails distrans sont toujours debout, car il ne faudrait pas moins, selon les experts, qu'une explosion thermonucléaire pour les mettre à bas. L'Église les a fait recouvrir, depuis longtemps, de ses bannières, mais ils sont particulièrement proches l'un de l'autre. Le Téthys ne méandrait que sur deux kilomètres d'un portail à l'autre, entre la Maison du Gouvernement et les jardins aménagés du Parc aux Daims. Le père capitaine de Soya, ses trois gardes du corps et les dizaines de troupiers de la Pax qui accompagnent l'archevêquesse Silvaski dans tous ses déplacements se tiennent actuellement sous le premier portail, sur l'herbe de la rive, d'où ils peuvent admirer de loin une tapisserie de trente mètres de haut, sur le second portail, illustrant le martyre de saint Paul, clairement visible derrière les pêchers en fleurs des jardins épiscopaux.

Dans la mesure où cette section de l'ex-Téthys se trouve à présent dans les jardins privés de Son Excellence, il y a des gardes postés sur toute la longueur du canal et aux extrémités de tous les ponts qui le traversent. Bien qu'il n'y ait aucun dispositif spécial de surveillance autour des anciens portails, les officiers de la garde du palais assurent à de Soya qu'aucun vaisseau ni engin n'a franchi ces portails ni été vu en train de remonter les rives du canal.

De Soya insiste pour que des sentinelles gardent les portails en permanence. Il ordonne que des caméras en assurent l'observation vingt-neuf heures sur vingt-neuf et que des capteurs, des alarmes et des détecteurs à déclenchement par contact soient disposés tout autour. Les responsables de la Pax confèrent avec leur archevêquesse, puis se plient avec réticence à ces demandes qu'ils considèrent comme une entorse à leur souveraineté. De Soya désespère de voir un jour cesser toutes ces tracasseries de politique locale.

Le sixième jour, le caporal Kee tombe victime d'une mystérieuse fièvre et doit être hospitalisé. De Soya pense que c'est le résultat de leur résurrection. Chacun d'eux a ressenti à sa manière le traumatisme et les effets mineurs de ces résurrections à répétition. Le septième jour, Kee est de nouveau sur pied et implore le père capitaine de lui faire quitter l'hôpital et cette planète, mais l'archevêquesse insiste pour que de Soya participe à la célébration d'une messe, dans la soirée, en l'honneur de Sa Sainteté le pape Jules. Il peut difficilement refuser. Il se retrouve donc, le soir venu, parmi les sceptres et les *monsignori*, sous l'emblème géant de Sa Sainteté aux trois couronnes et aux clés ansées (qui apparaît aussi sur le disque papal que de Soya porte à présent autour du cou), parmi les vapeurs d'encens, les mitres blanches et les clochettes, entouré du chant solennel de la chorale de six cents enfants. Le simple prêtre-guerrier de Madre de Dios et l'élégante archevêquesse célèbrent côte à côte les mystères de la crucifixion et de la résurrection. Le sergent Gregorius, ce soir-là, reçoit la communion des mains de Soya, comme il l'a fait chaque jour depuis le début de leur quête, mais il le fait en même temps que quelques douzaines d'autres, choisis comme lui pour recevoir l'Hôte, secret du succès de leur immortalité du cruciforme dans cette vie, pendant que trois mille fidèles en prière les regardent dans la pénombre de la cathédrale.

Le huitième jour, ils quittent le système. Pour la première fois, le père capitaine de Soya accueille la mort comme un moyen d'évasion.

Ils sont ressuscités dans une crèche d'Heaven's Gate, un monde jadis misérable, terraformé avec de grands arbres et un environnement confortable à l'époque du Retz, largement retombé aujourd'hui sous l'emprise des boues bouillonnantes, des marais pestilentiels, de l'atmosphère irrespirable et des sources de radiations torrides de Véga Prime dans le ciel. L'ordinateur aveugle du *Raphaël* a choisi cette série de mondes du vieux fleuve Téthys dans l'ordre qui lui a paru le plus efficace en l'absence de toute clé, sur le vecteur Renaissance, indiquant la destination des portails. La chose qui retient l'attention du père capitaine, cependant, c'est qu'ils se rapprochent de plus en plus du système de l'Ancienne Terre, à moins de douze années-lumière de TC^2 et un peu plus de huit, actuellement, de Heaven's Gate. Il se dit qu'il aimerait bien aller voir le système de l'Ancienne Terre — même en l'absence de cette planète —, malgré le fait que Mars et les autres mondes, lunes et astéroïdes habités soient devenus des provinces arriérées sans plus d'intérêt pour la Pax que n'en avait un monde comme Madre de Dios.

Le Téthys, cependant, n'a jamais coulé dans le système de l'Ancienne Terre, et de Soya doit ravaler sa curiosité, en se disant que les prochains mondes qu'il visitera seront encore plus proches de la planète mère.

Heaven's Gate leur fait perdre également huit jours, mais ce n'est pas pour des questions de politique intérieure de l'Église. Il y a une petite garnison de la Pax en orbite autour de la planète, et elle descend rarement à la surface. Heaven's Gate est un monde en ruine. Sa population, qui atteignait jadis quatre cents millions d'âmes, est réduite aujourd'hui à une dizaine de prospecteurs à moitié fous qui errent dans ses plaines des boues depuis deux cent soixante-quatorze ans, depuis la Chute. Les essaims d'Extros ont fondu sur ce monde végien avant même que Gladstone ait ordonné la destruction des distrans. Ils ont scorifié la sphère de confinement orbitale, rasé la capitale de Plaine des Boues, avec ses superbes jardins-esplanades, bombardé au plasma les stations de production d'atmosphère qu'il avait fallu des siècles pour mettre en place, et dévasté l'ensemble de la planète avant que la perte des liaisons distrans ne fasse en sorte que plus rien ne repousse sur cette terre salée.

Aujourd'hui, la petite garnison de la Pax surveille la planète en raison des matières premières qu'elle est censée contenir encore, mais elle n'a pas à y descendre. Il faut que de Soya insiste pour que le commandant de la garnison, le major Leem, accepte de former une expédition. Le cinquième jour après l'entrée du *Raphaël* dans le système végien, de Soya, Gregorius, Kee, Rettig, un certain lieutenant Bristol et une douzaine d'hommes de la Pax, équipés de combinaisons pressurisées, prennent un vaisseau de descente pour se rendre à l'endroit où, jadis, coulait le fleuve Téthys. Mais il n'y a plus ici le moindre portail.

— Je croyais qu'il était impossible de les détruire, s'étonne de Soya. Le TechnoCentre les a conçus de manière à ce qu'ils résistent à tout, et on ne connaît aucun exemple de destruction d'un relais distrans.

— Vous voyez bien qu'il n'y a rien ici, fait le lieutenant Bristol.

Il ordonne à ses hommes de retourner en orbite.

De Soya annule son ordre. De par l'autorité de son disque papal, il exige qu'une recherche poussée soit opérée par tous les moyens de détection disponibles. Ils découvrent les portails à seize kilomètres de là, ensevelis sous une centaine de mètres d'épaisseur de boue.

— Voilà qui résout votre mystère, déclare le major Leem sur faisceau étroit. Les attaques des Extros ou les glissements de terrain qui en ont résulté ont rendu les portails et le fleuve totalement inutilisables. Ce monde a subi un cataclysme dont il ne se relèvera jamais.

— C'est possible. Mais j'ordonne que les distrans soient entièrement dégagés et que des bulles environnementales temporaires soient érigées autour d'eux afin d'assurer la survie de quiconque voudrait les utiliser. De plus, chaque portail devra être gardé jour et nuit.

— Bon sang de croix ! Vous avez perdu la raison ! explose le major Leem. (Puis, se souvenant du disque papal, il ajoute :) Père capitaine.

— Pas encore, réplique de Soya, furibond face à la caméra. Je vous donne soixante-douze heures pour exécuter mes ordres, major, ou vous serez de corvée pendant les trois prochaines années à la surface de cette planète.

Il faut soixante-dix heures pour procéder aux excavations, assembler les dômes et poster les sentinelles. Quelqu'un qui voyagerait sur le fleuve Téthys et franchirait l'un de ces portails ne trouverait pas d'eau en émergeant de ce côté, naturellement. Il ne trouverait que de la boue, une atmosphère délétère, irrespirable, et des soldats en armure de combat. De Soya tombe à genoux à bord du *Raphaël*, le dernier soir, en orbite autour d'Heaven's Gate, et prie pour qu'Énée n'ait pas déjà franchi l'un de ces portails. Ses os blanchis n'ont pas été retrouvés parmi la boue et le soufre, mais l'officier du génie qui s'occupait de l'excavation a dit à de Soya que le sol était si toxique ici à l'état naturel que le squelette de l'enfant aurait probablement été déjà entièrement rongé par les acides.

De Soya ne croit pas à cette hypothèse. Le neuvième jour, il se translate hors du système après avoir averti le major Leem de ne pas relâcher la surveillance de ses gardes, de maintenir les dômes sous atmosphère respirable et de surveiller sa langue, à l'avenir, au cas où il aurait encore de la visite.

Personne ne les attend pour les ressusciter dans le troisième système où le *Raphaël* les conduit. Le vaisseau archange pénètre dans le système NGC^{es} 2629 avec sa cargaison de cadavres et ses signaux automatiques diffusant les codes de la Pax, mais il n'y a aucune réponse. NGC^{es} 2629 comporte huit planètes. Une seule d'entre elles, cependant, connue sous le nom prosaïque de NGC^{es} 2629-4BIV, est compatible avec la vie. D'après les archives auxquelles le *Raphaël* a encore accès, il est probable que l'Hégémonie et le Centre aient consenti l'effort et la dépense de prolonger jusqu'ici le fleuve Téthys pour des raisons uniquement subjectives et esthétiques. La planète n'a jamais été sérieusement colonisée ou terraformée, à l'exception d'un ensemencement aveugle à l'ADN aux premiers temps de l'Hégire. Il semble que ce monde ait fait partie du circuit du fleuve Téthys uniquement dans des buts touristiques, et pour l'observation de la vie animale.

Ce qui ne signifie nullement que la planète soit inhabitée aujourd'hui tandis que le *Raphaël* met ses capteurs en action sur son orbite d'attente pour procéder à la résurrection automatique de ses passagers. Dans la mesure où les ressources limitées de ses ordinateurs quasi IA lui permettent de comprendre et de reconstituer les faits, le *Raphaël* établit que la population réduite de NGC^{es} 2629-4BIV est constituée des descendants des équipes scientifiques de biologistes, zoologues et techniciens de survie pris au piège, en même temps que quelques touristes, au moment de la Chute, et retournés à l'état sauvage. En dépit d'une natalité prodigieuse au cours des trois siècles ou presque qui se sont écoulés depuis, seuls quelques milliers d'humains peuplent à présent les jungles et les hauts plateaux de ce monde primitif, qu'ils partagent avec les bêtes féroces à ADN ensemencées à l'époque de l'Hégire et capables de dévorer des humains, ce qu'elles ne se privent pas de faire à qui mieux mieux.

Le *Raphël*, dans sa simple quête des portails distrans, va jusqu'au bout de ses limites. Les archives disponibles sur le Retz dans ses mémoires indiquent seulement qu'ils sont disposés à intervalles variables le long d'un fleuve de six mille kilomètres dans l'hémisphère Nord. Le *Raphaël* modifie son orbite pour gagner un point plus ou moins synchrone au-dessus du continent massif qui domine cet hémisphère et commence à photographier le fleuve et à le cartographier au radar. Malheureusement, il y a trois cours d'eau d'importance sur ce continent, deux qui coulent vers l'est et un vers l'ouest, et le *Raphaël*, incapable d'établir une hiérarchie dans les probabilités, décide de les cartographier tous les trois, ce qui implique l'analyse de plus de vingt mille kilomètres de terrain.

Quand les cœurs des quatre hommes recommencent à battre au bout du troisième jour du cycle de résurrection, le *Raphaël* éprouve une sorte d'équivalent silicium du soulagement.

Écoutant la description par l'ordinateur des tâches à venir, tout nu devant le miroir de sa minuscule cabine, Federico de Soya ne ressent, pour sa part, aucun soulagement. En réalité, il aurait plutôt envie de pleurer. Il pense à la mère capitaine Stone, à la mère capitaine Boulez et au capitaine Hearn, à présent dans la zone tampon du Grand Mur, peut-être en train d'engager de féroces combats avec les Extros. Il leur envie la simplicité honnête de leur tâche.

Après avoir conféré avec le sergent Gregorius et ses deux hommes, de Soya prend connaissance des données informatiques et rejette aussitôt le cours d'eau qui coule vers l'ouest comme étant trop peu pittoresque pour le Téthys, car il traverse trop de cañons profonds à l'écart des jungles et des marais grouillants de vie animale. Il rejette également le deuxième fleuve, qui comporte trop de chutes et de rapides d'accès mouvementé. Il fait donc établir par radar le relevé sommaire du cours d'eau le plus long, au parcours plus droit et plus paisible. La carte mettra en relief des dizaines, peut-être des centaines de formations naturelles susceptibles de ressembler à des portails distrans : parois rocheuses, cascades, ponts naturels, rapides parsemés de gros blocs. Il ne faudra que quelques heures, ensuite, à l'œil humain pour les différencier.

Le cinquième jour, les portails sont localisés. Ils sont anormalement éloignés l'un de l'autre, mais leur caractère d'artefact ne fait aucun doute. De Soya va les inspecter en personne à bord du vaisseau de descente. Il laisse le caporal Kee avec le *Raphaël*, pour le cas où une urgence se présenterait.

C'est le scénario que le père capitaine redoute le plus. Il n'a aucun moyen de savoir si la fillette est passée ici, avec ou sans son vaisseau. La distance entre les deux portails morts est la plus longue qu'ils aient jamais rencontrée : près de deux cents kilomètres. Ils ont beau survoler la jungle et le fleuve de long en large, il leur est impossible de dire si quelqu'un est passé par ici récemment. Il n'y a aucun témoin à interroger, aucune sentinelle de la Pax à laisser en faction.

Ils se posent sur une petite île en vue du portail en amont et tiennent un conciliabule.

— Il y a trois semaines standard que leur vaisseau a franchi le relais distrans du vecteur Renaissance, déclare Gregorius.

La cabine du vaisseau de descente est exiguë et purement utilitaire. Ils sont sanglés dans leurs sièges. Les armures de combat de Rettig et du sergent sont suspendues dans les casiers AEV comme des peaux métalliques de rechange.

— S'ils sont venus sur un monde pareil, estime Rettig, ils ont probablement utilisé leur vaisseau. Ils n'ont aucune raison de suivre le Téthys.

— C'est vrai, fait de Soya, mais il y a des chances pour que leur vaisseau ait été endommagé.

— Oui, reconnaît le sergent. Mais endommagé à quel point ? Au point de ne plus pouvoir voler ou de s'autoréparer ? Ils sont peut-être allés effectuer des réparations sur une base extro. N'oublions pas que nous ne sommes pas loin des Confins.

— La fillette a peut-être envoyé le vaisseau quelque part pour continuer à pied jusqu'au portail suivant, suggère Rettig.

— En supposant que ces autres portails fonctionnent, murmure de Soya d'une voix lasse, et que celui du vecteur Renaissance ne se soit pas ouvert sur un simple coup de chance.

Gregorius pose ses deux grosses mains à plat sur ses genoux.

— C'est vrai, dit-il. Tout cela est ridicule. Trouver une aiguille dans une botte de foin, comme on disait jadis, serait un jeu d'enfant comparé à ce que nous faisons.

Le père capitaine de Soya regarde par le hublot du vaisseau de descente. Les hautes fougères s'agitent sous la brise silencieuse.

— J'ai le pressentiment qu'elle descend le vieux fleuve, dit-il. Je pense qu'elle utilise les portails. J'ignore comment elle fait. Peut-être avec l'engin volant de la personne qui l'a aidée à s'échapper de la vallée des Tombeaux du Temps. Peut-être avec un radeau gonflable, ou un bateau volé. Mais je suis sûr qu'elle est sur le Téthys.

— Que pouvons-nous faire ici ? demande Rettig. Si elle est déjà passée, nous arrivons trop tard. Si elle n'est pas encore arrivée, cela signifie que nous pourrions l'attendre toute l'éternité. Il nous faudrait une centaine de vaisseaux archanges pour ratisser chacun de ces mondes et y laisser des troupes.

De Soya hoche la tête. Durant les heures qu'il consacre à la prière et à la méditation, il se dit souvent que sa tâche serait beaucoup plus simple si les courriers archanges étaient de simples vaisseaux robots qui se translateraient dans tous les systèmes de la Pax, émettraient le code prioritaire du disque papal, lanceraient le dispositif de recherche et gagneraient le système suivant sans même avoir eu besoin de décélérer. Mais, à sa connaissance, la Pax ne fabrique aucun vaisseau robot. La haine de l'Église pour les IA et son désir de ne dépendre que des contacts humains le lui interdisent. Pour autant qu'il le sache, il n'existe que trois vaisseaux courriers de la classe archange : le *Michel*, le *Gabriel*, qui lui a apporté son message au début, et son *Raphaël*. Dans le système Renaissance, il voulait faire participer l'autre vaisseau à la quête, mais le *Michel* avait une mission pressante à accomplir pour le Vatican. Intellectuellement parlant, de Soya comprenait très bien que cette quête était son affaire personnelle, mais ils viennent de passer près de trois semaines à explorer deux mondes, alors qu'un archange peut alerter deux cents systèmes en moins de dix jours standard. À ce train-là, il faudra à de Soya et au *Raphaël* quatre ou cinq années standard pour faire la même chose. Le père capitaine aurait presque envie d'en rire s'il n'était pas si épuisé.

— Il y a leur vaisseau, dit-il d'une voix légère. S'ils continuent sans lui, ils n'ont qu'une seule alternative : l'envoyer quelque part tout seul, ou le laisser derrière eux sur l'un des mondes du Téthys.

— Vous en parlez comme s'ils étaient plusieurs, père capitaine, murmure Gregorius. En êtes-vous certain ?

— On l'a aidée à nous échapper sur Hypérion. Ils sont plusieurs.

— Il s'agit peut-être de tout un commando extro, intervient Rettig. Supposons qu'ils soient en train de regagner leur essaim. Ils ont pu laisser la fillette sur l'un de ces mondes, ou encore l'emmener avec eux.

De Soya lève la main pour mettre un terme à ces spéculations. Ce sont des éventualités qu'ils ont déjà évoquées maintes et maintes fois.

— Je suis persuadé que leur vaisseau a été endommagé, dit-il. Retrouvons-le, et il nous conduira peut-être à la fillette.

Gregorius pointe l'index en direction de la jungle, au-dessus de laquelle la pluie tombe.

— Nous avons déjà survolé tout ce secteur du fleuve entre les deux portails. Il n'y a pas la moindre trace d'un vaisseau. Quand nous arriverons au prochain système de la Pax, nous pourrons envoyer une garnison ici pour monter la garde autour des portails.

— Je sais, je sais, fait le père capitaine de Soya. Mais ces hommes auront un déficit de temps de huit ou neuf mois.

Il regarde la pluie qui ruisselle sur le pare-brise et les hublots.

— Nous allons continuer nos recherches dans le fleuve, dit-il.

— Hein ? fait le lancier Rettig.

— Si vous aviez à laisser derrière vous un vaisseau avarié, où le cacheriez-vous ?

Les deux gardes suisses regardent leur commandant sans comprendre. De Soya s'aperçoit que leurs mains tremblent. Les résurrections répétées les affectent eux aussi.

— Nous balaierons le fleuve et la plus grande partie possible de la jungle au radar pénétrant, leur dit-il.

— Cela va prendre encore un jour au moins, proteste Rettig. De Soya hoche la tête.

— Nous demanderons au caporal Kee d'utiliser le radar pénétrant du *Raphaël* pour explorer la jungle sur un territoire de deux cents kilomètres de chaque côté du fleuve. Pendant ce temps, avec le vaisseau de descente, nous examinerons le lit du cours d'eau. Notre radar de bord est moins performant, mais nous sommes plus près et nous aurons moins à couvrir.

Les deux hommes, épuisés, ne peuvent que hocher la tête en signe de soumission.

Ils trouvent quelque chose à leur deuxième balayage du fleuve. L'objet est en métal, très grand, et dans un trou profond à quelques kilomètres seulement en aval du premier portail. Le vaisseau de descente fait du sur-place pendant que de Soya envoie un message sur faisceau étroit au *Raphaël*.

— Caporal, nous allons explorer cet objet. Je veux que vous soyez prêt à le détruire dans les trois secondes si je vous en donne l'ordre, mais seulement dans ce cas.

— Bien reçu, répond Kee.

De Soya maintient le vaisseau de descente en vol stationnaire pendant que Gregorius et Rettig revêtent leur armure, préparent leur équipement spécial et se postent dans le sas ouvert.

— Allez-y, leur dit de Soya.

Le sergent Gregorius se laisse tomber du sas. Le système

EM de sa combinaison s'enclenche juste avant que l'homme en armure touche l'eau. Le sergent et le lancier tournent au-dessus de la surface, leurs armes braquées.

— Radar pénétrant verrouillé en position tactique, annonce Gregorius sur faisceau étroit.

— Liaisons vidéo établies, confirme de Soya de son fauteuil de commandement. Commencez la plongée.

Les deux hommes se laissent tomber, crèvent la surface et disparaissent sous l'eau. De Soya incline son vaisseau de manière à voir ce qui se passe à travers la bulle du hublot. Le fleuve a une coloration vert foncé, mais deux puissants projecteurs diffusent leur lumière par en dessous.

— Environ huit mètres de profondeur, fait le père capitaine.

— Je l'aperçois, déclare le sergent.

De Soya lève la tête vers le moniteur. Il voit la vase qui remue, un poisson à plusieurs ouïes qui se dépêche de quitter la zone éclairée, une coque de métal incurvée.

— Il y a une écoutille ou un sas ouvert, annonce Gregorius. L'engin est presque entièrement dans la vase, mais la taille correspond à ce que nous cherchons. Je vais entrer. Rettig restera dehors.

De Soya voudrait lui souhaiter bonne chance, mais il garde le silence. Ils se connaissent depuis assez longtemps pour savoir ce qui est approprié ou non. Il redresse l'engin et prépare le canon à plasma rudimentaire qui constitue le seul armement du vaisseau de descente.

La liaison vidéo est interrompue dès que Gregorius entre dans le sas. Une minute s'écoule. Puis deux. Au bout de deux autres minutes, de Soya commence à s'agiter nerveusement dans son fauteuil de commandement. Il s'attend presque à voir le vaisseau spatial bondir hors de l'eau et prendre son essor comme un gibier apeuré.

— Lancier ? appelle-t-il.

— Oui, père capitaine ? fait la voix de Rettig.

— Vous ne recevez rien du sergent ?

— Non, père capitaine. La coque ne laisse pas passer la bande étroite. J'attends encore cinq minutes et... Attendez, j'aperçois quelque chose.

De Soya voit aussi ce que c'est. L'image vidéo du lancier

est sombre, mais il distingue le casque, les épaules et les bras du sergent qui émergent du sas ouvert. La lampe de casque de Gregorius éclaire la vase et le lit du fleuve. Un instant, la caméra de Rettig est aveuglée.

— Père capitaine, fait la voix de basse de Gregorius, à peine essoufflée, ce n'est pas ce que nous cherchons. À mon avis, il s'agit de l'un de ces yachts de plaisance que les riches possédaient à l'époque du Retz et qui pouvaient aussi bien flotter que se déplacer sous l'eau.

De Soya laisse échapper l'air qu'il retenait dans ses poumons.

— Qu'est-il arrivé à ce vaisseau, sergent ? demande-t-il.

L'image en armure lève le pouce à l'adresse de Rettig. Les deux hommes remontent vers la surface.

— Je pense qu'ils se sont sabordés, père capitaine, fait Gregorius. Il y a au moins dix squelettes à bord. Peut-être une douzaine, dont deux enfants. Comme je vous l'ai déjà dit, c'est un engin conçu pour flotter ou pour aller sous l'eau. Impossible que tous les sabords se soient ouverts par accident.

De Soya observe par le hublot les deux silhouettes en armure de combat qui crèvent, ruisselantes, la surface de l'eau, puis s'élèvent à cinq mètres, où elles demeurent en vol stationnaire.

— À mon avis, continue Gregorius, ils se sont laissé prendre au piège par la Chute sur cette planète et ont décidé d'en finir. Ce n'est qu'une conjecture de ma part, mais quelque chose me dit que c'est ainsi que les choses se sont passées.

— Quelque chose me dit que vous avez raison, sergent, fait de Soya. Vous pouvez revenir.

Il ouvre le sas pour accueillir les deux hommes. Avant leur arrivée, il lève les bras pour prononcer une bénédiction à l'adresse du fleuve, du vaisseau sabordé et des morts qu'il renferme. L'Église n'approuve pas le suicide, mais elle sait que la vie et la mort contiennent bien peu de certitudes réelles. Tout au moins, c'est ce que de Soya a appris, même si l'Église ne le sait pas.

Ils laissent derrière eux des détecteurs de mouvement qui enverront des signaux en travers de chacun des portails. Ils ne captureront pas la fillette et ses alliés, mais ils indiqueront aux troupes que de Soya a l'intention de faire venir plus tard si quelqu'un est passé ici dans l'intervalle. Puis ils arrachent le vaisseau de descente à NGC[es] 2629-4BIV, insèrent l'engin trapu dans la masse disgracieuse du *Raphaël*, au-dessus du limbe luisant de la planète environnée de nuages, et accélèrent pour quitter le puits gravifique de manière à se translater dans le système du monde de Barnard, leur prochaine étape.

C'est le point le plus proche du système de l'Ancienne Terre prévu dans leur itinéraire. Six années-lumière à peine. Comme il s'agit de l'une des premières colonies interstellaires de l'époque préhégirienne, le prêtre-capitaine se plaît à penser que cela équivaut à un voyage en arrière dans le temps à l'époque de l'Ancienne Terre. Après sa résurrection dans la base de la Pax, à six UA du monde de Barnard, cependant, il ne tarde pas à s'apercevoir de la différence. L'Étoile de Barnard est une naine rouge qui a environ le cinquième de la masse du soleil de type G de l'Ancienne Terre, et une luminosité deux mille cinq cents fois moindre. C'est uniquement la proximité du monde de Barnard, à 0,126 UA, et les siècles de terraformation de cette planète qui l'ont placée si haut sur l'échelle d'adaptation de Solmev. Comme de Soya et ses hommes le découvrent bientôt en gagnant la surface avec leur escorte de la Pax, la terraformation a été une réussite totale.

Le monde de Barnard a beaucoup souffert de l'invasion extro qui a précédé la Chute, et beaucoup moins, relativement parlant, de la Chute proprement dite. À l'époque du Retz, ce monde était plein de contradictions plaisantes : essentiellement agricole, il fournissait à la Terre une partie de son blé, de son maïs et de son soja. Mais c'était également une pépinière profondément intellectuelle, avec ses centaines de petites universités réputées dans tout le Retz. Cette étrange combinaison de vie rurale à l'ancienne — évoquant les petites communautés d'Amérique du Nord autour de 1900 — et d'activités intellectuelles de pointe avait attiré ici de nombreux érudits, chercheurs, écrivains et penseurs.

Après la Chute, le monde de Barnard se consacra davantage à ses activités agricoles que culturelles. Lorsque la Pax arriva en force, une cinquantaine d'années plus tard, les Barnardiens résistèrent quelque temps contre le christianisme régénéré imposé par le gouvernement de Pacem. Barnard était un monde autosuffisant et entendait le rester le plus longtemps possible. Il ne rallia la Pax qu'en l'an de grâce 3061, soit deux cent douze ans après la Chute, à la suite d'une sanglante guerre civile entre les catholiques et des bandes de partisans plus ou moins unifiés sous l'appellation de Libres Croyants.

Comme de Soya peut le constater à l'occasion d'un bref tour d'horizon en compagnie de l'archevêque Herbert Stern, les universités autrefois nombreuses sont aujourd'hui désertes ou reconverties en séminaires accueillant des jeunes Barnardiens des deux sexes. Les bandes de partisans ont quasiment disparu, à l'exception de quelques poches de résistance dans les forêts sauvages et les cañons qui bordent la rivière connue sous le nom de Cours du Dindon.

Cette rivière faisait partie du Téthys, et c'est précisément la raison pour laquelle de Soya et ses hommes veulent s'y rendre. Le cinquième jour après leur arrivée dans le système, ils se mettent en route, accompagnés d'une escorte de soixante hommes de la Pax et d'une partie du corps d'élite de l'archevêque.

Ils ne rencontrent pas le moindre partisan. Ce tronçon du Téthys coule au milieu de larges vallées, entre de hautes falaises de schiste et à travers des forêts de vieilles essences à feuilles caduques transplantées de l'Ancienne Terre, pour ressortir sur des terres depuis longtemps arables, surtout plantées de maïs, parsemées de grandes fermes blanches avec leurs silos attenants. Cela ne ressemble pas à un paysage de violence, et de Soya ne s'attend guère à en rencontrer ici.

Les glisseurs de la Pax survolent la forêt dans tous les sens à la recherche du vaisseau de la fillette, mais ne trouvent rien. Le Cours du Dindon n'est pas assez profond pour dissimuler un vaisseau spatial. Le major Andy Ford, l'officier de la Pax chargé des recherches, le décrit comme « le meilleur endroit pour faire du canoë-kayak de ce côté-ci de Sugar Creek », et ce tronçon du Téthys n'avait que quelques kilomètres de long. Le monde de Barnard possède un contrôle de circulation atmosphérique et orbitale moderne, aucun vaisseau n'a pu quitter cette zone sans se faire détecter. Les fermiers interrogés dans le secteur du Cours du Dindon n'ont rien remarqué non plus. Finalement, les forces de la Pax, le Conseil diocésain de l'archevêque et les autorités civiles locales s'engagent à maintenir une surveillance quotidienne sur le secteur malgré la menace constante des Libres Croyants.

Le huitième jour, de Soya et ses hommes prennent congé de plusieurs dizaines d'hommes qu'ils peuvent qualifier de nouveaux amis, se mettent en orbite, se transfèrent à bord d'un vaisseau-torche de la Pax, et se font escorter vers la station en orbite de l'Étoile de Barnard où se trouve leur vaisseau archange. La dernière chose que de Soya aperçoit de ce monde bucolique, ce sont les deux spires de la cathédrale géante qui s'élèvent de la capitale de Saint-Thomas, autrefois connue sous le nom de Bussard.

S'éloignant maintenant de la direction de l'Ancienne Terre, Gregorius, Kee et Rettig se réveillent dans le système Lacaille 9352, à peu près aussi loin de l'Ancienne Terre que Tau Ceti pouvait l'être des tout premiers vaisseaux d'ensemencement. Ici, les temporisations ne sont de nature ni militaire ni bureaucratique, mais plutôt environnementale. Le monde du Retz connu à l'époque sous le nom d'Amertume de Sibiatu, puis rebaptisé Grâce Inévitable par sa population actuelle de quelques milliers de colons de la Pax, était alors marginal du point de vue environnemental, et il l'est encore bien plus aujourd'hui. Le fleuve Téthys coulait sous douze kilomètres de tunnel en perspex, rempli d'une atmosphère respirable et pressurisée. Ces tunnels sont tombés en ruine il y a plus de deux siècles. L'eau s'est vaporisée sous la pression trop basse, et la faible atmosphère de méthane-ammoniac de la planète se rue pour envahir les berges vides et les cylindres de perspex fendu.

De Soya ne comprend pas pourquoi le Retz a inclus ce caillou dans le circuit du Téthys. Il n'y a pas de garnison de la Pax ni de présence sérieuse de l'Église, à part quelques chapelains partageant l'existence des colons ultra-religieux qui tirent difficilement leur subsistance des mines de bollite et des puits de soufre, mais de Soya et ses hommes réussissent à convaincre certains d'entre eux de les conduire sur l'ancien site du fleuve.

— Si elle est passée par ici, c'est qu'elle est morte, fait Gregorius.

Il inspecte les énormes portails qui enjambent une droite ligne de perspex fendu et de lit de fleuve asséché. Le vent de méthane souffle fort, et des grains de poussière en mouvement perpétuel essaient de pénétrer à l'intérieur des combinaisons pressurisées.

— Pas si elle est restée dans son vaisseau, objecte de Soya en se retournant maladroitement dans sa combinaison pour lever les yeux vers le ciel jaune-orange. Les colons ne se sont peut-être pas aperçus de son départ. C'est trop loin de la colonie.

L'homme aux tempes grisonnantes qui les accompagne, au dos courbé malgré sa vieille combinaison râpée, grogne derrière sa visière.

— Za z'est ben vrai, mon bère, on n'a boint trop souvent l'excuse de mirer les étoiles, za z'est vrai.

De Soya et ses hommes discutent de la futilité de faire stationner des hommes de la Pax sur un tel monde pour guetter l'arrivée de la fillette dans les mois et les années à venir.

— C'est vrai qu'une mission dans ce trou du cul de nulle part, c'est pas de la tarte, père capitaine, si vous me passez l'expression.

De Soya hoche distraitement la tête. Ils ont installé ici leurs derniers détecteurs de mouvement. Cinq mondes d'explorés sur deux cents, et ils sont déjà à court de matériel. L'idée d'envoyer des troupes en faction ici lui déplaît aussi, mais il ne voit pas d'autre solution. Au malaise produit par les résurrections répétées et à la confusion émotionnelle dont il est à présent continuellement la proie s'ajoutent des doutes et une dépression croissants. Il a l'impression d'être un très vieux chat aveugle que l'on envoie capturer une souris, mais qui se sent incapable de surveiller en même temps les deux cents trous par lesquels elle est susceptible de passer. Ce n'est pas la première fois qu'il regrette de ne pas être plutôt dans les Confins, en train de se battre contre les Extros.

Comme s'il lisait dans les pensées de son supérieur, Gregorius déclare :

— Avez-vous bien étudié l'itinéraire que le *Raphaël* nous a préparé, père capitaine ?

— Oui, sergent. Pourquoi ?

— Certains des endroits où nous sommes censés nous rendre vers la fin du périple ne nous appartiennent plus. Ils sont dans les Confins. Le vaisseau veut nous conduire sur des mondes que les Extros nous ont enlevés depuis longtemps.

De Soya hoche la tête d'un air las.

— Je sais déjà cela, sergent. Je n'ai pas exclu les zones de combat ni les secteurs défensifs du Grand Mur lorsque j'ai demandé à l'ordinateur du vaisseau de planifier ce voyage.

— Il y a dix-huit mondes qu'il serait un peu bonbon de visiter, fait Gregorius en esquissant un sourire, vu qu'ils appartiennent aujourd'hui aux Extros.

De Soya hoche de nouveau la tête, mais sans rien dire. C'est le caporal Kee qui murmure :

— Si vous tenez à aller voir là-bas comment c'est, père capitaine, nous serons plus qu'heureux de vous accompagner.

Le prêtre-capitaine relève la tête pour regarder les trois hommes. Il a peut-être un peu trop présumé de leur loyauté et de leur présence à ses côtés.

— Merci, leur dit-il simplement. Nous étudierons la question quand nous arriverons à cette partie du... voyage.

— C'est-à-dire peut-être dans un siècle standard, à cette allure, murmure Rettig.

— C'est possible, fait de Soya. Sanglons-nous, maintenant, et filons d'ici.

Ils se translatent hors du système.

Toujours dans le même secteur, dans la banlieue préhégirienne de l'Ancienne Terre, ils font le saut sur deux mondes à la terraformation poussée qui accomplissent leur chorégraphie complexe dans l'espace d'une demi-année-lumière qui sépare Epsilon Eridani d'Epsilon Indi.

L'Habitat Expérimental Eurasien Omicron$_2$-Epsilon$_3$ représente un courageux effort utopique préhégirien visant à une perfection quasiment impossible à réaliser dans les domaines de la terraformation et de la politique — principalement néo-marxiste — sur des mondes hostiles, en fuite devant des forces encore plus hostiles. Effort qui échoua piteusement. L'Hégémonie remplaça les utopistes par des bases de la Force spatiale et par des stations automatiques de ravitaillement en carburant, mais la quantité de vaisseaux d'ensemencement en route vers les Confins puis de vaisseaux de spin en transit dans la région de l'Ancien Voisinage pendant l'Hégire conduisit à la terraformation totalement réussie de ces deux planètes sombres qui gravitaient entre le faible soleil Epsilon Eridani et l'encore plus faible étoile Epsilon Indi. Puis la fameuse déconfiture de la flotte de Glennon-Height scella la notoriété du système en même temps qu'elle mettait l'accent sur son importance stratégique. La Pax reconstruisit les bases abandonnées de la Force et régénéra les systèmes de terraformation défaillants.

L'exploration par de Soya de ces deux tronçons du fleuve se passe avec une rigueur et une sécheresse toutes militaires. Chaque segment du Téthys à explorer est tellement entouré d'installations de défense qu'il apparaît très vite impossible que la fillette, et à plus forte raison son vaisseau, ait pu passer ici au cours des deux derniers mois sans être détectée aussitôt et mise en demeure de se poser. De Soya était déjà arrivé à cette conclusion d'après la connaissance qu'il avait du système d'Epsilon. Il a transité plusieurs fois ici au cours de ses voyages à destination du Grand Mur et au-delà. Mais il décide qu'il doit tout de même inspecter les portails en personne.

Ils ont de la chance d'avoir trouvé un système avec une garnison, cette fois-ci, car Rettig et Kee doivent être hospitalisés. Ingénieurs et spécialistes ecclésiastiques de la résurrection examinent le *Raphaël* en cale sèche et constatent qu'il y a de petites mais vitales erreurs dans le programme de la crèche automatique du vaisseau. Trois journées standard sont nécessaires pour effectuer les réparations.

Quand ils se translatent hors du système, cette fois-ci, avec une seule autre escale dans l'Ancien Voisinage avant de gagner les régions posthégiriennes du vieux Retz, c'est dans l'espoir très ferme de voir leur santé, leur tendance dépressive et leur instabilité émotionnelle s'améliorer si jamais ils doivent connaître un nouveau processus de renaissance.

— Quelle est votre nouvelle destination ? demande le père Dimitrius, l'expert en résurrection qui les a aidés ces derniers jours.

De Soya hésite une brève seconde avant de répondre. Mais sa mission ne risque guère d'être compromise s'il donne ce renseignement au vieux prêtre.

— Mare Infinitus, répond-il. Il s'agit d'une planète océanique située à trois parsecs des Confins et deux années-lumière au-dessus du plan de...

— Je vois, fait le vieux prêtre. J'ai tenu une mission là-bas, il y a trente ans, pour sevrer les pêcheurs indigènes de leur paganisme et leur montrer la lumière du Christ.

Le prêtre aux cheveux blancs lève la main en un geste de bénédiction.

— Quoi que vous cherchiez, père capitaine de Soya, je prie sincèrement pour que vous le trouviez là-bas.

De Soya est sur le point de quitter Mare Infinitus lorsque le plus pur des hasards lui livre la clé qu'il cherchait.

C'est le soixante-troisième jour de leur quête, le deuxième après leur résurrection en crèche dans la station orbitale de la Pax, et le début de ce qui aurait été normalement leur dernier sur ce monde.

Un jeune homme bavard, le lieutenant Baryn Alan Sproul, sert à de Soya d'officier de liaison avec le commandement de la Flotte sur Soixante-dix Ophiuchi A. Comme tous les guides, il abreuve de Soya et ses hommes de détails techniques dont ils n'ont que faire, mais c'est un bon pilote d'orni, et au-dessus de cet océan planétaire, à bord d'un engin volant qui ne lui est pas particulièrement familier, de Soya est content d'être passager plutôt que pilote. Il se détend pendant que Sproul les conduit vers le sud, loin de l'importante cité flottante de Sainte-Thérèse, dans les immensités désertes fréquentées uniquement par les pêcheurs, où les portails distrans flottent encore.

— Pourquoi les portails sont-ils si éloignés l'un de l'autre sur cette planète ? demande Gregorius.

— Il y a une explication, fait le lieutenant Sproul.

De Soya capte le regard de son sergent. Gregorius ne sourit pratiquement jamais, à moins qu'un combat ne soit imminent, mais le père capitaine a appris à reconnaître une certaine lueur, dans l'œil du géant, qui est l'équivalent d'un accès d'hilarité.

— L'Hégémonie tenait à fixer ici ses portails du Téthys en plus de la sphère orbitale qui existait déjà et des petits relais distrans disséminés un peu partout. Drôle d'idée, n'est-ce pas ? Faire passer un tronçon de rivière au milieu d'un océan... Quoi qu'il en soit, ils tenaient à le placer dans le Courant mi-littoral, ce qui s'explique dans la mesure où les léviathans et quelques-uns des spécimens de canthes les plus intéressants résident dans ces parages, pour que les touristes puissent les voir à l'occasion, mais le problème n'est pas là...

De Soya tourne la tête vers l'endroit où le caporal Kee sommeille, caressé par le chaud soleil qui pénètre par la bulle-hublot de l'orni.

— Le problème, reprend Sproul, c'est qu'il n'y a aucune structure permanente pour y fixer ces grands portails. Vous comprendrez dans une minute, père capitaine, à quel point ils sont énormes. Il y a bien les anneaux de corail, mais ils ne sont rattachés à rien, ce sont des formations flottantes. Quant aux îles de varech jaune, elles ne sont pas... Vous voyez ce que je veux dire. Vous posez le pied dessus, et il passe à travers. Tenez, justement, regardez à tribord, père capitaine, c'est du varech jaune. On n'en voit pas tellement sous ces latitudes... Trop au sud. N'importe comment, la solution trouvée par les ingénieurs de la vieille Hégémonie a consisté à stabiliser les portails à peu près de la même manière que nous avec nos plates-formes et nos cités depuis cinq siècles, c'est-à-dire en ménageant des fondations de deux ou trois centaines de brasses, d'où pendent de grosses ancres à lames au bout de très longs câbles. Le fond de l'océan, ici, est quelque chose d'assez problématique. Il est au moins à dix mille brasses, généralement. C'est là que vivent les grands-pères de nos canthes de surface comme le gueule-de-lampe. De vrais monstres, père capitaine. Des kilomètres de long...

— Lieutenant, coupe de Soya, je ne vois pas le rapport avec le fait que les portails soient si éloignés l'un de l'autre.

Le vrombissement aigu, presque dans l'ultrason, des ailes de la libellule menace d'endormir le prêtre-capitaine. Kee ronfle déjà, et Rettig a les yeux fermés et les pieds sur le dossier du siège devant lui. Le vol a été long et éprouvant. Sproul arbore un large sourire.

— J'y arrive, père capitaine. J'y arrive. Voyez-vous, avec ces quilles lestées et vingt kilomètres de câble à la traîne, nos cités et plates-formes ne peuvent pas aller très loin, même à la saison des Grandes Marées. Mais les portails, ce n'est pas la même chose. Il y a pas mal d'activité volcanique sous-marine sur Mare Inf. L'écologie des profondeurs est spéciale, croyez-moi. Quand un ver tubulaire rencontre un giga-canthe, il s'ensuit une bataille homérique, pour ça oui. Donc les ingénieurs du vieux Retz ont conçu ces portails de manière que leurs câbles et leurs quilles détectent sous eux les premiers signes d'activité volcanique et... migrent aussi-tôt, c'est le mot qui vient à l'esprit, père capitaine.

— Si je comprends bien, fait de Soya avec patience, la distance entre les portails du Téthys a augmenté à cause de l'activité volcanique des fonds marins ?

— Tout juste, père capitaine, approuve le lieutenant Sproul avec un large sourire qui semble exprimer à la fois son plaisir et son étonnement à l'idée qu'un officier de la Flotte ait compris si vite. En voilà d'ailleurs un, ajoute-t-il avec un grand geste du bras en inclinant l'orni pour descen-dre en spirale vers la surface.

Il place l'engin volant en vol stationnaire à cinq mètres au-dessus de l'arche ancienne. Vingt mètres plus bas, l'océan violet, agité, se brise contre le métal rouillé de la base.

De Soya se frotte la joue. Comme ses hommes, il a du mal à résister plus longtemps à la fatigue. Il leur faudrait peut-être s'accorder quelques jours de plus entre la résurrection et la mort.

— Peut-on voir l'autre portail, maintenant ? demande-t-il.

— Bien sûr !

L'orni bourdonne à quelques mètres de la crête des vagues en couvrant les deux cents kilomètres qui le séparent de l'arche suivante. De Soya somnole à son tour. Quand il se réveille, légèrement secoué par le lieutenant, le second portail est visible sur la mer. L'après-midi est déjà avancé. Le soleil bas projette une ombre longue sur l'eau violette.

— Très bien, fait de Soya. Les radars de profondeur sont toujours en action ?

— Oui, père capitaine, répond le jeune pilote. Leur rayon d'opération a été élargi, mais je peux vous dire qu'ils n'ont rien vu d'autre, jusqu'à présent, que quelques voraces gueules-de-lampe. Le genre de créature qui donne du fil à retordre aux fanas de la pêche sportive, croyez-moi.

— C'est toute une industrie, ici, j'ai l'impression, père capitaine, fait Gregorius de sa grosse voix derrière le siège du pilote.

— C'est vrai, sergent, approuve Sproul en tordant son long cou pour mieux le regarder. Avec la culture du varech, plus au sud, c'est notre meilleure source de devises.

De Soya indique une plate-forme située à quelques kilomètres de là.

— Encore une station de ravitaillement en carburant ? demande-t-il.

Le prêtre-capitaine a passé une journée avec les commandants de la Pax à prendre connaissance des rapports des petites stations comme celle-là réparties tout autour de la planète. Aucune n'a signalé le moindre contact avec un vaisseau étranger ni la présence de la fillette. Durant leur long voyage vers le sud en direction des portails, ils ont dépassé une bonne douzaine de ces plates-formes.

— C'est exact, répond Sproul. Voulez-vous que je reste en vol stationnaire quelques minutes, ou bien en avez-vous assez ?

De Soya observe le portail. Il se dresse à présent, énorme, au-dessus d'eux tandis que l'orni rase les flots.

— Ça suffira comme ça, lieutenant, déclare de Soya.

66

Vous pouvez retourner. Il y a un dîner officiel ce soir chez l'évêque Melandriano.

Les sourcils de Sproul se haussent en direction de ses cheveux coupés court.

— À vos ordres, père capitaine, dit-il.

Il vire et décrit un dernier cercle avant de mettre le cap au nord.

— On dirait que cette plate-forme a été endommagée récemment, fait de Soya en se penchant sur sa droite pour regarder par la bulle du hublot.

— C'est vrai, réplique le lieutenant. J'ai un ami qui vient d'achever une période sur la plate... La Station mi-littorale 326, c'est ainsi qu'elle s'appelle officiellement, père capitaine. Il m'a dit qu'un braconnier avait essayé de la faire sauter il y a quelques marées de cela.

— Sabotage ? demande de Soya en voyant s'éloigner la plate-forme.

— Guérilla, plutôt, fait le lieutenant. Ces braconniers sont des indigènes qui étaient là bien avant la Pax. C'est pourquoi il y a des soldats sur chaque plate, et des patrouilles régulières de la marine pendant la saison de pêche. Les bateaux ne sortent que par convois, pour prévenir les attaques des braconniers. Vous les avez vus amarrés à la station. Il faut dire que la pêche va bientôt commencer. Ils seront escortés par des vaisseaux de la Pax. Le gueule-de-lampe remonte des profondeurs lorsque les lunes sont en conjonction. Vous avez vu la grosse se lever, père capitaine. Les bateaux de pêche enregistrés ont de gros projecteurs qu'ils allument quand les lunes sont couchées, pour attirer les mégacanthes. Mais les braconniers ne se privent pas de le faire aussi.

De Soya jette un coup d'œil aux étendues désertes d'océan entre l'orni et l'horizon septentrional.

— Il ne doit pas y avoir beaucoup d'endroits où les rebelles peuvent se cacher, dit-il.

— Non, père capitaine. C'est-à-dire oui. Ils ont des barques de pêche camouflées de manière à ressembler à des bancs de varech jaune, et des submersibles. Je ne sais pas si vous allez me croire, mais ils ont même un gros sous-marin pour la récolte, déguisé en gueule-de-lampe.

— Et vous dites que cette plate-forme a été endommagée lors d'une attaque de braconniers ? demande de Soya.

Il parle surtout, à présent, pour demeurer éveillé. Le bourdonnement de l'orni est soporifique.

— Tout juste, père capitaine, répond Sproul. Il y a environ huit grandes marées. C'est l'œuvre d'un seul braconnier, ce qui est tout à fait inhabituel, car ils viennent généralement en groupe. Il a fait sauter plusieurs glisseurs et ornis. C'est une tactique courante, bien qu'ils s'attaquent le plus souvent aux bateaux, de préférence.

— Excusez-moi, lieutenant, mais vous dites que cela s'est passé il y a huit grandes marées. Pourriez-vous traduire cela en standard ?

Sproul se mordille la lèvre.

— Euh... oui, père capitaine. Désolé. J'ai grandi sur Mare Inf., et... euh... cela fait environ huit mois standard.

— Le braconnier a été arrêté ?

— Oui, père capitaine, répond Sproul avec son sourire de gamin. Il y a même une histoire que l'on raconte... (Il jette un coup d'œil à de Soya pour voir s'il peut continuer.) Pour parler bref, père capitaine, ce braconnier s'est fait appréhender d'abord, puis il a fait exploser ses charges avant d'essayer de s'enfuir. C'est alors que les gardes lui ont tiré dessus et l'ont tué.

De Soya hoche la tête et ferme les yeux. La veille, il a passé en revue une centaine de rapports sur des « incidents avec les braconniers » qui ont eu lieu au cours de ces deux derniers mois standard. Faire sauter les plates-formes et tirer sur les braconniers, ce sont, apparemment, les sports locaux les plus populaires, sur Mare Infinitus, après la pêche.

— Le plus drôle, à propos de ce braconnier, fait le lieutenant pour finir son histoire, c'est la manière dont il s'est échappé. Sur une espèce de vieux tapis volant datant de l'époque de l'Hégémonie.

De Soya dresse aussitôt l'oreille. Il ne sommeille plus. Il jette un coup d'œil au sergent et à ses hommes. Tous les trois se sont redressés et ont les yeux fixés sur lui.

— Faites demi-tour, ordonne le père capitaine. Ramenez-nous jusqu'à cette plate-forme.

— Et ensuite, que s'est-il passé ? demande de Soya pour la cinquième fois.

Son garde suisse et lui se trouvent dans le bureau du directeur de la plate-forme, situé au plus haut point de celle-ci, juste sous l'antenne radar. Par la longue baie vitrée, le spectacle incroyable du lever des trois lunes s'offre à eux.

Le directeur, un capitaine de la Pax appartenant au Commandement océanique, nommé C. Dobbs Powl, est un gros homme rubicond, qui transpire allégrement dans ses vêtements.

— Quand il est apparu que cet homme n'appartenait à aucun des groupes de pêcheurs que nous avions cette nuit-là à bord, le lieutenant Belius l'a pris à part pour procéder à son interrogatoire. C'est la procédure standard, père capitaine.

De Soya le fixe longuement des yeux avant de demander :
— Et ensuite ?

Le directeur se passe la langue sur la lèvre.

— L'homme a réussi à s'échapper provisoirement, père capitaine. Il y a eu un affrontement sur la passerelle, et il a poussé le lieutenant Belius à la mer.

— On l'a retrouvé ?

— Non, père capitaine. Il a dû se noyer. Ou bien... Il y a pas mal de requins arc-en-ciel qui rôdent dans les parages...

— Décrivez-moi l'homme que vous déteniez avant de le laisser échapper, demande de Soya en insistant sur le mot « laisser ».

— Jeune, père capitaine. Vingt-cinq ans standard environ. Et assez grand. Plutôt costaud.

— Vous l'avez vu de vos yeux ?

— Oui, père capitaine. J'étais sur la passerelle avec le lieutenant Belius et le lancier marin Ament lorsque cet individu a déclenché la bagarre et poussé Belius par-dessus bord.

— Le lancier et vous l'avez alors laissé s'échapper, fait de Soya d'une voix sans intonation. Vous étiez armés tous les deux, et cet homme avait des menottes, c'est bien cela ?

— Oui, père capitaine, répond Powl en s'épongeant le front avec son mouchoir mouillé.

— Avez-vous remarqué quoi que ce soit d'anormal concernant ce jeune homme ? Quelque chose que vous auriez omis de signaler dans votre... euh... très succinct rapport adressé au Haut Commandement ?

Le directeur range son mouchoir, puis le ressort aussitôt pour le passer sur son front.

— Non, père capitaine. C'est-à-dire que... euh... pendant la bagarre, le vêtement du jeune homme s'est déchiré sur le devant, et j'ai pu remarquer qu'il n'était pas... euh... comme vous et moi, père capitaine.

De Soya hausse un sourcil.

— Je veux dire par là qu'il n'appartenait pas à la croix, s'empresse d'ajouter Powl. Pas de cruciforme sur la poitrine. Naturellement, cela ne m'a pas surpris, sur le moment. La plupart de ces braconniers indigènes n'ont jamais été baptisés. Ils ne braconneraient pas s'ils l'avaient été, après tout, n'est-ce pas ?

De Soya ignore cette dernière question. Il se rapproche du capitaine en sueur pour demander :

— Le prisonnier a donc sauté de la passerelle sur le pont inférieur pour s'enfuir par là, c'est bien ça ?

— Pas tout à fait, père capitaine. Il ne s'est pas enfui tout de suite. Il a d'abord sorti ce truc volant qu'il avait dû cacher là. Entre-temps, naturellement, j'avais donné l'alarme, et tous mes hommes avaient gagné leur poste en courant, comme ils sont entraînés à le faire.

— Mais cela n'a pas empêché votre braconnier de monter sur son... engin et de s'éloigner dans les airs ?

— C'est cela, fait le directeur de plate-forme en épongeant de nouveau son front moite. (Visiblement, il est en train de songer à sa carrière future, qui risque de se terminer prématurément.) Mais cela n'a pas duré longtemps. Nous l'avons immédiatement repéré sur notre radar, puis à l'aide de nos lunettes de vision nocturne. Ce... tapis... volait vite, mais lorsque nous avons ouvert le feu il est revenu vers la plate-forme...

— À quelle altitude volait-il, capitaine Powl ?

— Quelle altitude ? répète le directeur en plissant son front mouillé. Environ vingt-cinq mètres de la surface, je pense. Peut-être trente. À peu près à la hauteur de notre pont principal. Il revenait droit sur nous, comme s'il avait l'intention de nous bombarder. Et c'est ce qu'il a fait, dans un sens. C'est-à-dire que les charges explosives qu'il avait préparées ont sauté à ce moment-là. Ça m'a foutu une trouille de tous les diables... Pardonnez-moi, père capitaine.

— Poursuivez, lui dit de Soya.

Il se tourne vers Gregorius. Le géant est en position de repos réglementaire derrière le directeur. D'après son expression, il n'attend qu'un signal pour ceinturer le gros homme en sueur.

— L'explosion a été spectaculaire, reprend ce dernier. Les équipes de pompiers ont aussitôt couru éteindre les foyers d'incendie, mais le lancier marin Ament et moi, avec quelques hommes, nous sommes restés ici à notre poste, sur la passerelle.

— Très louable de votre part, murmure de Soya d'une voix où perce l'ironie. Continuez, je vous prie.

— C'est à peu près tout, père capitaine, fait Powl d'une voix piteuse.

— Vous avez donné l'ordre de tirer sur le fugitif?

— Euh... oui, père capitaine.

— Et toutes les sentinelles ont tiré en même temps, à votre commandement?

— C'est cela, fait le directeur, le regard vitreux de concentration. Je pense qu'ils ont tous tiré. Ils étaient six en plus d'Ament et de moi-même.

— Et vous avez tiré aussi?

— Euh... oui. La station était attaquée. Le pont d'envol était en flammes. Et ce terroriste fonçait sur nous pour nous bombarder avec je ne sais quoi.

De Soya hoche la tête comme s'il n'était pas tout à fait convaincu.

— Avez-vous aperçu quelque chose ou quelqu'un d'autre que ce jeune homme sur le tapis volant?

— Euh... non, mais il faisait noir.

De Soya regarde les trois lunes par la baie vitrée. Une forte lumière orangée pénètre jusqu'à eux.

— Les lunes étaient hautes, cette nuit-là, capitaine? demande-t-il.

Powl s'humecte de nouveau les lèvres, comme s'il s'apprêtait à mentir. Il sait que de Soya et ses hommes ont interrogé le lancier marin Ament et les autres, et de Soya sait qu'il le sait.

— Elles venaient de se lever, bafouille-t-il.

— La lumière était donc comparable à celle-ci ?

— Oui.

— Avez-vous remarqué quelqu'un ou quelque chose d'autre sur cet engin volant, capitaine ? Un paquetage ? Un sac à dos ? Un objet ressemblant à une bombe ?

— Non, répond Powl, dont la peur laisse à présent transparaître une certaine fureur. Il n'a fallu qu'une très faible quantité d'explosif pour faire sauter nos glisseurs et nos trois ornis, père capitaine.

— C'est vrai, acquiesce de Soya.

Il s'avance vers la baie brillamment éclairée en ajoutant :

— Vos sept sentinelles — en comptant le lancier marin Ament — étaient toutes équipées de pistolets à fléchettes, capitaine ?

— Oui.

— Et vous en aviez un aussi, n'est-ce pas ?

— Oui.

— Cela représente beaucoup de fléchettes. Ont-elles toutes atteint leur but ?

Powl hésite un instant avant de répondre, puis hausse les épaules.

— La plupart, oui, je pense.

— Et vous avez pu voir le résultat ? demande de Soya d'une voix douce.

— Le salopard a été mis en pièces..., père capitaine, éclate Powl, dont la fureur l'emporte un instant sur la peur. Je l'ai vu voler en éclats comme une fiente de mouette dans un ventilateur..., père capitaine. Puis il est tombé comme une pierre... ou plutôt non, il a glissé en arrière de son stupide tapis comme s'il était tiré par un câble. Il a touché la mer à côté du pylône L3. Les requins arc-en-ciel étaient sur lui dix secondes plus tard.

— Vous n'avez donc pas retrouvé son corps ?

Powl lui lance un regard presque défiant.

— Mais si, père capitaine. Nous l'avons retrouvé. J'ai donné l'ordre à Ament et Kilmer de récupérer ses restes avec des gaffes, des crochets et une épuisette. Nous avions maîtrisé les foyers d'incendie, et la plate-forme ne courait plus aucun danger.

À mesure qu'il parle, le capitaine Powl reprend de plus en plus d'assurance.

— Et où se trouvent ces restes, à présent ? demande calmement de Soya.

Le directeur joint les bouts de ses gros doigts, qui ne tremblent presque plus.

— Nous les avons immergés le lendemain, du pont inférieur. Cela a attiré tout un banc de requins arc-en-ciel, et nous en avons tué quelques-uns pour le repas du soir.

— Vous avez l'assurance que ces restes appartenaient bien au suspect en question ?

Les petits yeux ronds de Powl deviennent encore plus petits tandis qu'il se tourne vers de Soya pour répondre.

— Oui. C'étaient bien ses restes. Ceux d'un vulgaire braconnier. Ce genre de truc arrive tout le temps sur le grand violet, père capitaine. Il ne faut pas s'étonner.

— Et il vous arrive souvent de tirer sur des braconniers qui volent au-dessus du grand violet sur d'antiques tapis volants EM, capitaine Powl ?

Le visage du directeur de plate-forme se fige.

— Ce truc-là, c'était ça ?

— Vous n'en avez pas parlé dans votre rapport, capitaine.

Powl hausse les épaules.

— Ça ne me semblait pas très important.

De Soya hoche la tête.

— Et vous dites maintenant que ce... truc-là a continué de voler tout seul ? Qu'il est passé au-dessus du pont et de la passerelle pour disparaître au-dessus de la mer, sans personne dessus ?

— Oui, fait le capitaine Powl en se redressant dans son siège, aussi digne que possible dans son uniforme froissé.

De Soya pivote brusquement vers lui.

— Le lancier marin Ament ne donne pas la même version des faits, capitaine. D'après lui, le tapis a été récupéré puis désactivé. La dernière fois qu'il a été vu, il se trouvait en votre possession, n'est-ce pas ?

— C'est faux, proteste le directeur en regardant Gregorius, puis Sproul, puis Kee, puis Rettig, puis, de nouveau, de Soya. Je ne l'ai jamais revu après son passage au-dessus de la plate-forme. Ament est un foutu menteur.

De Soya fait un signe de tête au sergent Gregorius. Puis il s'adresse à Powl sans le regarder.

— Ce tapis était une antiquité, en parfait état de marche. Ça vaut pas mal d'argent, même sur Mare Infinitus, n'est-ce pas, capitaine ?

— Je l'ignore, réussit à articuler Powl, sans quitter Gregorius des yeux.

Le sergent s'est avancé jusqu'à l'armoire privée du directeur. Elle est en acier, et cadenassée.

— Je ne savais même pas ce que c'était que ce foutu machin, ajoute Powl.

De Soya se tient maintenant devant la baie vitrée. La plus grosse lune remplit le ciel à l'est. L'arche distrans se profile contre son orbe.

— Ça s'appelle un tapis hawking, murmure-t-il d'une voix à peine audible. Dans une certaine vallée des Tombeaux du Temps, cela aurait laissé une signature radar caractéristique.

Il fait un signe de tête au sergent Gregorius. Celui-ci enfonce la porte de l'armoire métallique d'un seul coup de gantelet. Il passe la main à l'intérieur, écarte des boîtes, des piles de papiers et des liasses de billets pour la ressortir avec le tapis soigneusement plié qu'il pose sur la table du directeur.

— Arrêtez cet homme et emmenez-le hors de ma vue, dit lentement le père capitaine de Soya.

Le lieutenant Sproul et le caporal Kee entraînent le directeur dans le couloir malgré ses protestations.

De Soya et Gregorius déroulent le tapis hawking sur la longue table. Les antiques motifs de vol jettent des reflets d'or à la lueur des lunes. De Soya passe la main sur les franges à l'avant du tapis. Il touche les endroits où les fléchettes ont déchiré le tissu. Il y a du sang partout. Les dessins en sont tachés ainsi que les monofilaments supraconducteurs. Des lambeaux de ce qui pourrait être de la chair humaine sont pris dans les franges de l'arrière du tapis. De Soya se tourne vers Gregorius.

— Avez-vous déjà lu le long poème que l'on appelle les *Cantos*, sergent ?

— Les *Cantos* ? Non, jamais. Je ne suis pas tellement porté sur la lecture. De plus, il me semble qu'il figure dans la liste des ouvrages interdits, ou est-ce que je me trompe ?

— Vous avez tout à fait raison, sergent.

Le père capitaine s'éloigne du tapis ensanglanté et lève les yeux vers les lunes et l'arche distrans qui se profile contre la plus grosse.

C'est un morceau du puzzle, se dit-il. *Et quand il sera au complet je t'aurai, ma petite fille.*

— Les *Cantos* font bien partie de la liste interdite, sergent, murmure-t-il.

Il fait brusquement volte-face et se dirige vers la porte en faisant signe à Rettig de rouler le tapis et de l'emmener avec lui.

— Venez, dit-il avec plus d'énergie dans sa voix qu'il n'en a eu depuis plusieurs semaines. Nous avons du pain sur la planche.

Mon souvenir des vingt minutes ou plus que j'ai passées dans le grand réfectoire brillamment éclairé ressemble beaucoup aux cauchemars qu'il nous arrive à tous de faire un jour ou l'autre. Vous voyez sûrement ce que je veux dire. Je parle de ces mauvais rêves où nous nous retrouvons dans un endroit de notre passé, mais sans nous rappeler la raison pour laquelle nous y sommes ni les noms des personnes qui nous entourent. Quand le lieutenant et ses deux soldats me firent entrer dans le réfectoire, tout, dans la salle, était à la couleur du décalage cauchemardesque de ce qui m'était autrefois familier. Je dis cela parce que j'avais passé une bonne partie de mes vingt-sept ans d'âge dans des camps de chasseurs et dans des mess militaires, dans des bars de casinos et dans les cambuses de vieilles barges. La compagnie de ce genre d'hommes m'était familière. Trop familière, aurais-je même pu dire alors, car les éléments dont je sentais la présence dans cette salle — tapage, rodomontades et odeur de transpiration mâle de citadins nerveux en train de faire des rencontres masculines — m'avaient depuis longtemps laissé totalement blasé. À présent, cependant, cette familiarité était plus que compensée par l'étrangeté de la situation. Je percevais des bribes de conversation épicée de dialecte, les différences subtiles d'habillement, l'odeur suicidaire des cigarettes et la certitude que je me vendrais presque immédiatement si jamais j'étais obligé de réagir devant leur monnaie, leur culture ou leur conversation.

Il y avait un grand bocal à café sur la table la plus éloignée. Je n'avais jamais vu un réfectoire sans cet accessoire. J'y dirigeai nonchalamment mes pas, en essayant de paraître aussi naturel que possible, trouvai une tasse relativement propre et me versai un peu de liquide noir. Pendant tout ce temps, je surveillais du coin de l'œil le lieutenant et ses deux hommes en train de m'observer. Quand ils parurent confortés à l'idée que ma place était bien ici, ils se tournèrent pour partir. Je sirotai un horrible café, en notant au passage que ma main qui tenait la tasse ne tremblait pas en dépit de l'ouragan d'émotions qui s'était emparé de moi, et essayai de décider de ce que j'allais faire ensuite.

Le plus étonnant, dans tout cela, c'était que j'avais toujours mes armes : mon couteau dans sa gaine et mon pistolet. J'avais aussi ma radio. En envoyant un signal, je pouvais faire exploser le plastic quand je voulais et profiter de la confusion pour récupérer le tapis hawking et filer avec. Maintenant que j'avais vu les sentinelles de la Pax, je savais qu'il allait falloir une diversion d'un genre ou d'un autre pour que le radeau puisse passer devant cette plate-forme sans se faire détecter. Je marchai jusqu'à la fenêtre. Je me mis face à la direction que nous avions pris l'habitude d'appeler le nord, mais vis que le ciel à l'est était éclairé d'un halo annonçant le lever imminent des lunes. L'arche distrans était visible à l'œil nu. J'essayai d'ouvrir la fenêtre, mais elle était bloquée d'une manière invisible, ou bien clouée. Un peu plus loin, un mètre en contrebas, il y avait un autre module avec un toit en tôle ondulée, mais je ne voyais pas comment y accéder.

— Avec qui es-tu, mon garçon ?

Je me retournai vivement. Cinq hommes s'étaient détachés du groupe le plus proche de moi, et c'était le plus gros et le plus petit qui s'adressait à moi. Il portait une tenue d'extérieur : chemise en flanelle à carreaux, pantalon de toile, veste de toile à peu près semblable à la mienne, couteau à écailler le poisson à la ceinture. Je me dis alors que les hommes de la Pax avaient dû voir le bout de mon étui à pistolet qui dépassait de dessous ma veste, mais croire qu'il s'agissait d'une gaine pour un poignard du même genre.

L'homme s'était lui aussi exprimé en dialecte, mais très différent de celui des gardes de l'extérieur. Les pêcheurs, d'après ce que je savais, devaient être originaires d'un autre monde. Mon accent n'était donc probablement pas suspect.

— Klingman, répondis-je avant de boire une nouvelle gorgée de café à goût de vase.

C'était le mot magique qui avait déjà marché avec la Pax. Mais il ne marcha pas avec ces hommes. Ils s'entre-regardèrent un instant, puis le plus gros s'adressa de nouveau à moi.

— On est tous arrivés avec le groupe Klingman, mon garçon. De Sainte-Thérèse. Tu n'étais pas sur l'hydroglisseur. À quoi tu joues ?

J'eus un large sourire.

— Je ne joue pas, lui dis-je. Je devais arriver avec le groupe, mais je l'ai raté de peu à Sainte-Thérèse. Je suis venu avec les Outres.

Ce n'était toujours pas ça. Les cinq hommes commencèrent à palabrer entre eux. J'entendis le mot « braconnier » à plusieurs reprises. Deux types s'éloignèrent et sortirent par la porte. Celui qui m'avait parlé pointa sur moi un index épais en disant :

— Le type avec qui j'étais assis là-bas, c'était le guide des Outres. Il ne t'a jamais vu avant non plus. Ne bouge pas d'ici, mon garçon.

S'il y avait une chose que j'étais décidé à ne pas faire, c'était bien ce qu'il disait. Je posai ma tasse sur la table en murmurant d'une voix rauque :

— C'est vous qui allez m'attendre. Je vais chercher le lieutenant, pour mettre cette histoire au clair. Restez ici.

Le gros homme sembla pris de court. Il demeura à sa place tandis que je traversais le réfectoire à présent silencieux pour ouvrir la porte et sortir sur la passerelle.

Je n'avais nulle part où aller. Sur ma droite, les deux soldats de la Pax armés de pistolets à fléchettes s'étaient mis au garde-à-vous contre le bastingage. Sur ma gauche, le lieutenant à qui je m'étais heurté quelques instants plus tôt arrivait rapidement, accompagné de deux civils, avec un capitaine grassouillet de la Pax à sa remorque.

— Merde, murmurai-je.

En subvocal, j'ajoutai :

— J'ai un petit problème, ma jolie. Je crois que je me suis fait coincer. Je laisse le son pour que tu puisses entendre ce qui se passe. File droit sur le portail. Et ne me réponds surtout pas.

Il ne manquait plus qu'une petite voix fluette sortant de mes écouteurs pendant que je palabrais avec ces gens.

— Ah ! m'écriai-je en m'avançant vers le capitaine, la main tendue comme pour serrer la sienne. Vous êtes justement la personne que je voulais voir.

— C'est lui ! s'écria l'un des deux pêcheurs. Il n'est pas arrivé avec nous ni avec les Outres. C'est l'un de ces bon sang de croix de braconniers dont vous nous avez parlé !

— Passez-lui les menottes, ordonna le capitaine au lieutenant.

Avant que j'aie pu faire ou répliquer quoi que ce soit d'intelligent, les soldats m'immobilisèrent, et le lieutenant me menotta les poignets. Le double bracelet était en métal, d'un modèle antique mais efficace. Mes mains étaient liées devant moi, et le sang ne circulait presque plus.

Je compris, en cet instant, que je ne m'en sortirais jamais en tant qu'espion. Tout, dans mon incursion sur cette plate-forme, avait tourné au désastre. Les hommes de la Pax étaient pourtant d'une négligence extrême. Ils étaient agglutinés autour de moi alors qu'ils auraient dû garder leurs distances et me couvrir de leurs armes pendant qu'on me fouillait. Ensuite, ils m'auraient menotté *après* m'avoir désarmé. Mais la fouille allait sans doute venir dans quelques secondes.

Je décidai de ne pas leur donner ces quelques secondes. Levant rapidement mes deux bras ensemble, je saisis le capitaine grassouillet par le devant de sa chemise et le poussai violemment contre les deux civils. Il y eut un instant de confusion où tout le monde s'agita et cria à la fois, et j'en profitai pour faire rapidement volte-face, envoyer de toutes mes forces un coup de pied dans les testicules du premier garde armé, et saisir le deuxième par la sangle de l'arme qu'il portait encore à l'épaule. Le soldat se mit à hurler et attrapa son arme à deux mains tandis que je tirais la sangle vers le bas et sur ma droite. Sa tête heurta le mur avec force, et il retomba assis, complètement groggy. Le premier garde, celui que j'avais amoché et qui restait courbé en deux, une main couvrant son entrejambe, leva sa main libre, agrippa mon sweater et le déchira de haut en bas, arrachant les lunettes de vision nocturne que j'avais autour du cou. Je lui décochai un coup de pied dans la tête, et il s'écroula sur le pont.

Le lieutenant avait sorti, entre-temps, son pistolet à fléchettes. Voyant qu'il ne pouvait pas me tirer dessus sans risquer de toucher ses deux hommes, il m'assena un grand coup sur le crâne avec la crosse.

Les pistolets à fléchettes ne sont ni très massifs ni très lourds. Le coup me fit voir quelques étincelles et me fendit le cuir chevelu, mais eut surtout pour résultat de me rendre furieux.

Je fis volte-face et frappai du poing le lieutenant au visage. Il partit en arrière en chancelant, heurta le bastingage à hauteur de sa taille, agita les bras et tomba à la renverse. Tout le monde se figea, l'espace d'une seconde, tandis qu'il hurlait dans sa chute de vingt-cinq mètres jusqu'à la surface de l'eau.

Tout le monde se figea excepté moi, en fait. Les semelles du lieutenant n'avaient pas encore disparu par-dessus le bastingage que j'avais déjà détalé en enjambant le soldat sur le pont, ouvert la porte du réfectoire et foncé à l'intérieur. Il y avait foule autour de moi. La plupart des hommes se pressaient devant la porte et les fenêtres pour voir ce qui se passait. Mais personne n'essaya de m'arrêter lorsque je me ruai dans le sens opposé, en feintant à travers la salle comme un driveur fou avec sa chèvre à travers une équipe de cinquante-trois hommes pour marquer un but.

Derrière moi, j'entendis la porte qui s'ouvrait et le capitaine ou l'un de ses soldats qui criait :

— Baissez-vous ! Dégagez ! Écartez-vous !

Mes omoplates se ratatinaient à l'idée que des milliers de fléchettes étaient en train de voler vers elles, mais je ne ralentis pas un seul instant en sautant par-dessus une table, le visage protégé par mes deux mains toujours liées par les menottes, puis en fonçant dans la vitre de la fenêtre, l'épaule droite en avant.

L'idée me traversa l'esprit, au moment même où je sautais, qu'il suffisait que la vitre soit en perspex ou en verre intelligent pour que mon aventure se termine ici même en farce totale. Je me vis rebondissant en arrière dans la salle pour être cueilli tranquillement par les soldats ou bien transformé en passoire. C'était d'ailleurs logique, pour une plateforme de ce genre, d'utiliser des matériaux infrangibles pour ses surfaces vitrées. Mais j'avais posé les doigts dessus, quelques minutes plus tôt, et cela avait la consistance du verre.

C'était bien du verre.

Je me retrouvai sur un panneau d'acier ondulé du toit et continuai de rouler vers le bas, entouré d'une volée d'éclats de verre qui craquaient sous mon poids. J'avais emporté avec moi une partie du petit bois de la fenêtre. Les échardes de bois et de verre collaient à mon gilet et à mon sweater en lambeaux, mais je ne ralentis pas pour m'en débarrasser. Arrivé au bord du toit, j'avais le choix : mon instinct me conseillait de continuer de rouler jusqu'en bas, afin d'être hors de vue des soldats qui allaient ouvrir le feu sur moi d'un moment à l'autre, en espérant qu'il y avait un couloir en dessous, mais la logique me dictait de regarder d'abord. Quant à ma mémoire, elle m'affirmait qu'il n'y avait pas de couloir à cette extrémité nord de la plate-forme.

J'adoptai un compromis en me laissant rouler par-dessus le toit, mais en me retenant au bord au passage et en penchant la tête pour regarder entre mes jambes ballantes tandis que mes doigts glissaient peu à peu. Il n'y avait ni pont ni plate-forme au-dessous de moi. Rien d'autre que vingt mètres de vide entre mes bottes et les flots violets. Les lunes étaient en train de se lever, et la mer s'allumait de mille feux.

Je me rétablis à la force des bras, suffisamment pour jeter un coup d'œil à la fenêtre à travers laquelle j'avais sauté. Je vis les soldats massés là et baissai la tête juste à temps pour éviter une giclée de fléchettes tirée par l'un d'eux. Le nuage passa à deux ou trois centimètres de mes doigts. Le bruit d'abeilles en colère des milliers d'aiguilles d'acier me donna la chair de poule. Il n'y avait pas de passage au-dessous de moi, mais un tuyau courait horizontalement contre la paroi du module. Il faisait de six à huit centimètres de diamètre, et il y avait peut-être assez d'espace entre lui et la coque pour que j'y glisse les doigts. À condition que le tuyau ne cède pas sous mon poids, que le choc ne me disloque pas l'épaule, que les menottes ne me fassent pas rater mon coup, que... Sans réfléchir plus longtemps, je me laissai tomber. Mes avant-bras et l'acier des menottes heurtèrent la canalisation et firent rebondir mes mains, mais mes doigts réussirent à accrocher le tuyau, et celui-ci tint bon.

La deuxième volée de fléchettes pulvérisa le bord du toit et perfora la paroi du module en mille endroits. Une pluie d'échardes d'acier dégringola autour de moi au clair de lunes tandis que les hommes hurlaient et juraient là-haut. J'entendis des pas sur le toit.

Je me balançais sur le côté aussi rapidement que je le pouvais. Il y avait un bout de pont qui dépassait au coin du module, à trois mètres sous moi au moins, quatre à cinq mètres plus loin du côté est. Mais je n'y arrivais que très lentement. Mes épaules hurlaient d'inconfort, je ne sentais plus mes doigts à la circulation coupée. Il y avait des échardes de verre dans mes cheveux ou fichées dans mon crâne. Le sang me coulait sur les yeux. Au-dessus de moi, mes poursuivants allaient arriver au bord du toit avant que j'aie pu acquérir suffisamment d'élan pour me lâcher.

Soudain, j'entendis des cris et des vociférations. Toute une section du toit venait de s'effondrer à l'endroit où j'étais suspendu. De toute évidence, les fléchettes avaient miné la toiture, qui avait cédé sous leur poids. Je les entendis refluer en jurant, puis contourner l'endroit pour arriver jusqu'au bord par une autre route.

Cela me donna huit ou dix secondes de répit, mais ce fut suffisant pour faire glisser mes mains, l'une après l'autre, jusqu'au bout du tuyau, me balancer une fois, deux fois, me lâcher à la troisième et tomber lourdement sur la plate-forme en contrebas, en me laissant rouler contre le bastingage du côté est avec suffisamment de force pour en perdre ma respiration.

Je savais que je n'avais pas le temps de rester là pour

reprendre mon souffle. Je me redressai rapidement pour gagner la section du pont qui était plongée dans l'obscurité, sous le module. Au moins deux pistolets à fléchettes firent feu. Le premier me manqua et piqueta la surface de l'eau, quinze mètres plus bas. L'autre martela le bout du pont comme si une centaine de pistolets cloueurs étaient partis en même temps. Je pris mes jambes à mon cou en sinuant parmi les poutrelles et en me penchant pour essayer d'apercevoir quelque chose dans le labyrinthe d'ombres au-dessous de moi. Des pas résonnèrent quelque part au-dessus de ma tête. Ils avaient sur moi l'avantage de connaître parfaitement la disposition des ponts et des escaliers, mais j'étais le seul à savoir où j'allais.

Je me dirigeais vers le pont le plus bas et le plus à l'est, où j'avais laissé le tapis, mais l'entrepont de maintenance où je me trouvais en ce moment donnait sur une longue coursive orientée nord-sud. Lorsque j'eus parcouru suffisamment de distance pour être sûr d'être à hauteur du pont est, je me hissai sur une poutrelle qui devait faire six centimètres de section et, balançant mes bras menottés tantôt à gauche, tantôt à droite pour conserver mon équilibre, traversai l'espace découvert qui me séparait de la poutrelle verticale suivante. Au bout de la poutre, je refis la même chose en obliquant au nord, puis au sud à la nouvelle jonction. Chaque fois, lorsque la poutre prenait fin, j'en trouvais une nouvelle qui allait vers l'est.

Des trappes s'ouvraient et des pas résonnaient sur les passerelles de service sous le pont principal, mais je fus le premier à atteindre le pont est. Je m'y laissai tomber, trouvai le tapis là où je l'avais laissé attaché à une poutre, le déroulai, actionnai les fils de commande et m'envolai par-dessus le bastingage juste au moment où une trappe s'ouvrait au-dessus de l'escalier qui descendait sur le pont. J'étais à plat ventre sur le tapis, essayant d'offrir la silhouette la plus réduite possible sur fond de lunes et de vagues scintillantes, actionnant les fils de vol avec la plus grande prudence à cause des menottes.

Mon instinct me conseillait de voler vers le nord, mais je savais que ce serait une erreur. La portée des fléchettes ne dépassait pas soixante ou soixante-dix mètres, mais quelqu'un, là-haut, devait avoir un fusil à plasma ou une arme équivalente. Pendant que tout le monde me cherchait du côté est de la plate-forme, j'avais intérêt à voler vers le sud ou l'ouest.

Je virai sur ma gauche, passai sous les poutrelles et frôlai la crête des vagues en prenant vers l'ouest sous le bord protecteur de la plate-forme. Un seul pont était en saillie à cet endroit, celui sur lequel j'avais sauté, et il était vide à son extrémité nord. Pas seulement vide, constatai-je, mais criblé de trous de fléchettes et probablement sur le point de crouler si quelqu'un marchait dessus. Je passai par-dessous et continuai mon vol en direction de l'ouest. Il y avait des bruits de bottes sur les passerelles supérieures, mais ceux qui m'apercevraient à travers la forêt de pylônes et de poutrelles auraient du mal à m'ajuster s'ils voulaient me tirer dessus.

J'émergeai de dessous le tablier de la plate-forme pour entrer dans la zone d'ombre projetée par les lunes, à présent bien plus hautes sur l'horizon. Je rasai littéralement les vagues, en m'efforçant de garder leurs longues crêtes entre la station et moi. J'avais déjà parcouru une soixantaine de mètres et je commençais à pousser un soupir de soulagement lorsque j'entendis un clapotis et des toussotements à quelques mètres sur ma droite, juste après la crête la plus proche.

Je compris aussitôt de quoi il s'agissait, ou plutôt de qui. C'était le lieutenant que j'avais envoyé à l'eau par-dessus le bastingage. Ma première impulsion fut de continuer sans m'arrêter. La plate-forme, derrière moi, était en proie à la confusion. Il y avait des cris et des coups de feu du côté nord, d'autres cris du côté est où j'avais disparu, mais personne ne semblait m'avoir vu ici. Cet homme m'avait frappé sur la tête et m'aurait tué sans hésitation si ses copains n'avaient pas été dans sa ligne de mire. Le fait d'avoir été déporté jusqu'ici par le courant était bien malheureux pour lui, mais je n'y pouvais rien.

Je pourrais le déposer à la base de la plate-forme, sur une des poutrelles, peut-être. Je m'en suis déjà tiré une fois, je peux recommencer. Cet homme ne faisait que son devoir. Il ne mérite pas de mourir pour ça.

Honnêtement, je dois avouer que je haïssais ma conscience dans des moments pareils. Mais il n'y en avait pas eu beaucoup comme ça dans ma vie, à vrai dire.

J'immobilisai le tapis juste au-dessus des vagues. J'étais toujours couché sur le ventre, rentrant la tête et les épaules afin de ne pas être vu des hommes de la plate-forme. Je me penchai sur la droite pour essayer de repérer la source des toussotements et du clapotis.

La première chose que j'aperçus, ce fut les poissons. Ils avaient une nageoire caudale semblable à celle des squales de l'Ancienne Terre que j'avais vus en représentation holo ou à celle des dos-de-sabre cannibales de la Grande Mer du Sud d'Hypérion, mais avec deux ailerons dorsaux brillants au lieu d'un. Je les distinguais très clairement au clair de lunes. Ils semblaient scintiller d'une douzaine de couleurs différentes depuis les deux ailerons jusqu'au ventre. Ils faisaient environ trois mètres de long et se déplaçaient comme des prédateurs à puissants coups de queue. Leurs dents étaient très blanches.

Suivant l'un de ces tueurs à travers la houle, j'arrivai jusqu'au lieutenant. Il se débattait désespérément pour maintenir sa tête hors de l'eau tout en pivotant sur lui-même pour essayer de garder les tueurs à distance. De temps à autre, l'une des créatures à double aileron fonçait sur lui dans les eaux violettes, et il essayait de la repousser à coups de botte sur la tête ou dans les ailerons. Le poisson faisait volte-face, mais revenait inévitablement à la charge. D'autres arrivaient sans cesse, et le cercle se refermait sur le lieutenant épuisé.

— Merde ! murmurai-je.

Je ne pouvais pas le laisser comme ça.

Je tapai d'abord le code qui désactivait le champ de confinement du tapis, conçu pour protéger du vent à grande vitesse mais aussi pour empêcher les occupants du tapis, particulièrement les enfants, de tomber par-dessus bord. Si je devais hisser cet homme à mes côtés, je n'avais pas envie de me battre aussi contre un champ EM activé. Je fis ensuite glisser le tapis au ras de l'eau jusqu'à l'endroit où je l'avais vu.

Il n'était plus là. Il avait coulé. J'envisageai un instant de plonger, mais aperçus la forme pâle de ses bras en train de s'agiter juste au-dessous de la surface. Les espèces de squales faisaient des cercles de plus en plus rapprochés, mais n'attaquaient pas encore. C'était peut-être l'ombre du tapis qui les déconcertait.

Je plongeai mes deux mains menottées dans l'eau, réussis à saisir un poignet et le hissai. Son poids faillit me faire basculer, mais je me penchai en arrière, retrouvai mon équilibre et raffermis suffisamment ma prise pour le tirer par le pantalon et le déposer, ruisselant et crachant de l'eau, sur le tapis.

Il était blanc comme un linge et grelottait de froid. Mais après avoir craché et vomi de l'eau de mer, il sembla reprendre une respiration normale, ce dont je ne pus que me réjouir. Je n'étais pas sûr, en effet, que ma générosité s'étende jusqu'au bouche-à-bouche. Après m'être assuré qu'il était suffisamment loin du bord du tapis pour ne pas risquer de se faire happer un bras ou une jambe par ces créatures, je me tournai vers les commandes et remis le cap sur la plate-forme, en volant un peu plus haut au-dessus de l'eau. Fouillant dans les poches de mon gilet, je trouvai l'unité com et tapai le code qui faisait exploser le plastic sur les ponts des ornis et des glisseurs. J'avais l'intention de m'approcher de la plate-forme en venant du sud, où il me serait possible de m'assurer que ces ponts étaient déserts. Je transmettrais alors le code à l'aide d'une seule touche puis, dans la confusion qui suivrait l'explosion, je contournerais la plate-forme pour arriver par l'ouest, déposer le lieutenant au premier endroit sec que je trouverais, puis repartir.

Je me tournai vers l'officier de la Pax pour voir s'il respirait bien, mais vis, en un instant, qu'il s'était redressé sur un genou et tenait quelque chose de brillant à la main...

... qu'il me plongea dans le cœur.

Du moins, cela m'aurait directement percé le cœur si je n'avais pas eu le réflexe de m'écarter durant la fraction de seconde qu'il fallut au poignard pour traverser le gilet, le sweater et la peau. Malgré tout, la courte lame me déchira le côté et toucha une côte. Ce ne fut pas tant de la douleur que je ressentis sur le moment, mais plutôt un choc, littéralement électrique. Je poussai un cri et voulus lui saisir le poignet. La lame plongea de nouveau vers moi, plus haut et plus vite, cette fois-ci. Mes mains, glissantes d'eau de mer et de mon propre sang, dérapèrent sur son bras. Je ne pus que dévier le coup vers le bas avec l'attache qui reliait les bracelets de mes menottes tandis qu'il me poignardait en un mouvement descendant, cette fois-ci, qui m'aurait transpercé le cœur au niveau de la même côte si mon bras ne l'avait pas ralenti et si l'unité com, dans la poche de mon gilet, n'avait pas dévié la lame. Celle-ci pénétra cependant dans ma chair, et j'eus un mouvement de recul tandis que le tapis hawking continuait de s'élever.

J'eus vaguement conscience des explosions qui retentissaient derrière moi. La lame avait dû toucher le bouton qui les activait. Je ne me retournai pas pour regarder ce qui se passait. Je retrouvai mon équilibre, les pieds écartés. Le tapis s'élevait toujours. Nous devions être à présent à huit ou dix mètres de la surface.

Le lieutenant avait bondi sur ses pieds en même temps que moi, adoptant instinctivement la posture d'un combattant au couteau. J'ai toujours détesté les armes blanches. J'ai dépiauté et vidé dans ma vie d'innombrables gibiers et poissons, mais je n'ai jamais pu comprendre, même quand j'étais dans la Garde Nationale, comment des humains pouvaient faire de telles choses à d'autres humains. J'avais un poignard passé dans ma ceinture, quelque part, mais je savais que je n'étais pas de taille à me battre contre cet homme. Mon seul espoir était de sortir mon automatique de son étui, et c'était un mouvement difficile. Le pistolet était contre ma hanche gauche, la crosse en avant pour que je puisse dégainer avec la main opposée, mais il me fallait à présent utiliser les deux mains, en écartant le gilet, puis ouvrir l'étui, sortir l'arme et viser...

Il me lacéra le corps, de gauche à droite. Je fis un bond en arrière, jusqu'au bord du tapis, mais trop tard. La petite lame acérée avait déjà tranché dans la chair et les muscles de mon bras droit qui essayait de sortir le pistolet. La douleur m'arracha un hurlement perçant. Le lieutenant sourit de toutes ses dents encore luisantes d'eau de mer. Toujours accroupi, sachant bien que je n'avais aucune retraite possible, il fit un demi-pas en avant et leva son poignard en un arc de cercle mortel destiné à m'éviscérer.

J'étais en train de me tourner sur la droite quand il m'avait touché la première fois, et j'accentuai le mouvement pour plonger du tapis, mes mains liées tendues dans le prolongement de mon corps, d'une hauteur de dix mètres. Lorsque je brisai la surface de l'eau, elle était noire et salée. Je n'avais pas beaucoup retenu d'air dans mes poumons, et, durant un terrible moment de cauchemar, je fus incapable de dire où étaient le haut et le bas. Puis je distinguai la clarté des trois lunes et m'élevai d'un coup de talon dans cette direction. Ma tête émergea juste à temps pour voir le lieutenant toujours accroupi au milieu du tapis hawking, qui continuait à grimper. Il était maintenant à vingt-cinq mètres de la surface, et s'était rapproché d'une trentaine de mètres de la plate-forme. Il penchait la tête pour me regarder, comme s'il attendait que je remonte pour achever le combat.

Je n'allais pas remonter, mais j'avais bien l'intention de continuer à me battre. Gigotant dans l'eau, je réussis à défaire l'étui, sortis le gros pistolet et m'efforçai de faire la planche pour orienter correctement ce foutu truc. Ma cible ne cessait de faire des bonds et de disparaître, mais se silhouettait nettement contre la grosse lune tandis que j'armais le pistolet et visais en essayant de ne pas trembler.

Le lieutenant avait renoncé à me suivre des yeux et s'était tourné vers la plate-forme, où les hommes ouvrirent le feu. Ils furent plus rapides que moi d'une seconde ou deux. J'ignore si j'aurais fait mouche à cette distance, mais il était impossible, pour eux, de rater.

Au moins trois volées de fléchettes l'atteignirent successivement. Il fut arraché au tapis comme un paquet de linge sale lancé en l'air. Je vis littéralement la lumière des lunes à travers son corps criblé de fléchettes qui s'abattait dans les vagues. Une seconde plus tard, un des pseudo-squales multicolores me frôla l'épaule dans sa précipitation à rejoindre la masse de chair sanglante qui avait été le lieutenant de la Pax.

Toujours flottant sur le dos, je suivis des yeux le tapis hawking jusqu'au moment où quelqu'un, sur la plate-forme, s'en saisit. J'avais puérilement espéré qu'il ferait un cercle pour revenir jusqu'à moi, et qu'il m'arracherait, pourquoi pas, à l'océan, pour me conduire à mon radeau, qui devait se trouver à un ou deux kilomètres de l'endroit où je me trouvais. Je m'étais attaché à ce tapis hawking. J'étais fier de faire partie du mythe et de la légende qu'il représentait. Lorsque je le vis disparaître à jamais de mon existence, cela me noua l'estomac.

C'étaient peut-être aussi l'eau salée et mes blessures combinées qui me nouaient l'estomac tandis que je flottais sur l'océan, en m'efforçant de maintenir mon pistolet chargé hors de l'eau.

Si je voulais nager, il fallait que je me débarrasse de mes menottes. Mais comment faire ? L'attache d'acier centrale n'avait que la moitié de l'épaisseur de mon poignet. J'avais beau me contorsionner, j'étais incapable d'aligner le canon du pistolet avec elle, pour le sectionner d'une balle.

Et, pendant ce temps, les nageoires caudales commençaient à s'éloigner du lieutenant. Je saignais beaucoup au côté et au bras. Si ces créatures étaient comme les requins ou les dos-de-sabre que je connaissais, elles devaient être capables de repérer le sang à des kilomètres. Mon seul espoir était de nager tant bien que mal vers la plate-forme, d'utiliser mon pistolet pour me débarrasser du premier pseudo-squale qui s'attaquerait à moi, de grimper sur l'un des pylônes et de me hisser sur la plate-forme ou de hurler pour que l'on vienne me sortir de là. C'était tout ce que je pouvais faire.

D'un coup de reins, je me mis sur le ventre et commençai à nager vers le nord, en direction du large. J'avais déjà passé pas mal de temps sur cette plate-forme, et j'estimais que ça suffisait comme ça.

34

C'était la première fois que j'essayais de nager les mains liées devant moi. J'espère de tout mon cœur que je n'aurai plus jamais à le faire de ma vie. Seule la très forte salinité de cet océan me maintenait à flot tandis que je me propulsais à coups de talon vers le nord. Je n'avais pas réellement d'espoir de retrouver mes compagnons. Le courant devenait assez fort à un kilomètre au nord de la station, et nous avions fait tout cela pour essayer de maintenir le radeau aussi loin que possible de la plate-forme sans pour autant quitter la rivière dans la mer.

Au bout de quelques minutes de répit, les squales multicolores recommencèrent à tourner autour de moi. Leurs couleurs miroitantes étaient visibles de loin sous les vagues. Lorsque l'un d'eux attaquait, je cessais de nager et lui donnais un coup de botte dans la tête, à l'endroit précis où j'avais vu le lieutenant faire de même. Cela parut marcher. Ces poissons étaient mortellement dangereux, mais d'une stupidité incroyable. Ils attaquaient tour à tour, comme s'il y avait une sorte de hiérarchie parmi eux. Je les frappais l'un après l'autre, mais ce petit jeu était épuisant. J'avais commencé à enlever mes bottes juste avant leur premier assaut, car leur poids m'entraînait vers le bas, mais l'idée d'offrir mes pieds nus aux dents de ces monstres ne me plaisait guère, et je les avais finalement gardées. Je décidai, par contre, que je ne pouvais pas nager avec le pistolet dans les mains. Les squales plongeaient au moment d'attaquer, et remontaient presque verticalement vers moi. Je ne pensais pas qu'une balle tirée à travers deux mètres d'eau puisse avoir un effet très dévastateur sur eux. Je rangeai donc l'arme dans son étui, mais son poids me fit regretter, au bout d'un moment, de ne pas l'avoir lâchée complètement. Flottant tant bien que mal, pivotant régulièrement pour surveiller l'approche des caudales, je finis par ôter mes bottes pour les laisser tomber dans les profondeurs sous-marines. Quand le squale suivant attaqua, je le frappai du talon encore plus fort et sentis sa peau, comme du papier de verre, au-dessus de son minuscule cerveau. Il fit claquer méchamment ses mâchoires en direction de mon pied nu, mais demeura à distance en décrivant de nouveaux cercles.

C'est ainsi que je poursuivis ma route vers le nord, nageant sur quelques mètres, me laissant flotter, décochant des coups de pied, jurant, puis recommençant à nager en attendant l'attaque suivante. Sans la combinaison des lunes et des multiples couleurs de la peau des squales, je n'aurais pas tardé à me faire happer par l'un d'eux. J'atteignis néanmoins le point où j'étais trop épuisé pour continuer à nager. Je ne pouvais plus rien faire d'autre que me laisser flotter sur le dos, haletant, en ruant machinalement chaque fois que j'apercevais les reflets colorés dans l'eau.

Mes blessures commençaient à être très douloureuses. La plus profonde, entre deux côtes, me brûlait atrocement et irradiait sur tout le côté. J'étais certain de me vider de tout mon sang. À un moment, alors que les squales me laissaient un répit, je me tâtai le côté et sortis les mains de l'eau pour les regarder. Elles étaient rouges, d'un rouge plus vif que le violet de l'océan à la lueur de la grosse lune à présent au-dessus de l'horizon. Je me sentais extrêmement faible. L'eau était devenue plus chaude, comme si c'était mon sang qui lui donnait quelques degrés de plus. La tentation de fermer les yeux et de me laisser sombrer devenait de plus en plus forte.

J'avoue cependant que, chaque fois que la houle me soulevait, je regardais par-dessus mon épaule pour essayer d'apercevoir le radeau au nord. Mais le miracle espéré ne se produisit pas. Une partie de moi s'en réjouissait. Énée et l'androïde avaient sans doute réussi à franchir le portail sans se faire intercepter. Je n'avais vu dans le ciel aucun glisseur ni orni, et la plate-forme en flammes était à peine visible au sud. Je me dis que mon seul espoir, maintenant que je savais mes compagnons en sécurité, était d'être repéré par une patrouille de recherche, mais c'était une idée qui ne me plaisait pas tellement. Je ne tenais pas à retourner sur cette plate-forme.

Flottant sur le dos, tordant le cou et la tête pour ne pas perdre de vue les caudales des squales multicolores, je me propulsais toujours vers le nord, soulevé par chaque mouvement de houle, glissant dans les creux de la mer, qui semblait respirer formidablement. J'avais appris la meilleure façon de tenir mes mains menottées devant moi, à hauteur de mon front, mais j'étais si épuisé que je n'arrivais plus à maintenir ma tête hors de l'eau. Mon bras droit semblait saigner encore plus abondamment que tout à l'heure, et paraissait trois fois plus lourd que le gauche. La lame du lieutenant m'avait peut-être tranché un tendon.

Finalement, je fus obligé de cesser de me propulser pour me concentrer simplement sur l'effort de flotter. Je devais remuer les jambes en permanence pour garder la tête hors de l'eau, et cela m'épuisait. Les pseudo-squales semblaient avoir deviné ma faiblesse. Ils chargeaient l'un après l'autre, les mâchoires ouvertes. Chaque fois, je les cognais des deux pieds sur le museau ou la boîte crânienne, en essayant de ne pas me faire arracher un morceau de chair. Leur peau était si rêche que j'avais les talons et la plante des pieds en sang, ajoutant ainsi à la quantité d'hémoglobine qui m'entourait dans l'eau. Cela rendait encore plus folles les créatures affamées. Leurs assauts s'accéléraient tandis que mes ruades perdaient de leur force. L'un des monstres arracha la jambe de mon pantalon du genou à la cheville, emportant avec un lambeau de peau tandis qu'il s'éloignait d'un coup de queue triomphant.

Une partie de mon esprit exténué, pendant ce temps, faisait de la théologie. Je ne veux pas dire par là que j'étais en train de prier, mais je me demandais comment un Dieu véritablement cosmique pouvait laisser ses créatures se torturer les unes les autres de cette manière. Combien d'hominiens, de mammifères et d'autres créatures, par trillions, avaient passé les dernières minutes de leur existence en proie à des terreurs mortelles comme celles-ci, le cœur battant, l'adrénaline circulant en eux à toute vitesse, en les épuisant davantage, leur petit cerveau cherchant désespérément un moyen d'échapper à leur sort ? Comment une divinité quelconque pouvait-elle se définir comme un Dieu de miséricorde tout en emplissant l'univers de telles créatures ? Je me souvenais des histoires que me racontait Grandam à propos d'un très ancien savant de la Terre, nommé Charles Darwin, qui avait conçu l'une des premières théories de l'évolution, ou peut-être de la gravitation, quelque chose comme ça, et qui, bien qu'ayant reçu une éducation chrétienne longtemps avant l'avènement du cruciforme, était devenu athée en étudiant une guêpe terrestre qui paralysait une grosse araignée, introduisait son embryon dans son abdomen et laissait l'araignée s'en aller pour vaquer à ses occupations jusqu'au moment où la larve, ayant grandi, creusait un tunnel pour s'échapper dans le ventre de l'araignée vivante.

Je secouai la tête pour chasser l'eau qui voilait ma vision et décochai une ruade à un squale qui m'attaquait. Je ratai la tête, mais touchai l'un des ailerons sensibles. Il me fallut replier mes jambes en boule pour éviter d'être happé. Le mouvement me fit couler. Je fus englouti momentanément par une vague, avalai un peu d'eau salée et remontai à la surface, aveuglé et haletant. D'autres nageoires caudales étaient en train de se rapprocher. J'avalai encore un peu d'eau, me débattis, les mains engourdies, pour ressortir le pistolet de son étui, et faillis le lâcher avant de pouvoir en caler le canon sous mon menton. Je me dis soudain que le mieux serait peut-être de le laisser ainsi et de presser la détente plutôt que d'essayer de l'utiliser contre les squales tueurs. Mais il restait plusieurs projectiles dans le chargeur. Je pourrais donc conserver cette option.

Tandis que le squale le plus proche se préparait à attaquer, je me souvins d'une histoire que Grandam m'avait lue lorsque j'étais petit. C'était également un classique. Son auteur était Stephen Crane, et l'histoire s'appelait *Le Bateau ouvert*. Elle racontait comment un groupe d'hommes avaient survécu au naufrage de leur navire durant plusieurs jours, sans eau douce, pour être finalement bloqués, à quelques centaines de mètres de la côte, par une barrière de vagues si hautes qu'il était impossible de les franchir sans chavirer. L'un des hommes de la chaloupe, j'ai oublié de quel personnage il s'agissait, avait fait le tour de toutes les spéculations théologiques : la prière, l'idée que Dieu était une Puissance bienveillante qui se penchait chaque soir sur son sort, puis la pensée amère que Dieu n'était qu'un salaud plein de cruauté et, finalement, la conclusion que personne n'était là pour écouter. Je comprenais maintenant que j'avais mal interprété cette histoire, malgré les questions socratiques de Grandam et ses indications éclairées. Je croyais me rappeler que l'illumination était descendue sur lui tandis qu'il comprenait qu'il leur faudrait peut-être pas survivre. Il aurait voulu que la nature, car c'était ainsi, désormais, qu'il désignait l'univers, soit un énorme immeuble de verre contre lequel il aurait pu jeter des pierres. Mais même cela, se disait-il, n'aurait servi à rien.

L'univers est indifférent à notre sort. Tel est le poids écrasant que le personnage emportait avec lui tandis qu'il se débattait dans les vagues pour aller vers la survie ou l'extinction. L'univers s'en fout complètement. Je me rendis compte que je riais et pleurais en même temps. Je lançais des imprécations et des invitations aux dos-de-sabre qui n'étaient qu'à deux ou trois mètres de moi. Je levai le pistolet au ras des flots et tirai en direction de l'aileron le plus proche. Le plus étonnant, c'est que l'engin mouillé fonctionna. Mais le bruit, qui semblait assourdissant sur le radeau, était maintenant englouti par les vagues et l'immensité de la mer. Le poisson plongea et disparut. Deux autres m'attaquèrent. Je tirai sur le premier et donnai un coup de talon au second juste au moment où quelque chose me cogna durement la nuque.

Je n'étais pas suffisamment perdu dans mes pensées philosophiques et théologiques pour être prêt à mourir. Je pivotai vivement, ignorant à quel point ma nouvelle morsure pouvait être grave, mais décidé à abattre ce foutu squale dans la gueule s'il le fallait. J'étais sur le point de presser la détente lorsque j'aperçus le visage d'Énée à moins de cinquante centimètres du mien. Ses cheveux mouillés étaient collés à son front, et ses yeux noirs brillaient au clair de lunes.

— Raul !

Ce n'était pas la première fois qu'elle criait mon nom, mais je ne m'en apercevais que maintenant, tant j'étais assourdi par les détonations et le sifflement de l'eau dans mes oreilles.

Je battis plusieurs fois des paupières pour chasser l'eau de mer qui m'obscurcissait la vue. Cette vision ne pouvait pas être réelle. Seigneur, qu'aurait-elle fait ici, au milieu de la mer, loin du radeau ?

— Raul ! cria-t-elle de nouveau. Laisse-toi flotter sur le dos. Sers-toi du revolver pour garder ces créatures à distance. Je vais te guider.

Je secouai la tête. Je n'y comprenais rien. Pourquoi aurait-elle laissé le puissant androïde à bord du radeau pour venir me chercher à la nage ? Comment se faisait-il que...

Le crâne bleu de A. Bettik apparut à la faveur de la vague suivante. L'androïde nageait rapidement, la machette entre les dents. J'avoue que ce spectacle me fit rire à travers mes larmes. Il me faisait penser à un film de pirates holo à bon marché.

— Sur le dos ! répéta la fillette.

Je fis ce qu'elle me disait. J'étais trop épuisé pour décocher une nouvelle ruade au squale qui me chargeait. Je lui tirai dessus entre mes pieds, et je le touchai entre ses deux yeux noirs et ternes. Les deux ailerons disparurent dans les flots.

Énée passa un bras autour de mon cou, sa main gauche sous mon bras droit pour éviter de m'étrangler. Puis elle nagea vigoureusement dans la crête de la vague suivante. A. Bettik nageait à côté d'elle, mais d'un seul bras. L'autre était occupé à donner des coups de machette dans l'eau. Je vis deux ailerons sursauter et dévier leur course vers la droite.

— Qu'est-ce que tu..., commençai-je.

Je m'étouffai et me mis à tousser et à recracher de l'eau.

— Économise ton souffle, me dit Énée en m'entraînant dans un creux de la houle. Il y a un long chemin à faire.

— Le pistolet...

J'essayai de le lui glisser dans la main. Mais les ténèbres engloutissaient ma vision comme un tunnel de plus en plus étroit. Je ne voulais pas perdre l'arme. Mais il était trop tard. Je la sentis m'échapper et couler.

— Désolé, réussis-je à dire avant d'être totalement englouti.

Ma dernière pensée consciente fut un inventaire de tout ce que j'avais perdu lors de ma première expédition en solo : le précieux tapis hawking, mes lunettes de vision nocturne, le pistolet automatique ancien, mes bottes, probablement l'unité com, et peut-être ma vie et celle de mes compagnons. À la fin de ces spéculations cyniques, le néant s'empara de moi.

J'eus vaguement conscience d'être hissé sur le radeau. Mes poignets étaient libres, les menottes sectionnées. Énée soufflait dans ma bouche et exerçait des mains une pression sur mes poumons pour en chasser l'eau. A. Bettik était à genoux à côté de nous. Il tirait très fort sur un cordage. Après avoir recraché de l'eau salée durant plusieurs minutes, je demandai :

— Le radeau... Comment ? Il aurait dû franchir le portail depuis longtemps. Je ne...

Elle repoussa ma tête en arrière contre un paquetage et découpa ma chemise et la jambe droite de mon pantalon en lambeaux à l'aide d'un petit couteau.

— A. Bettik a confectionné une sorte d'ancre flottante avec la microtoile de tente et la corde à grimper, me dit-elle. Cela nous a freinés suffisamment, sans nous faire perdre notre cap. C'est ce qui nous a donné le temps de te retrouver.

— Comment..., murmurai-je, interrompu par un nouveau vomissement d'eau salée.

— Ne parle pas, me dit Énée en finissant de déchirer ma chemise. Je veux voir ta blessure.

Je frémis tandis que ses petites mains fortes effleuraient ma plaie béante au côté. Ses doigts suivirent ensuite la profonde coupure que j'avais au bras, puis descendirent jusqu'à ma cuisse, où le squale m'avait enlevé un lambeau de peau et de chair, jusqu'au mollet.

— Ah ! Raul ! murmura-t-elle, je te quitte des yeux une heure ou deux, et vois dans quel état je te retrouve !

J'étais de nouveau saisi par un invincible accès de faiblesse. Le néant me menaçait. J'avais perdu trop de sang.

— Désolé, murmurai-je.

— Tais-toi.

Elle déchira la plus grosse de nos trousses d'urgence avec un bruit qui me fit grincer des dents.

— Ne dis plus rien, fit Énée.

— Non, insistai-je. J'étais censé te protéger, te servir de garde du corps... J'ai tout raté... Pardonne-moi...

Je poussai un cri lorsqu'elle versa une solution antiseptique aux sulfamides directement sur ma plaie intercostale. J'avais vu des hommes pleurer, dans ces cas-là, sur le champ de bataille. À présent, je faisais partie du nombre.

Si elle s'était servie de la trousse moderne de mon paquetage, je suis certain que je n'aurais pas survécu plus de quelques minutes, sinon quelques secondes. Mais ce fut le gros paquetage qu'elle ouvrit, celui de la Force, que nous avions pris à bord du vaisseau. Ma première pensée fut que toutes les substances qu'il contenait étaient périmées, mais je vis clignoter les lumières sur le médipac qu'elle posa sur ma poitrine. Certaines étaient vertes, la plupart jaunes et un certain nombre rouges. Je savais d'instinct que ce n'était pas bon.

— Ne bouge pas, murmura Énée.

Elle déchira un nécessaire stérile de suture. Elle posa le sachet transparent contre ma blessure, et le mille-pattes sutural, à l'intérieur, prit vie et rampa sur la plaie. La sensation n'était guère plaisante. La forme de vie génétiquement manipulée s'insinua entre les lèvres boursouflées de ma plaie, y sécréta ses produits désinfectants et antibiotiques, puis tendit ses deux séries de multiples pattes d'un bord à l'autre pour former une solide suture. Les larmes me montèrent de nouveau aux yeux, puis cela recommença lorsqu'elle répéta l'opération sur mon bras.

— Il n'y a pas assez de cartouches à plasma, murmurat-elle à l'androïde.

Elle inséra deux petits cylindres dans le système d'injection. Je sentis une brûlure à la cuisse tandis que le plasma pénétrait dans mes veines.

— Nous n'avons que ces quatre-là, répondit A. Bettik.

Il me posa un masque à osmose sur la figure. L'oxygène pur commença bientôt à irriguer mes poumons.

— Zut ! fit Énée en m'injectant la dernière cartouche de plasma. Il a perdu trop de sang. Il est en train de tomber dans les pommes.

Je voulais discuter avec eux, leur expliquer que je tremblais uniquement parce qu'il faisait froid et que je me sentais bien mieux, mais le masque à osmose me paralysait la bouche, le nez et les yeux, je ne pouvais pas parler. Un instant, j'eus une hallucination où je nous revis à bord du vaisseau spatial, figés par la bulle anticrash. Je pense que l'eau salée qui coulait sur mes joues, à ce moment-là, ne venait pas de l'océan.

J'aperçus alors l'injecteur à ultramorphine entre les mains d'Énée, et commençai à me débattre. Je ne voulais pas être endormi. Si je devais mourir, je voulais avoir toute ma tête quand la chose se produirait.

Énée me repoussa gentiment contre le paquetage. Elle comprenait ce que j'essayais d'exprimer.

— Il le faut, Raul, murmura-t-elle. Laisse-toi aller. Tu es

en état de choc. Il faut stabiliser tes fonctions vitales. Ce sera plus facile si tu perds connaissance.

J'entendis l'injecteur siffler.

Je me débattis encore deux ou trois secondes, pleurant à présent des larmes de frustration. Après tous ces efforts pour survivre, glisser ainsi dans le néant... ce n'était pas juste, je ne le méritais pas...

Lorsque je repris connaissance, il faisait jour et terriblement chaud. Un instant, je fus certain de me trouver encore sur l'océan de Mare Infinitus ; mais lorsque je rassemblai suffisamment d'énergie pour soulever ma tête, je vis que le soleil était différent, plus large et plus chaud, et que le ciel était d'un bleu bien plus pâle. Le radeau semblait se déplacer entre les berges d'une sorte de canal en béton, à moins de deux mètres de chaque côté. Je ne voyais rien d'autre que le béton, le soleil et le bleu du ciel.

— Reste tranquille, me dit Énée.

Elle repoussa ma tête et mes épaules contre le paquetage et régla la microtoile pour que mon visage soit de nouveau dans l'ombre. De toute évidence, ils avaient récupéré leur « ancre flottante ».

J'essayai de parler, sans succès. Je m'humectai les lèvres. Elles semblaient hermétiquement cousues. Finalement, je parvins à demander :

— Combien de temps suis-je resté sans connaissance ?

Énée me fit boire à ma propre gourde avant de me répondre.

— Une trentaine d'heures.

— Une trentaine !

Même quand je voulais crier, il ne sortait de mes lèvres qu'un maigre couinement. A. Bettik émergea de dessous la tente et vint s'accroupir à côté de nous.

— Bienvenue de nouveau parmi nous, H. Endymion, me dit-il.

— Où sommes-nous ?

Ce fut Énée qui me répondit.

— À en juger par le désert qui nous entoure, le soleil et la configuration des étoiles la nuit dernière, il est à peu près certain que nous nous trouvons sur Hébron. Nous suivons actuellement une sorte d'aqueduc... Mais tu peux le voir par toi-même.

Elle me soutint par les épaules afin de me permettre d'apercevoir le bord du canal. Au-delà, il n'y avait que du vide, avec des collines au loin.

— Ce tronçon est à cinquante mètres du sol, dit-elle en reposant délicatement ma tête en arrière contre le paquetage. C'est ainsi depuis cinq ou six kilomètres. Si jamais il y avait une brèche dans l'aqueduc... (Elle sourit tristement.) Nous n'avons rien vu ni personne. Pas même un vautour. Nous attendons d'arriver dans une ville.

Je plissai le front. Dès que je changeais de position, même légèrement, je sentais une raideur au côté et au bras.

— Hébron ? Je croyais qu'elle avait été...

— Capturée par les Extros ? acheva pour moi A. Bettik. Oui, ce sont les informations dont nous disposons également. Mais cela n'a pas d'importance, H. Endymion. Nous demanderons aux Extros de nous apporter leur assistance médicale avec autant de plaisir — ou plus — que nous ne le ferions si c'était la Pax.

Je baissai les yeux vers le médipac, à présent posé à côté de moi. Des filaments pénétraient ma poitrine, mon bras et mes jambes. La plupart des voyants clignotaient dans le jaune-orange. Ce n'était pas très bon.

— Tes plaies sont nettoyées et refermées, me dit Énée. Nous t'avons injecté tout le plasma dont nous disposions. Mais il t'en faut encore. Et j'ai l'impression que tu fais une infection dont les antibios à large spectre sont incapables de venir à bout.

C'était l'explication de la terrible fébrilité que je sentais en moi.

— C'est peut-être dû à un micro-organisme propre à l'océan de Mare Infinitus, suggéra A. Bettik. Le médipac est incapable de fournir un diagnostic précis. Nous saurons à quoi nous en tenir quand vous serez hospitalisé. Nous pensons que ce tronçon du Téthys va nous mener à la seule cité d'Hébron...

— La Nouvelle-Jérusalem, murmurai-je.

— C'est exact, fit l'androïde. Même après la Chute, elle est restée célèbre pour son Centre Médical du Sinaï.

Je voulus secouer la tête, mais une douleur vertigineuse me figea.

— Les Extros..., commençai-je.

Énée posa un linge mouillé sur mon front.

— Tu as besoin d'aide, me dit-elle, Extros ou pas Extros.

Une pensée était en train d'essayer de se forcer un chemin dans mon cerveau embrumé. J'attendis qu'elle perce.

— Hébron... n'avait pas... Je ne crois pas qu'elle ait eu...

— C'est vrai, me dit A. Bettik en donnant une tape sur le petit livre qu'il tenait à la main. D'après ce guide, Hébron ne faisait pas partie du circuit du Téthys et ne possédait qu'un seul terminal distrans, situé à La Nouvelle-Jérusalem, même au temps de la splendeur du Retz. Les visiteurs d'outre-monde n'avaient pas le droit de sortir de la capitale. On a toujours apprécié l'indépendance et la tranquillité, ici.

Je regardai les parois de l'aqueduc en train de défiler. Nous avions soudain quitté les hauteurs pour nous déplacer au milieu de très hautes dunes et de rochers brûlés par le soleil. La chaleur était suffocante.

— Le guide doit se tromper, fit Énée en m'essuyant de nouveau le front. Le portail distrans était bien là. La preuve, c'est que nous sommes ici.

— Et tu es sûre qu'il s'agit bien d'Hébron ? demandai-je d'une voix rauque.

Elle hocha la tête. A. Bettik me montra le bracelet persoc. Je l'avais complètement oublié.

— Notre ami électronique a pu faire un relevé sur les étoiles, me dit l'androïde. Cela ne fait aucun doute, nous sommes bien sur Hébron, et je dirais même que quelques heures à peine nous séparent de La Nouvelle-Jérusalem.

Une douleur fulgurante m'attaqua alors. J'eus beau essayer de la dissimuler, je dus me tordre, car Énée sortit l'injecteur à ultramorphine.

— Non, protestai-je à travers mes lèvres desséchées.

— C'est la dernière dose, murmura-t-elle.

J'entendis le sifflement et sentis l'engourdissement se répandre en moi. *S'il y a un Dieu, me dis-je, c'est un calmant qu'elle me donne.*

Quand je rouvris les yeux, les ombres étaient longues et le soleil était occulté par la façade d'un bâtiment bas. A. Bettik me portait dans ses bras pour descendre du radeau. Chacun de ses pas était une torture pour moi, mais je ne laissais entendre aucune plainte.

Énée marchait devant. La rue était large et poussiéreuse. Aucun bâtiment n'avait plus de deux étages. Les constructions semblaient faites en pisé ou quelque chose comme ça. Il n'y avait absolument personne en vue.

— Holà ! cria Énée en mettant ses deux mains en porte-voix.

Les deux syllabes résonnèrent longuement dans la rue déserte.

Je me sentais ridicule, à me laisser porter ainsi comme un enfant. Mais A. Bettik ne faisait pas attention à moi, et je savais que je ne tiendrais jamais sur mes pieds, même si ma survie en dépendait.

Énée revint vers nous, vit que j'avais ouvert les yeux et nous dit :

— C'est bien La Nouvelle-Jérusalem, aucun doute là-dessus. D'après le guide, trois millions de personnes vivaient ici à l'époque du Retz, et il devrait en rester au moins un million, d'après les derniers chiffres connus.

— Les Extros..., balbutiai-je.

Énée hocha rapidement la tête.

— Les boutiques et les immeubles qui bordent le canal sont déserts, mais donnent l'impression d'avoir été habités récemment, il y a quelques mois ou quelques semaines, peut-être.

— D'après les communications captées sur Hypérion, ce monde serait tombé aux mains des Extros il y a trois années standard environ, nous dit A. Bettik. Mais les signes d'habitation, visiblement, sont bien plus récents que cela.

— Le réseau électrique fonctionne toujours, renchérit Énée. La nourriture abandonnée sur les tables a pourri, mais celle qui était au frigo est bien conservée. Dans certaines maisons, la table est dressée pour le dîner, les fosses holo bourdonnent de parasites et la radio grésille. Mais pas le moindre signe de présence.

— Ni de violence, fit remarquer l'androïde en me déposant délicatement sur la plate-forme métallique d'un véhicule de sol, derrière la cabine.

Énée avait étalé une couverture pour me protéger de la chaleur du métal. La douleur dans mes côtes me faisait voir mille lumières qui dansaient devant mes yeux. La fillette se frotta les bras. Elle avait la chair de poule malgré la température torride du soir.

— Quelque chose de terrible a dû arriver ici, dit-elle. Je le sens.

J'avoue que, pour ma part, je ne sentais rien d'autre que la fièvre et la douleur. Mes pensées étaient semblables à du mercure. Elles m'échappaient avant que je puisse les saisir ou leur donner une forme cohérente.

Énée grimpa sur la plate-forme et s'assit à côté de moi tandis que l'androïde ouvrait la porte de la cabine et s'installait au volant. Chose étonnante, le véhicule partit au quart de tour.

— Je saurai le conduire sans problème, nous dit l'androïde en démarrant.

Moi aussi, je sais, pensai-je muettement. *J'ai eu l'occasion d'en conduire un semblable, à Ursus. C'est l'une des choses de cet univers que je sais faire fonctionner. Peut-être l'une des rares choses que je sais faire bien.*

Nous descendîmes la rue principale en cahotant. Chaque secousse me faisait pousser un cri malgré tous mes efforts pour me tenir tranquille. Je serrai les dents.

Énée me tenait la main. Ses doigts étaient si froids qu'ils me faisaient presque frissonner. Je compris que c'était moi qui étais brûlant.

— C'est cette maudite infection, me dit-elle. Autrement, tu serais en train de guérir. Tu as attrapé un sale truc dans cet océan.

— Ou à la pointe de ce foutu poignard, murmurai-je.

Fermant les yeux, je revis le lieutenant déchiqueté par les nuages de fléchettes. Je les rouvris pour échapper à cette vision. Les immeubles étaient maintenant plus hauts. Une dizaine d'étages au minimum. Les ombres qu'ils projetaient étaient plus denses. Mais la chaleur était toujours torride.

— ... un ami de ma mère, qui avait participé au dernier

pèlerinage d'Hypérion, et qui a vécu ici pendant quelque temps..., était en train de dire Énée.

Sa voix semblait continuellement entrer et sortir de mon champ d'audition, comme une station de radio mal réglée.

— Sol Weintraub, croassai-je. L'érudit des *Cantos* du vieux poète.

Énée me tapota la main.

— J'oubliais que tout ce que ma mère a vécu est devenu matière de légende pour le moulin de l'oncle Martin, murmura-t-elle.

Il y eut un cahot. Je serrai les dents pour ne pas hurler de douleur. La pression de la main d'Énée sur la mienne s'accentua.

— Oui, dit-elle. J'aurais bien voulu connaître le vieux Sol et sa fille.

— Ils ont... disparu... dans le Sphinx... comme toi, réussis-je à articuler.

Elle se pencha sur moi, humecta mes lèvres avec la gourde et hocha la tête.

— Je me souviens des histoires que racontait ma mère sur Hébron et sur les kibboutzim de cette planète.

— Des Juifs, murmurai-je.

Puis je renonçai à parler. J'avais besoin de toute mon énergie pour lutter contre la douleur.

— Ils ont fui le Second Holocauste, me dit Énée en regardant devant elle tandis que le véhicule de sol tournait à l'angle d'une rue. Ils appelaient leur Hégire la Diaspora.

Je fermai les yeux. Le lieutenant acheva de se déchiqueter. Ses vêtements et sa chair volèrent en lambeaux qui s'abîmèrent en longues spirales dans l'océan violet...

Soudain, A. Bettik était en train de me soulever. Nous entrâmes dans un bâtiment plus important et plus contourné que les autres, tout en plastacier vertigineux et verre hypertrempé.

— Le Centre Médical, me dit l'androïde.

La porte automatique s'ouvrit en sifflant devant nous.

— Il y a du courant, poursuivit A. Bettik. Espérons maintenant que l'appareillage est intact.

Je dus m'assoupir quelque temps. Lorsque je rouvris les yeux, terrifié par un double aileron qui faisait des cercles autour de moi, j'étais sur une table roulante en train de s'insérer dans le long cylindre d'une sorte de machine à diagnostic.

— À tout à l'heure, me dit Énée en me lâchant la main. On se verra de l'autre côté.

Nous restâmes sur Hébron treize jours locaux, chacun valant vingt-neuf heures standard. Les trois premiers jours, je fus entièrement livré à la machine de chirurgie automatique. Je ne subis pas moins de huit interventions radicales, plus une bonne douzaine de traitements d'appoint, d'après le dossier qui nous fut livré ensuite.

C'était effectivement un micro-organisme du misérable océan planétaire de Mare Infinitus qui avait décidé d'avoir ma peau. Mais lorsque je pris connaissance des scanners RM et bioradar interne, je m'aperçus que l'organisme en question n'était pas si micro que cela, en fin de compte. Quelle que soit sa nature exacte — la machine de diagnostic demeurait vague sur ce point —, il s'était installé le long de ma côte blessée et y avait poussé comme un champignon avant d'étendre ses filaments en direction de mes organes internes. Encore un jour sans intervention chirurgicale, d'après le rapport, et ils n'auraient trouvé à l'intérieur que du lichen et des chairs en liquéfaction.

Après m'avoir incisé pour me nettoyer de tout ça, puis répété l'opération deux fois lorsque les traces infinitésimales de la forme de vie océanique avaient recommencé à se multiplier, la machine autochirurgicale décréta que le micro-organisme était vaincu. Elle commença alors à s'occuper de mes autres blessures graves. Celle que j'avais au côté aurait dû me vider de mon sang, surtout si l'on considérait mes efforts pour nager et l'hypertension due aux émotions causées par les créatures à deux nageoires. Il était clair que les cartouches de plasma du vieux médipac et les doses généreuses d'ultramorphine administrées durant plusieurs jours par Énée pour me maintenir dans un état semi-comateux m'avaient sauvé la vie en attendant que la machine de chirurgie me transfuse huit nouvelles unités de plasma.

La profonde blessure de mon bras ne comportait pas,

comme je le craignais, de tendons sectionnés, mais les dommages aux muscles et aux nerfs étaient suffisamment importants pour que la machine autochirurgicale s'attaque au problème durant les phases deux et trois. Comme il y avait encore du courant à notre arrivée, le chirurgien de silicium avait pris l'initiative de commander aux banques d'organes du sous-sol la fabrication des nerfs de remplacement dont j'avais besoin. Le huitième jour, lorsque la fillette s'assit à mon chevet pour me raconter comment l'autochirurgien ne cessait de solliciter conseils et autorisations de la part de ses superviseurs humains, je pus même rire à l'évocation du « docteur Bettik » donnant son aval à chaque stade critique des opérations, transplantations et autres actes thérapeutiques exercés sur moi.

La jambe que le squale multicolore avait essayé de m'arracher se révéla être la partie la plus douloureuse du processus. Après avoir été nettoyée de toute trace du champignon marin, la zone écorchée par les dents du squale reçut des greffes de peau et de nouveaux tissus transplantés couche par couche. Ce fut extrêmement pénible. Ensuite, lorsque la douleur disparut, cela me démangea horriblement. Durant ma deuxième semaine d'hospitalisation, je manifestai des symptômes de privation d'ultramorphine, et j'aurais sérieusement envisagé de coller mon pistolet à la tempe de la fillette ou de l'androïde pour exiger de la morphine si j'avais pensé pouvoir les intimider ainsi. Mais le pistolet avait disparu, perdu au fond de la mer violette.

C'est le huitième jour, également, que je commençai à m'asseoir dans mon lit et à m'alimenter, ne fût-ce qu'avec la bouillie d'hôpital insipide issue des cuves de réplication. Je racontai alors à Énée mes brefs exploits de « héros », en disant :

— Mon dernier soir sur Hypérion, je me suis soûlé en compagnie du vieux poète, et je lui ai promis d'accomplir certaines choses au cours de ce voyage.

— Quoi, par exemple ? me demanda Énée en plantant la cuiller dans mon assiette de gélatine verte.

— Oh ! pas grand-chose. Te protéger, te raccompagner à la maison, retrouver l'Ancienne Terre et la lui ramener pour qu'il puisse l'admirer une dernière fois avant de mourir...

Elle s'arrêta au milieu d'une bouchée de gélatine. Ses sourcils noirs étaient très haut sur son front.

— Il t'a demandé de lui ramener l'Ancienne Terre ? Très intéressant, ça.

— Ce n'est pas tout. Au passage, j'étais censé parler aux Extros, détruire la Pax, renverser l'Église et — je cite — « découvrir ce que ce putain de TechnoCentre est en train de manigancer », afin de l'empêcher d'agir.

Énée posa sa cuiller et se tapota les lèvres avec ma serviette.

— C'est tout ? demanda-t-elle.

Je frottai mon front en sueur de ma bonne main, la gauche.

— Je crois. C'est tout ce que je me rappelle, en tout cas. J'étais ivre, comme je te l'ai dit. Comment est-ce que je me débrouille par rapport à cette liste, d'après toi ?

Elle fit son geste de dérision avec ses petites mains.

— Pas trop mal. N'oublie pas qu'il n'y a que quelques mois standard que tu as commencé. Moins de trois, en réalité.

— C'est vrai.

Je regardai par la fenêtre, où de longs rayons de soleil frappaient les bâtiments en pisé de l'autre côté de la rue. Au-delà de la cité, j'apercevais les collines rocheuses embrasées par la lumière du soir.

— C'est vrai, répétai-je, toute ironie et toute énergie à présent absentes de ma voix. Je ne me suis pas trop mal débrouillé jusqu'à présent. (Je soupirai et repoussai mon plateau.) Mais il y a une chose que je ne comprends pas. Malgré toute la confusion qui régnait, pourquoi leur radar n'a-t-il pas repéré le radeau alors qu'il était si près ?

— A. Bettik a tiré dessus, me dit la fillette en reprenant une cuillerée de gélatine verte.

— Pardon ?

— A. Bettik a détruit leur parabole. Avec ton fusil à plasma.

Elle acheva la bouillie verte et remit la cuiller en place. Depuis huit jours, elle faisait office d'infirmière, de médecin, de cuisinière et de plongeuse.

— Je croyais qu'il était incapable de tirer sur des humains, fis-je remarquer.

— C'est vrai, me répondit Énée en vidant son plateau pour le ranger sur une tablette voisine. Je lui ai posé la question. Mais il m'a affirmé que rien ne l'empêchait de tirer sur toutes les paraboles qu'il voulait. Et c'est ce qu'il a fait avant de te repérer et de plonger pour te sauver.

— Ça représente trois ou quatre kilomètres de distance, murmurai-je. Sur un radeau sans cesse en train de remuer. Combien de cartouches pulsantes a-t-il tirées ?

— Une seule, fit Énée, qui était occupée à lire les indications du moniteur au-dessus de ma tête.

Je laissai entendre un petit sifflement.

— J'espère qu'il ne s'en prendra jamais à moi, murmurai-je. Même à distance.

— Il faudrait que tu sois une parabole pour avoir des raisons de t'inquiéter, dit-elle en me bordant dans mes draps propres.

— Où est-il en ce moment ?

Elle marcha jusqu'à la fenêtre et pointa l'index en direction de l'est.

— Il a trouvé un VEM avec une charge complète. Il a déjà inspecté les kibboutzim du côté de la Grande Mer Salée.

— Ils sont vides ?

— Complètement vides. Déserts, abandonnés. Il ne reste pas un chat. Pas le plus petit hamster.

Je savais qu'elle ne plaisantait pas. Nous en avions déjà parlé. Quand une communauté évacue son village en catastrophe, les animaux domestiques ou familiers restent souvent derrière. Il y avait eu des problèmes avec des meutes de chiens sauvages durant l'insurrection au sud de la péninsule de la Serre, sur le continent d'Aquila. La Garde Nationale avait été obligée de tirer à vue sur ces bêtes.

— Cela signifie qu'ils ont eu le temps d'emporter leurs animaux avec eux, murmurai-je en hochant la tête.

Énée se tourna vers moi, les bras croisés.

— En laissant leur linge ? Leurs ordinateurs, leurs persocs, leurs journaux intimes, leurs holos familiales, tout le fatras ?

— Et rien de tout cela ne nous donne une idée de ce qui

s'est passé ? Une dernière entrée dans un journal ? Une caméra de surveillance, un message de dernière minute dans un persoc ?

— Rien du tout. Au début, j'avais des scrupules à m'immiscer dans leur vie privée, mais j'ai eu le temps, depuis, de passer des dizaines d'enregistrements. Ils ne contiennent rien d'autre que des nouvelles des combats voisins. Le Grand Mur se trouvait à moins d'une année-lumière, et les vaisseaux de la Pax envahissaient leur système. Ils ne se sont pas beaucoup posés sur la planète, mais il était clair qu'Hébron n'aurait pas d'autre choix, quand tout serait fini, que de rejoindre les autres protectorats de la Pax. Ensuite, il y a les nouvelles des Extros qui progressent de plus en plus dans nos lignes, puis plus rien. À notre avis, la Pax a évacué la population tout entière avant de céder la place aux Extros, mais il n'y a aucune trace d'une telle évacuation dans les holos, ni dans les ordinateurs, ni dans les journaux intimes des gens. Tout se passe comme s'ils avaient disparu tout d'un coup. (Elle se frotta les bras.) J'ai ici quelques disques holos, si tu veux les visionner.

— Plus tard, murmurai-je.

Je me sentais extrêmement las.

— A. Bettik sera de retour demain matin, continua Énée en remontant la fine couverture jusqu'à mon menton.

Par la fenêtre, je vis que le soleil s'était enfin couché, mais les collines étaient littéralement embrasées par la lumière emmagasinée. C'était un spectacle crépusculaire dont je pensais ne jamais pouvoir me lasser. Mais pour le moment, j'avais le plus grand mal à garder les yeux ouverts.

— Tu as toujours le fusil ? demandai-je d'une voix pâteuse. Le fusil à plasma... A. Bettik est parti, nous sommes tout seuls ici...

— Tout est resté sur le radeau, me dit Énée. Essaie de dormir un peu.

Le premier jour où je repris pleinement conscience, j'essayai de les remercier tous les deux de m'avoir sauvé la vie. Mais ils ne voulurent rien entendre.

— Comment m'avez-vous retrouvé ? demandai-je.

— Ça n'a pas été difficile, me dit Énée. Ton micro est

resté branché jusqu'à ce que l'officier de la Pax te poignarde et le casse. Nous avons tout entendu. Nous avons tout vu, aussi, grâce aux jumelles.

— Vous n'auriez jamais dû quitter le radeau tous les deux. Vous avez pris un gros risque.

— Pas tout à fait, H. Endymion, me dit l'androïde. En plus de l'ancre flottante, qui ralentissait considérablement le radeau, H. Énée a eu l'excellente idée de laisser traîner derrière lui un rondin attaché à l'une de nos cordes, qui fait une centaine de mètres. Si nous n'avions pas pu rattraper le radeau, nous aurions eu la corde. Et tout a très bien marché, comme vous avez pu le constater.

— C'était quand même stupide, déclarai-je en secouant la tête.

— Merci du compliment, fit Énée.

Le dixième jour, j'essayai de me mettre debout. Ce fut une victoire éphémère, mais une victoire tout de même. Le douzième jour, je parcourus toute la longueur du couloir pour aller aux toilettes. Ce fut une victoire majeure. Le treizième jour, toute la ville tomba en panne d'électricité.

Les générateurs de secours se mirent en marche dans les sous-sols de l'hôpital, mais nous savions désormais que notre temps était compté.

— J'aimerais pouvoir emporter l'autochirurgien, annonçai-je ce soir-là tandis que nous étions tous assis sur la terrasse du huitième étage, en train de contempler l'avenue dans l'ombre en contrebas.

— Il y aurait de la place, fit A. Bettik, mais le branchement du cordon d'alimentation poserait un problème.

— Sérieusement, insistai-je en essayant de ne pas prendre la voix du patient parano et démoralisé que j'étais en réalité. Il faudrait au moins emporter tous les produits pharmaceutiques dont nous risquons d'avoir besoin.

— C'est déjà fait, me dit Énée. Trois médipacs d'un nouveau modèle, amélioré. Un gros sac d'ampoules de plasma. Un diagnostiqueur portable. De l'ultramorphine en quantité. Mais inutile de quémander, tu n'en auras pas aujourd'hui.

Je tendis la main gauche.

— Regarde. Elle ne tremble plus depuis cet après-midi. Je ne t'en demanderai pas avant longtemps.

Elle hocha la tête. Au-dessus de nous, de gros nuages duveteux étaient éclairés par les dernières lueurs du soir.

— Combien de temps croyez-vous que les générateurs tiendront ? demandai-je à l'androïde.

L'hôpital était l'un des rares bâtiments de la ville encore éclairés.

— Peut-être quelques semaines, me répondit-il. Le réseau s'entretient et s'autorépare depuis des mois, mais les conditions sont rudes sur cette planète. Vous avez pu remarquer les tempêtes de sable qui viennent du désert presque chaque matin. Même si la technologie locale est très avancée pour un monde qui n'appartient pas à la Pax, la présence d'humains est indispensable.

— L'entropie est une salope, murmurai-je.

— Allons, allons, fit Énée, penchée sur le muret de la terrasse. L'entropie peut aussi être notre amie.

— Par exemple ? demandai-je.

Elle se tourna, appuyant les deux coudes en arrière sur le muret. Le bâtiment qui se profilait derrière elle était un rectangle noir contre lequel ressortait son teint bronzé.

— Elle peut abattre des empires, reprit-elle, et venir à bout de tous les despotismes.

— C'est vite dit, répliquai-je. Peut-on savoir à quels despotismes tu fais allusion ?

Elle fit son geste d'insouciance. Un instant, je crus qu'elle allait choisir de ne rien dire, mais elle murmura :

— Les Huns, les Scythes, les Wisigoths, les Ostrogoths, les Égyptiens, les Macédoniens, les Romains, les Assyriens...

— Bien sûr, grommelai-je, mais...

— Les Avars, les Wei du Nord, continua-t-elle, les Juanjuan, les Mamelouks, les Perses, les Arabes, les Abbassides, les Seldjoukides...

— D'accord, d'accord... Mais je ne...

— Les Kurdes, les Ghaznévides, poursuivit-elle en souriant. Sans oublier les Mongols, les Sui, les T'ang, les Buminides, les Croisés, les Cosaques, les Prussiens, les Nazis, les Soviétiques, les Japonais, les Javanais, les Nord-Amés, les

Grands-Chinois, les Colum-Peros et les nationalistes de l'Antarctique.

Je levai la main. Elle s'arrêta. Regardant A. Bettik, je protestai.

— Je ne connais même pas toutes ces planètes. Et vous ?

— Je pense que H. Énée fait allusion à des peuplades de l'Ancienne Terre, H. Endymion, me dit-il en gardant une expression imperturbable.

— Sans déconner ? demandai-je.

— Sans déconner, je crois qu'on peut le dire dans ce contexte, fit A. Bettik sur le même ton.

Je me tournai de nouveau vers la fillette.

— C'est donc ça, ton plan pour renverser la Pax afin de faire plaisir au vieux poète ? Te planquer quelque part et attendre que l'entropie fasse son œuvre ?

Elle croisa de nouveau les bras.

— Pas tout à fait, me dit-elle. Normalement, cela aurait pu être un bon plan. Laisser passer quelques millénaires, pour que le temps aplanisse les choses. Mais ces foutus cruciformes sont venus compliquer l'équation.

— Comment ça ? demandai-je de ma voix la plus sérieuse.

— Même si nous voulions déstabiliser la Pax — ce que je ne veux pas, je te le signale en passant, c'est ton boulot —, nous n'aurions plus l'entropie avec nous, à cause de ce parasite qui rend les gens pratiquement immortels.

— Pratiquement immortels, répétai-je à voix basse. Lorsque je me suis vu mourir, je dois avouer que j'ai pensé au cruciforme. Cela aurait été tellement plus facile... tellement moins pénible que tout ce processus de chirurgie et de guérison... Se laisser simplement mourir, et puis ressusciter.

Le regard d'Énée était fixé sur moi. Finalement, elle murmura :

— C'est la raison pour laquelle cette planète offre les meilleurs soins que l'on puisse trouver aussi bien dans la Pax qu'à l'extérieur.

— Quelle raison ? demandai-je.

J'avais la tête lourde de fatigue et de médicaments.

— Ses habitants étaient... sont tous des Juifs. Très peu

ont accepté la croix. La vie ne leur laissait qu'une seule chance.

Nous demeurâmes quelque temps sans rien dire, tandis que les ombres envahissaient les cañons urbains de La Nouvelle-Jérusalem et que l'hôpital bourdonnait, tant qu'il en était encore capable, d'une vie électrique éphémère.

Le lendemain matin, je marchai jusqu'au véhicule de sol qui m'avait amené à l'hôpital treize jours plus tôt. Installé à l'arrière sur un matelas, je demandai à mes deux compagnons de partir à la recherche d'une armurerie.

Au bout d'une heure, il devint évident qu'il n'y en avait pas une seule dans toute La Nouvelle-Jérusalem.

— Ça ne fait rien, leur dis-je. Un commissariat de police.

Il y en avait plusieurs. J'entrai en boitant dans le premier, après avoir refusé que l'androïde et la fillette me servent de béquilles. Je ne tardai pas à découvrir à quel point une société pacifique peut être sous-armée. Il n'y avait ni armoire ni râtelier à armes. Pas le moindre étourdisseur ou fusil anti-émeute.

— Et je suppose qu'il n'y a pas de Garde Nationale sur Hébron, murmurai-je.

— Je ne crois pas, fit A. Bettik. Jusqu'à l'arrivée des Extros, il y a trois années standard, cette planète ne se connaissait aucun ennemi, ni humain ni animal.

Je répondis par un grognement et continuai de fouiller les locaux. Je finis par découvrir quelque chose après avoir forcé la triple serrure d'un tiroir au bas d'un bureau qui devait être celui du chef de la police ou un truc comme ça.

— Un Steiner-Ginn, je crois, déclara l'androïde. Il tire de petites charges au plasma.

— Je connais ces pistolets, répliquai-je.

Il y avait deux chargeurs dans le tiroir. Cela devait représenter une soixantaine de coups. Je sortis dans la rue, visai une colline lointaine et pressai l'anneau de détente. Le pistolet toussa, et un petit éclair apparut au flanc de la colline.

— Parfait, déclarai-je en glissant l'arme dans mon étui vide.

J'avais craint, à un moment, qu'il ne s'agisse d'un engin à signature, utilisable uniquement par son propriétaire légal.

Au fil des siècles, ce genre de gadget revenait quelquefois à la mode.

— Il y a le pistolet à fléchettes qui est resté sur le radeau, me dit A. Bettik.

Je secouai la tête. Je ne voulais plus avoir affaire à ces trucs-là pendant un bon moment.

A. Bettik et Énée avaient fait des provisions d'eau et de vivres pendant que je récupérais. Lorsque je m'avançai en boitillant vers la berge du canal où était amarré notre radeau refait à neuf et chargé de matériel, je m'étonnai de voir les caisses qui s'entassaient.

— J'ai une question, déclarai-je. Pourquoi continuer avec ce tas de bois flottant alors qu'il y a de superbes petits yachts amarrés ici un peu partout ? Nous pourrions aussi prendre un VEM et nous déplacer confortablement par la voie des airs.

La fillette et l'homme bleu échangèrent plusieurs regards.

— Nous avons voté pendant que tu étais sous traitement, me dit Énée. Nous continuons avec le radeau.

— Et moi, je ne vote pas ? lançai-je.

Je voulais feindre la colère, mais je n'eus pas à me forcer. J'étais réellement irrité.

— Bien sûr, me dit l'enfant, campée sur le pont du radeau, les mains sur les hanches et les pieds légèrement écartés. Vas-y, je t'écoute.

— Je vote pour qu'on choisisse un VEM bien confortable, commençai-je, détestant le ton plaintif qu'avait pris ma voix, mais poursuivant tout de même. Ou peut-être un de ces bateaux de plaisance qui semblent avoir tout ce qu'il faut à bord. Je vote pour qu'on abandonne ce vieux tas de bois.

— Ton vote est enregistré, me dit-elle. A. Bettik et moi, nous sommes pour garder le radeau. Il ne consomme pas d'énergie, et il flotte. Tous ces bateaux auraient renvoyé un écho radar sur Mare Infinitus, et un VEM n'aurait pas fonctionné sur certains mondes. Deux voix pour, une contre. On garde le radeau.

— C'est de la démocratie, ça ? demandai-je.

J'avoue que j'aurais bien fessé cette gamine.

— Si ce n'en est pas, c'est quoi, à ton avis ? me demanda-t-elle.

Pendant cette conversation, A. Bettik se tenait au bord du quai, retournant un bout de cordage dans ses mains avec l'air embarrassé de quelqu'un qui assiste à une querelle de famille. Il portait une tunique ample et un short large en toile de lin écrue. Sur sa tête était posé un chapeau jaune à large bord.

Énée s'avança sur le radeau et donna du mou à l'amarre de poupe.

— Si tu veux un yacht ou un VEM, ou encore un lit flottant, peut-être, Raul, tu n'as qu'à le prendre. A. Bettik et moi, nous irons sur ce radeau.

Je commençai à boitiller en direction d'un joli petit hors-bord amarré le long du quai.

— Une seconde, déclarai-je en pivotant sur ma jambe valide pour croiser de nouveau son regard. Le distrans ne marchera pas si j'essaie de le franchir tout seul.

— Bien vu, me dit-elle.

A. Bettik était déjà à bord du radeau. Elle défit l'amarre de proue. Le canal était beaucoup plus large ici qu'entre les parois de béton de l'aqueduc. Il faisait une trentaine de mètres dans toute la traversée de La Nouvelle-Jérusalem.

A. Bettik s'installa à la godille et me regarda tandis que la fillette prenait une longue perche pour repousser le radeau du quai.

— Attendez ! m'écriai-je. Attendez, merde !

Clopin-clopant, je me rapprochai du bord du quai et franchis d'un bond la distance d'un mètre qui me séparait du radeau. Je retombai sur ma jambe convalescente et dus mettre mon bras valide en avant pour rouler jusqu'à la micro-toile de tente. Énée m'offrit sa main, mais je l'ignorai en me relevant tout seul.

— J'ai rarement vu une gamine plus têtue que toi, lui dis-je.

— Tu peux parler, répliqua Énée.

Elle alla s'asseoir à l'avant du radeau tandis que l'androïde nous guidait au milieu du courant.

Sans l'ombre projetée par les immeubles, le soleil d'Hébron était plus féroce que jamais. Je mis mon tricorne froissé pour me protéger un peu et rejoignis l'androïde à l'arrière.

— Vous êtes de son côté, je suppose, murmurai-je tandis que la rivière redevenait un étroit canal au milieu du désert.

— Je vous assure de ma neutralité, H. Endymion, fit l'homme bleu.

— On dit ça ! Vous avez quand même voté pour le radeau, non ?

— Il nous a bien servi jusqu'à présent, déclara l'androïde en s'écartant tandis que je prenais la barre.

Je regardai la pile de caisses sous l'auvent de la tente, puis le foyer de pierre avec son cube de chauffage, ses marmites et ses casseroles. La carabine et le fusil à plasma étaient rangés à portée de la main, bien huilés, protégés par des chiffons. Nos paquetages avaient été refaits, et les sacs de couchage, médipacs et autres accessoires de première nécessité étaient tout neufs. Le « mât » à l'avant avait été dressé en mon absence, et l'une des chemises blanches de l'androïde flottait au vent comme un drapeau.

— Bof, murmurai-je, c'est vraiment de la connerie.

— C'est exactement ma pensée, H. Endymion, fit l'androïde.

Le portail suivant n'était qu'à cinq kilomètres de la sortie de la ville. Je levai les yeux vers le soleil d'Hébron tandis que nous franchissions l'ombre mince de l'arche, puis vers la structure intérieure du portail. Jusqu'à maintenant, il y avait toujours eu un moment, dans les occasions précédentes, où l'air se mettait à miroiter, en nous montrant progressivement ce qu'il y avait de l'autre côté.

Dans le cas présent, il n'y avait que des ténèbres absolues. Et cela ne changea pas lorsque nous passâmes de l'autre côté. La température chuta de soixante-dix degrés Celsius au minimum. En même temps, la gravité se transforma. Subitement, j'eus l'impression de porter sur mon dos quelqu'un qui avait la même masse que moi.

— Les lampes ! m'écriai-je.

Je tenais la barre à deux mains contre le courant devenu soudain violent. Je faisais des efforts désespérés pour garder mon équilibre malgré le poids terrible qui me tirait vers le bas. La combinaison de l'obscurité totale, du froid glacial et du poids oppressant avait quelque chose de terrifiant.

Mes deux compagnons avaient chargé à bord de nombreuses lampes trouvées à La Nouvelle-Jérusalem, mais ce fut notre bonne vieille lanterne qu'Énée alluma en premier lieu. Son faisceau troua une atmosphère faite de vapeurs glacées flottant sur des eaux noires. Puis il illumina une voûte gelée à une quinzaine de mètres au-dessus de nos têtes. Des stalactites de glace modelée descendaient presque jusqu'à l'eau. Des poignards de glace hérissaient la voûte et émergeaient à la surface de chaque côté du radeau. Très loin devant nous, là où la lumière commençait à mourir, à une centaine de mètres environ, il semblait y avoir une muraille de blocs de glace qui prolongeaient la voûte et arrivaient presque au ras de l'eau. Nous étions dans une caverne glacée, et il n'y avait aucune issue visible. Le froid me brûlait les mains, les bras et le visage. La gravité pesait sur ma nuque comme un épais collier de fer.

— Zut ! m'exclamai-je.

Je bloquai la godille et me rapprochai en boitant des caisses de matériel. Il n'était pas facile de conserver la position verticale avec une patte folle et quatre-vingts kilos sur le dos. A. Bettik et l'androïde étaient déjà en train de fouiller dans les paquetages à la recherche de vêtements isolants.

Soudain, il y eut un craquement sinistre. Je levai instantanément les yeux, m'attendant à voir une stalactite dégringoler sur nous, mais ce n'était que notre mât qui avait accroché une aspérité de la voûte. Il se coucha beaucoup plus vite qu'il ne l'aurait fait sous la gravité d'Hypérion, comme dans un film holo en accéléré. Des éclats de bois volèrent de tous les côtés. La chemise de l'androïde toucha le pont avec un bruit sonore. Elle s'était rigidifiée, et une couche de givre la recouvrait entièrement.

— Zut ! répétai-je.

Mes dents claquaient de manière irrépressible tandis que je fouillais précipitamment dans mon sac à la recherche de mes sous-vêtements de laine.

35

Le père capitaine de Soya se sert de l'autorité du disque papal d'une manière jamais égalée jusqu'ici.

La Station mi-littorale 326 de Mare Infinitus, où le tapis hawking a été retrouvé, est déclarée zone de crime et placée sous la loi martiale. De Soya fait venir des troupes de la Pax et des vaisseaux de la cité flottante de Sainte-Thérèse, et met aux arrêts toute la garnison de la station ainsi que les pêcheurs présents. Lorsque le prélat gouverneur de la station, l'évêque Melandriano, proteste contre ces mesures autoritaires et conteste l'étendue du pouvoir du disque papal, de Soya va trouver le gouverneur planétaire, l'archevêquesse Jane Kelley. Elle s'incline devant le disque papal et réduit son évêque au silence sous peine d'excommunication.

Après avoir nommé le jeune lieutenant Sproul officier adjoint et de liaison pendant la durée de l'enquête, de Soya fait venir une équipe d'experts médico-légaux et des enquêteurs réputés de Sainte-Thérèse et des autres grandes cités-plates-formes pour examiner les lieux. On administre du Divrai et d'autres drogues du même genre au capitaine C. Dobbs Powl, aux arrêts dans la prison de la station, et aux autres membres de l'ex-garnison de la Pax, sans oublier les pêcheurs présents. En quelques jours, la preuve est faite que le capitaine Powl, le défunt lieutenant Belius et plusieurs autres officiers et hommes de troupe de cette station éloignée s'étaient entendus avec les braconniers du coin pour autoriser des parties illégales de pêche sportive, voler du matériel de la Pax — y compris un submersible déclaré coulé par l'ennemi — et extorquer de l'argent aux pêcheurs de passage. Rien de tout cela n'intéresse particulièrement le père capitaine de Soya. La seule chose qu'il veut savoir avec précision, c'est ce qui s'est passé ce soir-là, il y a plus de deux mois standard.

Les indices fournis par les experts en médecine légale s'accumulent. Le sang et les tissus prélevés sur le tapis hawking sont analysés pour leur ADN, et les résultats sont transmis aux services des archives de la Pax à Sainte-Thérèse et sur la base orbitale de la Pax. Deux types distincts de configurations émergent. La plus grande partie du sang appartient sans le moindre doute possible au lieutenant Belius. Le reste ne correspond à aucune fiche figurant dans les archives de Mare Infinitus, bien que tous les citoyens de la Pax vivant sur le monde aquatique aient été recensés et enregistrés.

— Comment le sang de Belius s'est-il retrouvé sur cet engin volant ? demande le sergent Gregorius. D'après tous les témoignages recueillis sous Divrai, il s'est fait balancer dans la baille longtemps avant que l'individu capturé ait essayé de s'échapper sur son tapis.

De Soya hoche la tête en joignant le bout des doigts de ses deux mains. Il a transformé le bureau du directeur en centre de commandement, et la plate-forme surpeuplée contient actuellement trois fois plus de monde que d'ordinaire. Trois grosses frégates de la marine de la Pax sont sur ancre flottante aux abords de la plate-forme, et deux d'entre elles peuvent se transformer en submersibles de combat. Le pont de la plate-forme anciennement affecté aux glisseurs est occupé par des avions de la Pax, et des équipes de techniciens sont venues réparer et agrandir le pont d'envol des ornis. Ce matin même, de Soya a fait venir trois autres navires dans le secteur. L'évêque Melandriano lui fait parvenir des protestations écrites devant le coût de plus en plus élevé des opérations au moins deux fois par jour. De Soya les ignore souverainement.

— À mon avis, notre inconnu s'est arrêté pour sortir le lieutenant de la... comment dites-vous, sergent ? De la baille. Puis ils se sont battus. L'inconnu a été blessé ou tué. Belius a essayé de retourner à la station, mais Powl et les autres l'ont descendu par erreur.

— Oui, fait Gregorius. C'est le scénario le plus plausible, en effet.

En attendant les résultats des test d'ADN envoyés à Sainte-Thérèse, ils n'ont pas cessé d'élaborer toutes sortes de scénarios compliqués, mettant en scène des braconniers, des conspirations — par exemple entre l'inconnu et le lieutenant Belius — ou des complots, où le capitaine Powl, dans l'un des cas, assassine ses ex-associés. Mais l'hypothèse de de Soya est la meilleure parce que c'est la plus simple.

— Cela signifie que l'inconnu fait partie des compagnons de voyage de la petite fille, conclut le prêtre-capitaine, et qu'il a une tendance — tout à fait stupide — à épargner ses ennemis.

— C'était peut-être un braconnier, fait Gregorius. Nous ne saurons jamais la vérité.

De Soya tapote l'un contre l'autre les bouts de ses doigts et relève la tête.

— Pourquoi pas, sergent ?

— Toutes les preuves sont au fond de la mer, à présent, capitaine, réplique Gregorius en désignant du pouce les flots violets que l'on voit s'agiter par la fenêtre du bureau. Les types de la marine disent qu'il y a dix mille brasses de profondeur ou plus dans ces parages. Cela représente près de vingt mille mètres d'eau, père capitaine. Si c'est un braconnier qui nous a échappé, nous ne saurons jamais ce qui s'est passé. Et s'il vient d'un autre monde... les archives de la Pax ne pouvant pas nous renseigner..., il faudra explorer celles de plusieurs centaines de planètes. Nous n'arriverons jamais à le retrouver.

Le père capitaine de Soya laisse retomber ses mains et arbore un petit sourire.

— C'est l'une des rares occasions où vous avez tort, sergent. Vous verrez.

Dans la semaine qui suit, de Soya se fait amener tous les braconniers dans un rayon de mille kilomètres pour les interroger sous Divrai. L'opération mobilise deux douzaines de vaisseaux de la marine et plus de huit mille hommes de la Pax. Le coût est énorme. L'évêque Melandriano devient apoplectique et se rend en personne à la Station mi-littorale 326 pour mettre un terme à cette folie. Le père capitaine de Soya met le prélat aux arrêts et le fait interner dans un monastère éloigné, à neuf mille kilomètres de là, dans la région de la calotte polaire.

De Soya décide en outre de fouiller le fond de l'océan.

— Vous n'y trouverez rien, lui dit le lieutenant Sproul. Les prédateurs sont si nombreux à ces profondeurs que rien d'organique ne peut survivre à plus de cent brasses sous la surface, et encore moins au fond de la mer. D'après nos coups de sonde récents, il y a douze mille brasses d'eau dans ces parages. Et Mare Infinitus ne possède que deux submersibles capables d'opérer à ces profondeurs.

— Je sais, réplique de Soya. Je les ai fait venir. Ils seront là demain, escortés par la frégate *Passion du Christ*.

Pour une fois, le lieutenant Sproul reste muet. De Soya lui sourit.

— Saviez-vous, mon fils, que le lieutenant Belius était un chrétien régénéré, et que son cruciforme n'a pas été retrouvé ?

La mâchoire de Sproul continue un instant de tomber.

— Oui, père capitaine, dit-il enfin. C'est-à-dire... pour être ressuscité... ne faut-il pas que son corps soit retrouvé intact ?

— Pas du tout, lieutenant. Il suffit de disposer d'un fragment assez grand de la croix que nous portons tous. Nombreux sont les bons catholiques qui ont été ressuscités à partir de quelques centimètres de cruciforme intact et d'un morceau de chair dont on relève l'ADN pour le reconstituer sur mesure.

Sproul secoue la tête.

— Mais, père capitaine, neuf Grandes Marées ont passé. Il ne reste pas un millimètre carré du lieutenant Belius ou de son cruciforme. La mer qui nous entoure est une immense cuve nutritive.

De Soya s'avance jusqu'à la fenêtre.

— C'est possible, lieutenant. C'est bien possible. Mais ne croyez-vous pas que nous devons à notre camarade chrétien de faire tout ce qui est en notre pouvoir ? De plus, si nous pouvions le faire bénéficier du miracle de la résurrection, il aurait à répondre devant nous de plusieurs accusations, n'est-ce pas ? Entre autres, trahison, vol et tentative de meurtre, je crois.

Grâce aux techniques les plus avancées de leur profession, les experts en médecine légale peuvent relever des empreintes anciennes sur une tasse à café de réfectoire après deux mois de lavages et relavages intensifs. Les milliers de clichés obtenus sont tous laborieusement identifiés comme appartenant aux hommes de la garnison ou aux pêcheurs de passage, à l'exception d'un seul, qui est mis de côté avec l'échantillon d'ADN non identifié.

— À l'époque du Retz, déclare le docteur Holmer Ryum, le principal expert légal, la méga-infosphère nous aurait mis en relation presque instantanément avec les fichiers de l'Hégémonie par l'intermédiaire des mégatrans.

— Je sais, réplique de Soya. Si nous avions du fromage, nous pourrions nous faire un sandwich au jambon et au fromage. À condition d'avoir du jambon.

— Hein ? fait le docteur Ryum.

— Ne faites pas attention. J'attends un résultat d'ici quelques jours.

Le docteur Ryum est perplexe.

— Comment voulez-vous, père capitaine ? Nous avons vérifié toutes les banques de données planétaires, et enquêté sur tous les braconniers arrêtés. Je dois dire qu'il n'y a jamais eu sur Mare Infinitus d'arrestations collectives d'une telle ampleur. Vous êtes en train de bouleverser un délicat équilibre de corruption en place depuis des siècles.

De Soya se frotte l'arête du nez. Il n'a pas dormi beaucoup ces dernières semaines.

— Je ne m'intéresse pas beaucoup au maintien de votre délicat équilibre de corruption, docteur.

— Je vois. Mais il y a une chose que je ne comprends toujours pas, c'est comment vous pouvez espérer faire vos vérifications en quelques jours. Ni l'Église ni Pax Central ne possèdent des dossiers complets sur tous les citoyens des mondes rattachés à la Pax, et encore moins sur les Confins ou les territoires des Extros.

— Tous les mondes de la Pax ont leurs archives, au moins en ce qui concerne les baptêmes et les sacrements. Tout ce qui concerne le mariage et la mort. Sans compter les dossiers militaires et ceux de la police.

Le docteur Ryum écarte les mains en un geste d'impuissance.

— Mais par où commencer ?

— Là où nos recherches ont les meilleures chances d'aboutir, répond le père capitaine de Soya.

Entre-temps, on ne retrouve rien du malheureux lieutenant Belius dans la limite des six cents brasses où les deux sous-marins acceptent de descendre. Des centaines de requins arc-en-ciel sont assommés et ramenés à la surface pour analyse du contenu de leur estomac. Toujours pas de Belius. Pas la moindre trace de son cadavre ou de son cruciforme. Des milliers d'autres charognards des mers sont ramassés dans un rayon de deux cents kilomètres. Les restes de deux braconniers sont identifiés dans des gosiers, mais il n'y a aucun signe de Belius ou de l'inconnu. Une messe funèbre est célébrée sur la Station mi-littorale 326 à la mémoire du lieutenant, dont on dit qu'il est mort de la vraie mort, celle qui mène à la véritable immortalité.

De Soya ordonne aux commandants des submersibles de plonger plus bas pour essayer de détecter des artefacts. Ils refusent.

— Pourquoi ? demande le père capitaine. Je vous ai fait venir ici parce que vos bâtiments peuvent descendre jusqu'au fond. Pourquoi refuser ?

— Les gueules-de-lampe, répond le plus âgé des deux commandants. Lorsque nous faisons des recherches, nous sommes obligés d'utiliser des projecteurs. Jusqu'à six cents brasses, nos sonars et nos radars de profondeur peuvent les détecter quand ils surgissent, et arriver avant eux à la surface. Plus bas, nous n'aurions aucune chance. C'est pourquoi nous ne descendrons pas.

— Vous descendrez, fait le père capitaine de Soya, dont le disque papal luit contre le fond noir de sa soutane.

Le commandant qui a le plus d'ancienneté fait un pas en avant.

— Vous pouvez m'arrêter, m'exécuter, m'excommunier... Je ne conduirai pas mes hommes et mon bâtiment à une mort certaine. Vous n'avez jamais vu un gueule-de-lampe, père capitaine.

De Soya pose une main amicale sur l'épaule du commandant.

— Je n'ai pas l'intention de vous arrêter, ni de vous fusiller, ni de vous excommunier, dit-il. Mais je verrai bientôt un gueule-de-lampe, et peut-être davantage.

Le commandant ne comprend pas.

— J'ai donné l'ordre de faire venir ici trois autres sous-marins de la Flotte, explique de Soya. Nous allons traquer, coincer et tuer tous les gueules-de-lampe et autres canthes dangereux dans un rayon de cinq cents kilomètres. Quand vous plongerez, le secteur aura été totalement assaini.

Le commandant se tourne vers son collègue plus jeune. Les deux hommes, en état de choc, regardent de Soya bouche bée, puis le plus âgé balbutie :

— Mais, père capitaine..., savez-vous combien coûte un gueule-de-lampe ? Pour les pêcheurs sportifs d'outre-monde comme pour les usines de traitement de Sainte-Thérèse ?

— Environ quinze mille séidons locaux, répond de Soya. C'est-à-dire un peu plus de trente-cinq mille florins de la Pax. Ou près de cinquante mille marks Mercantilus. Par tête, naturellement, précise-t-il en souriant. Et, dans la mesure où vous allez recevoir tous les deux une prime de trente pour cent sur tous ceux que vous aurez repérés, je vous souhaite une bonne chasse.

Les deux commandants se retirent à pas rapides.

Pour la première fois, de Soya envoie quelqu'un à sa place dans le *Raphaël* pour rendre compte de sa mission. C'est le sergent Gregorius qui fait le voyage dans le vaisseau archange, muni des relevés d'empreintes digitales et des informations relatives à l'ADN ainsi que de quelques fils prélevés sur le tapis hawking.

— N'oubliez pas, lui dit de Soya par faisceau étroit, de la plate-forme, quelques minutes avant que le *Raphaël* entre en surgyration pour le saut quantique, il y a toujours une importante présence de la Pax sur Hypérion, et au moins deux vaisseaux-torches en permanence dans le système. Ils vous conduiront à la capitale de Saint-Joseph pour que vous y soyez convenablement ressuscité.

Sanglé dans sa couchette d'accélération, le sergent Gregorius émet un vague grognement en réponse. Ses traits, vus par la caméra, semblent calmes et détendus malgré l'imminence de sa mort.

— Trois jours pour récupérer là-bas, continue de Soya,

plus un pour faire les recherches, je pense, et vous prenez le chemin du retour.

— N'ayez pas peur, père capitaine. Je n'ai pas l'intention de traîner dans les bars de Jacktown.

— Jacktown ? répète de Soya. Ah ! l'ancien surnom de la capitale... Vous aurez une vraie soirée à passer là-bas, sergent. Si vous voulez boire à ma santé, ne vous gênez pas. Pour ma part, c'est le régime sec depuis pas mal de mois.

Gregorius lui fait un large sourire. Il reste trente secondes avant le saut quantique et la pénible extinction.

— Je ne me plains pas, père capitaine.

— Très bien. Bon voyage, sergent. Euh...

— Oui ?

Plus que dix secondes.

— Je vous remercie, sergent.

Il n'y a pas de réponse. Soudain, il n'y a plus rien à l'autre bout du faisceau serré cohérent de tachyons. Le *Raphaël* a exécuté son saut quantique.

Cinq gueules-de-lampe sont repérés et tués par la marine. Chaque fois, de Soya se rend sur les lieux à bord de son orni de commandement.

— Dieu du ciel ! Ils sont encore plus gros que je ne l'imaginais ! dit-il au lieutenant Sproul quand ils arrivent au-dessus de la première carcasse flottante.

Le monstre, blanc comme un ver, fait bien trois fois la taille de la station. C'est une masse informe de pédoncules oculaires, de poches stomacales béantes, de fentes branchiales encore en fibrillation, chacune de la taille de l'orni, de filaments vibrants qui s'étendent sur des centaines de mètres, d'antennes pendantes terminées chacune par une « lanterne » de lumière froide d'une très grande intensité, même ici, à la lumière du jour, et de bouches, de très nombreuses bouches, chacune assez vaste pour engloutir un sous-marin de la Flotte. Sous les yeux du père capitaine, les équipes de dépeçage sont déjà en train de traiter la carcasse éclatée par la pression. Les pédoncules et les filaments sont tronçonnés et mis de côté tandis que la viande blanche est rapidement débitée en cubes transportables avant que la chaleur du soleil ne la gâte.

Assurés que le secteur est à présent débarrassé des gueules et autres canthes mortels, les deux commandants de submersible plongent à douze mille brasses de profondeur. Là, au milieu de véritables forêts de vers tubulaires de la taille des séquoias de l'Ancienne Terre, ils découvrent un assortiment étonnant de vieilles épaves, parmi lesquelles plusieurs sous-marins de braconniers réduits par la pression à la taille d'une valise, ainsi qu'une frégate de la marine portée disparue depuis plus d'un siècle. Ils trouvent aussi des chaussures, par dizaines.

— C'est à cause des procédés de tannage, explique le lieutenant Sproul à de Soya tandis qu'ils regardent ensemble les moniteurs. Le phénomène est curieux, mais il était déjà attesté sur l'Ancienne Terre. Dans les opérations de récupération d'épaves — celle d'un bateau de surface appelé le *Titanic*, par exemple —, on n'a jamais retrouvé le moindre corps — la mer en est trop friande —, mais des tas de chaussures ont été remontées. Il y aurait quelque chose dans les techniques de tannage du cuir, paraît-il, qui découragerait les créatures marines de là-bas — et celles d'ici — d'y goûter.

— Rassemblez-les, ordonne de Soya dans l'ombilical.

— Les chaussures ? fait la voix étonnée du commandant de submersible. Toutes ?

— Toutes, fait de Soya.

Les moniteurs montrent la profusion de débris au fond de la mer : objets perdus par le personnel de la station sur une période de près de deux cents ans de laisser-aller, affaires personnelles des pêcheurs, marins et braconniers noyés, récipients en plastique jetés par-dessus bord. La plupart des objets sont déformés par la corrosion, la pression extraordinaire et les crustacés abyssaux, mais quelques-uns sont suffisamment récents et résistants pour être encore identifiables.

— Mettez-moi ça sous cellophane, et envoyez le tout ici, ordonne le père capitaine.

On est en train de remonter quelques petits objets brillants qui ressemblent à un couteau, une fourchette, une boucle de ceinture, un...

— Qu'est-ce que c'est que ça ? interroge soudain de Soya.

— Quoi ? fait le commandant du submersible qui descend le plus bas.

Il surveille ses télémanipulateurs et ne regarde pas les moniteurs.

— Ce truc brillant... qui ressemble à un pistolet.

L'angle de vue du moniteur change tandis que le sous-marin se déplace. Les puissants projecteurs entrent en action, reviennent en arrière et illuminent l'objet tandis que la caméra zoome dessus.

— C'est bien une arme à feu, confirme la voix du commandant. Elle est encore propre. Un peu abîmée par la pression, mais dans l'ensemble intacte.

De Soya entend le déclic de l'imageur vue par vue qui recopie le moniteur.

— Je vais le prendre, fait le commandant.

De Soya a envie d'ajouter : « Faites attention », mais il ne dit rien. Ses années de commandement d'un vaisseau-torche lui ont appris à laisser les gens accomplir leur travail. Il suit attentivement des yeux le grappin articulé qui apparaît sur l'écran tandis que le télémanipulateur ramasse délicatement l'objet brillant.

— C'est peut-être le pistolet à fléchettes du lieutenant Belius, suggère Sproul. Il est tombé à l'eau avec lui, et on ne l'a pas encore retrouvé.

— Nous sommes bien loin de l'endroit où cela s'est passé, murmure de Soya tandis que l'image change encore sur le moniteur.

— Les courants sont puissants et capricieux dans ces parages, fait le jeune officier. Mais je dois reconnaître que ça ne ressemble pas à un pistolet à fléchettes. C'est trop... je ne sais pas... carré.

— Oui, approuve de Soya.

Les projecteurs sous-marins balaient la coque encroûtée d'un submersible qui doit être là depuis des décennies. De Soya pense à toutes les années qu'il a passées à bord de vaisseaux spatiaux, et au vide que l'espace représente comparé à un océan sur n'importe quelle planète. Cela grouille de vie. Il songe aux Extros et à leur étrange manière de vouloir s'adapter à l'espace comme ces vers tubulaires, ces canthes et toutes ces espèces rampantes qui se sont adaptés à l'obscurité perpétuelle et aux terribles pressions des grands fonds. Peut-être, se dit-il, les Extros ont-ils compris quelque chose, dans l'avenir de l'humanité, qui a échappé à la Pax.

Hérésie. De Soya écarte cette pensée d'un haussement d'épaules imperceptible et se tourne vers son jeune officier de liaison.

— Nous allons bientôt savoir de quoi il s'agit, dit-il. Dans moins d'une heure, ces objets seront devant nous.

Gregorius est de retour quatre jours après son départ. Il est mort. Le *Raphaël* émet son lugubre signal. Un vaisseau-torche accoste le vaisseau vingt minutes-lumière plus tard. Le corps du sergent est transporté dans la chapelle de résurrection de Sainte-Thérèse. De Soya n'attend pas la régénération de Gregorius. Il ordonne qu'on lui apporte immédiatement la sacoche du courrier.

Les archives de la Pax sur Hypérion ont identifié avec certitude l'ADN prélevé sur le tapis hawking. On a également vérifié les empreintes partielles sur la tasse. Elles appartiennent au même homme : Raul Endymion, né en 3099 après Jésus-Christ sur la planète Hypérion, non baptisé, recruté par la Garde Nationale d'Hypérion au mois de Thomas 3115. A combattu dans les rangs du Vingt-troisième Régiment mécanisé d'infanterie durant l'insurrection d'Ursus. Trois citations pour bravoure exceptionnelle, dont l'une pour avoir sauvé un camarade de section sous le feu de l'ennemi. Affecté au fort Benjing, au sud de la péninsule de la Serre, sur le continent d'Aquila, pendant huit mois standard. Le reste de son service a été accompli à la station 9 du fleuve Kans, sur Aquila, en patrouilles dans la jungle et missions de protection contre les activités des rebelles aux alentours des plantations de fibroplaste. Grade final : sergent. Honorablement dégagé de ses obligations le 15 du mois du Carême 3119. On perd ensuite sa trace jusqu'à ces dix derniers mois où, le 23 de l'Ascension 3126, il est arrêté, jugé et condamné à Port-Romance (continent d'Aquila) pour le meurtre d'un certain H. Dabil Herrig, chrétien régénéré du vecteur Renaissance. Le dossier indique que Raul Endymion, après avoir refusé d'entrer dans la croix, a été exécuté par bâton de la mort une semaine après son arrestation, soit le 30 de l'Ascension 3126. Son corps a été immergé dans l'océan. Le certificat de décès et les rapports d'autopsie ont été certifiés par l'Inspecteur général local de la Pax.

Le lendemain, les empreintes latentes du vieux pistolet .45 automatique écrasé par la pression sont reconnues conformes à celles de Raul Endymion et du lieutenant Belius.

Les fils du tapis hawking ne sont pas aussi faciles à identifier, mais le fonctionnaire humain des archives de la Pax d'Hypérion a joint à son rapport une note manuscrite où il signale qu'un tel tapis occupe une place de choix dans les *Cantos*, composés par un poète qui vivait sur Hypérion un siècle plus tôt.

Après sa résurrection, le sergent Gregorius se repose quelques heures, puis prend l'avion pour la Station mi-littorale 326, où il fait son rapport à de Soya. Celui-ci le met au courant des derniers développements de la situation. Il l'informe également que les deux douzaines d'ingénieurs de la Pax qui se sont affairés autour du portail distrans au cours de ces trois dernières semaines ont conclu que l'arche ancienne n'avait pas été activée récemment, malgré les témoignages de plusieurs pêcheurs présents ce soir-là sur la plate-forme, qui ont aperçu un bref éclair dans cette direction. Les ingénieurs déclarent également qu'il est impossible d'entrer dans l'arche construite par l'ancien TechnoCentre ou de dire à quel endroit un ou plusieurs éventuels utilisateurs auraient pu être transportés par son intermédiaire.

— Comme sur le vecteur Renaissance, commente Gregorius. Mais vous avez au moins une idée, maintenant, sur la personne qui a aidé la fillette à nous échapper.

— C'est possible, fait de Soya.

— Il a fait du chemin avant de venir mourir ici.

Le père capitaine de Soya s'incline en arrière dans son fauteuil.

— Vous êtes bien sûr qu'il est mort ici, sergent ?

Gregorius reste sans réponse. Finalement, de Soya murmure :

— Je crois que nous en avons fini sur Mare Infinitus. Tout au moins, nous en aurons fini dans un jour ou deux.

Le sergent hoche la tête. À travers la large baie vitrée du bureau du directeur, il voit la lueur qui précède le lever des lunes.

— Où allons-nous, maintenant, père capitaine ? On reprend les recherches comme avant ?

De Soya a les yeux également tournés vers l'est. Il attend l'apparition du gros disque orange au-dessus de l'horizon noir.

— Je ne sais pas encore très bien, sergent. Nous allons d'abord mettre un peu d'ordre ici. Le capitaine Powl va être livré à la justice de la Pax, sur la Septième orbite, et il faudra caresser l'évêque Melandriano dans le sens du poil.

— Si c'est possible, fait le sergent Gregorius.

— Si c'est possible, convient de Soya. Ensuite, nous présenterons nos respects à l'archevêquesse Kelley, nous reprendrons le *Raphaël* et nous déciderons de notre prochain saut. Il est peut-être temps d'essayer de forger une théorie sur la destination éventuelle de cette fillette, et de tâcher d'y arriver avant elle au lieu de suivre l'itinéraire préparé par le *Raphaël* sur la base du plus court chemin.

— Oui, père capitaine.

Gregorius salue, marche jusqu'à la porte, s'arrête, hésite un moment.

— Mais avez-vous un début de théorie ? demande-t-il. Les maigres indices que nous avons découverts ici vous ont-ils servi ?

De Soya contemple le lever des trois lunes. Sans faire pivoter son fauteuil face au sergent, il répond :

— Peut-être bien. Peut-être bien.

36

Nous pesâmes de tout notre poids sur nos perches pour freiner le radeau avant qu'il ne s'écrase contre la paroi de glace. Toutes nos lanternes, à présent, étaient éclairées. Les lampes électriques trouaient les ténèbres glacées de la caverne. Une brume épaisse montait des eaux noires pour demeurer en suspens contre la voûte ciselée, comme une émanation sinistre de l'âme des noyés. Des facettes de cristal déformaient puis renvoyaient les faibles rayons de lumière, rendant l'obscurité environnante, par contraste, beaucoup plus dense.

— Comment se fait-il que les eaux ne soient pas gelées ? demanda Énée.

Elle battait des pieds, les mains sous les aisselles pour les réchauffer. Elle avait mis tous les vêtements chauds qu'elle avait apportés, mais ce n'était pas suffisant. Il régnait un froid terrible.

— C'est à cause de leur salinité, expliquai-je. Elles sont aussi salées que l'océan de Mare Infinitus.

A. Bettik fit jouer le rayon de sa torche sur la paroi de glace qui se trouvait à dix mètres de nous.

— Elle descend au ras de l'eau, dit-il. En dessous, même, à certains endroits, mais cela n'arrête pas le courant.

Un instant, j'eus un fol espoir.

— Éteignez vos lampes, dis-je à mes compagnons. Éteignez tout.

J'entendis ma voix résonner dans la caverne creuse envahie de vapeurs. Lorsqu'ils eurent obéi, je scrutai la grotte, du côté de la paroi, à la recherche d'une lueur salvatrice indiquant qu'il y avait une issue mais qu'elle était bouchée par un éboulement.

Je ne vis rien. J'eus beau attendre que mes yeux s'accoutument, je ne décelai pas la moindre lumière du jour. Je regrettais amèrement les lunettes de vision nocturne que j'avais perdues sur Mare Infinitus. Si elles avaient fonctionné ici, cela aurait voulu dire qu'il y avait de la lumière qui filtrait d'ailleurs. Nous attendîmes encore quelques instants dans le noir. J'entendais trembler Énée, et je sentais littéralement sur moi les vapeurs de notre respiration.

— Vous pouvez rallumer, déclarai-je enfin.

Je n'avais pas entrevu la moindre lueur d'espoir.

Nous explorâmes de nouveau en détail la voûte, les murs et l'eau du rayon de nos torches. Les vapeurs continuaient de monter pour se condenser à hauteur de la voûte. Il y avait continuellement des stalactites de glace qui tombaient dans l'eau fumante.

— Où... sommes-nous ? demanda Énée en s'efforçant, en vain, d'empêcher ses dents de claquer.

J'ouvris mon paquetage et en sortis la couverture isotherme que j'avais prise, il n'y avait pas si longtemps, dans la tour de Martin Silenus. J'enveloppai la fillette dedans.

— Voilà qui devrait garder ta chaleur, murmurai-je. Non, ne la défais pas.

— Il y a de la place pour deux, me dit-elle.

Je m'accroupis devant le cube de chauffage et l'ouvris à fond. Cinq faces de céramique sur six se mirent à rougeoyer.

— Je viendrai dessous si cela devient nécessaire, lui dis-je en balayant une fois de plus la paroi de glace qui nous empêchait de passer. Pour répondre à ta question, je pense que nous sommes sur Sol Draconi Septem. Quelques-uns de mes clients les plus riches — et les plus redoutables — venaient y chasser les spectres arctiques.

— Je suis d'accord, fit A. Bettik.

Sa peau bleue lui donnait l'air d'avoir encore plus froid que moi tandis qu'il se penchait contre la lanterne et le cube de chauffage. La microtoile de tente était recouverte de givre et semblait aussi cassante que du métal très fin.

— Cette planète possède un champ gravifique de un virgule sept g, nous dit-il. Depuis la Chute et la disparition des programmes de terraformation de l'Hégémonie, on dit qu'elle a presque partout régressé au stade de l'hyperglaciation.

— L'hyperglaciation ? répéta Énée, qu'est-ce que c'est que ça ?

Les couleurs lui revenaient tandis que la couverture isotherme lui restituait sa propre chaleur.

— Cela signifie que la plus grande partie de l'atmosphère de Sol Draconi Septem est à l'état solide, expliqua l'androïde. Complètement gelée.

Énée regarda autour d'elle.

— Je crois me souvenir d'avoir entendu ma mère parler de cet endroit, dit-elle. Elle y a poursuivi quelqu'un, un jour, quand elle s'occupait d'une affaire. C'était une Lusienne, tu comprends. Elle était habituée à des gravités standard de un

130

virgule cinq g, mais même pour elle ce monde était inconfortable. Je suis étonnée de voir que le Téthys y passait.

A. Bettik se leva pour éclairer de nouveau la paroi avec sa lanterne. Puis il se rapprocha du cube de chauffage, son dos massif courbé sous la gravité inhabituelle.

— Que dit le guide ? lui demandai-je.

Il sortit le petit volume.

— Pas grand-chose, H. Endymion. Le Téthys ne coulait que depuis peu sur cette planète à la date de parution du livre. Mais il est indiqué qu'il passait dans l'hémisphère Nord, en bordure de la zone que l'Hégémonie avait entrepris de terraformer. La principale attraction, pour les touristes, semble-t-il, était la possibilité d'apercevoir un spectre arctique.

— C'est ce truc que tes copains chasseurs venaient traquer ici ? me demanda Énée.

Je hochai la tête.

— C'est tout blanc et ça vit à la surface. C'est extrêmement rapide, et mortel. En voie de disparition à l'époque du Retz. Cependant, depuis la Chute, d'après les conversations des chasseurs, ils seraient revenus en force. Naturellement, les résidents humains de Sol Draconi Septem, ou ce qu'il en reste, constituent leur mets de prédilection. Seuls les autochtones — les colons de l'Hégire retournés depuis des siècles à l'état sauvage — ont survécu à la Chute. Ils sont censés avoir des mœurs primitives. Toujours d'après mes chasseurs, les seuls animaux que les autochtones aient la possibilité de chasser ici sont les spectres. Ils détestent la Pax, au fait. On dit qu'ils tuent les missionnaires... et qu'ils utilisent leurs tendons pour tendre leurs arcs comme ils le font avec ceux des spectres.

— Ce monde n'a jamais été très hospitalier vis-à-vis des autorités de l'Hégémonie, précisa l'androïde. D'après la légende, les autochtones ont fêté la Chute et la disparition des transmetteurs distrans. Jusqu'à la peste, naturellement.

— La peste ? demanda Énée.

— Un rétrovirus. Il a réduit la population humaine originaire de l'Hégémonie de plusieurs centaines de millions d'habitants à moins d'un million. Pour la plupart, les survivants se sont fait exterminer par les quelques milliers d'autochtones qui vivent ici. Le reste a été évacué peu après l'arrivée de la Pax.

Je m'interrompis pour regarder Énée. Elle ressemblait, avec sa couverture ainsi drapée autour d'elle, à l'esquisse d'une jeune madone dont la peau brillait à la lumière de la lanterne et du cube.

— Ça n'a été facile nulle part, pour les habitants du Retz, après la Chute, ajoutai-je.

— C'est ce que j'ai cru comprendre, me dit-elle sèchement. Les temps n'étaient pas aussi durs pendant mon enfance sur Hypérion. (Elle regarda les eaux noires qui clapotaient sur les côtés du radeau, puis les stalactites de glace de la voûte.) Je me demande pourquoi ils se sont donné tout ce mal pour mettre quelques kilomètres de caverne glacée dans le circuit du Téthys, ajouta-t-elle pensivement.

— C'est ce que je me demandais aussi, en effet, murmurai-je en désignant le petit guide d'un coup de menton. Ils disent ici que la principale attraction est représentée par les spectres arctiques, mais ceux-ci, au dire des chasseurs d'outre-monde que j'ai eu l'occasion de rencontrer, ne vivent pas dans des grottes, ils restent à la surface.

Les yeux noirs d'Énée demeurèrent fixés sur moi tandis qu'elle réfléchissait aux implications de mes paroles.

— Cela voudrait dire que cette caverne n'en était pas une quand...

— C'est ce que je pense aussi, déclara A. Bettik en indiquant du doigt la voûte de glace à une quinzaine de mètres au-dessus de nos têtes. La tentative de terraformation de l'époque a surtout consisté à faire monter suffisamment la température et la pression surfacique dans certaines zones basses pour favoriser la sublimation de l'atmosphère, principalement composée de dioxyde de carbone et d'oxygène, de l'état solide à l'état gazeux.

— Et ça a marché ? demanda la fillette.

— Dans des secteurs limités, oui, répliqua l'androïde en désignant les ténèbres qui les entouraient. J'ai idée que cette grotte était à ciel ouvert lorsque les touristes du Téthys traversaient ce court tronçon. Ou plutôt, devrais-je dire, apparemment à ciel ouvert, mais protégée par des champs de confinement qui empêchaient l'atmosphère de s'échapper et tenaient à distance les perturbations météorologiques les moins anodines. Ces champs, je suppose, ont disparu depuis longtemps.

— Et nous sommes prisonniers d'une masse constituée par l'atmosphère que respiraient les touristes, murmurai-je en regardant la voûte puis le fusil à plasma dans son étui. Je me demande quelle épaisseur peut avoir...

— Probablement plusieurs centaines de mètres, coupa A. Bettik. Peut-être un kilomètre vertical de glace. C'était, si je ne me trompe, l'épaisseur de la glaciation atmosphérique au nord des secteurs terraformés.

— Vous en savez énormément sur cette planète.

— Détrompez-vous, H. Endymion. Nous venons d'épuiser mes connaissances sur l'écologie, la géologie et l'histoire de Sol Draconi Septem.

— On pourrait demander au persoc, suggérai-je en désignant le paquetage où je gardais maintenant le bracelet.

Nous échangeâmes des regards.

— Pas génial, fit Énée.

— Je suis d'accord, approuva A. Bettik.

— Peut-être plus tard, déclarai-je.

Mais j'avoue que, au moment même où je disais cela, je pensais à un certain nombre de choses que j'aurais dû insister pour prendre dans le casier AEV, en particulier des combinaisons spéciales pour environnement dangereux, avec un système de chauffage puissant, et équipées pour la plongée sous-marine. Même un costume spatial aurait été préférable aux vêtements chauds dans lesquels nous grelottions à présent.

— J'étais en train de songer que je pourrais essayer de tirer sur la voûte, pour la percer et faire entrer la lumière du jour, murmurai-je, mais il y a plus de risques de faire tout crouler sur nos têtes que de dégager un passage par où nous échapper.

A. Bettik m'approuva d'un hochement de tête. Il avait mis un étrange bonnet de laine à longues oreillettes. L'androïde, plutôt mince d'aspect en temps normal, ressemblait maintenant à un bibendum avec toutes les couches de vêtements qu'il avait sur lui.

— Il reste du plastic dans la caisse à munitions, H. Endymion, me dit-il.

— J'y pensais justement. Il y a de quoi confectionner une demi-douzaine de charges moyennes, mais nous n'avons plus que quatre détonateurs. Nous pourrions essayer de nous frayer un chemin par le haut, ou sur les côtés, ou encore sous la paroi de glace qui nous empêche d'avancer dans le courant. Mais nous n'aurons de quoi faire sauter que quatre charges.

La petite figure de madone transie leva les yeux vers moi en disant :

— Où as-tu appris à te servir des explosifs, Raul ? Dans la Garde Nationale d'Hypérion ?

— À l'origine, oui. Mais le plastic, je l'ai surtout utilisé pour détruire les souches et les rochers lorsque nous aménagions les propriétés du Bec.

Je me levai. Il faisait trop froid pour rester trop longtemps immobile. Mes doigts et mes orteils engourdis avaient besoin d'exercice.

— Nous pourrions essayer de retourner sur nos pas en remontant le courant, proposai-je.

Je fis bouger mes doigts tout en piétinant le sol à plusieurs reprises. Je vis qu'Énée fronçait les sourcils.

— Les distrans qui fonctionnent sont toujours en aval, me dit-elle.

— Je sais. Mais il y a peut-être un moyen de passer en amont. Le principal, c'est de trouver un endroit où nous réchauffer et récupérer un peu. Ensuite, on s'occupera du portail suivant.

Elle hocha la tête sans rien dire.

— C'est une bonne idée, fit l'androïde en ramassant la perche de tribord.

Avant de partir, je redressai le mât à l'avant, en l'écourtant d'un peu plus d'un mètre pour qu'il puisse franchir sans encombre les endroits les plus bas de la voûte, et y suspendre une lanterne. J'en accrochai également à chaque coin du radeau, puis nous remontâmes le courant, chaque lanterne formant un halo jaune dans la brume glacée.

L'eau était peu profonde — un peu moins de trois mètres —, et nos perches avaient une bonne prise sur le fond, mais le courant était fort, et l'androïde et moi nous avions du mal à progresser. Énée alla chercher une troisième perche à l'arrière et vint de mon côté pour m'aider. Derrière nous, le courant noir bouillonnait et tourbillonnait.

Durant quelques minutes, l'exercice nous réchauffa. Je transpirais abondamment, et la sueur gelait aussitôt contre ma chemise.

Au bout de trente minutes, cependant, nous étions épuisés et de nouveau gelés, et nous n'avions gagné qu'une centaine de mètres.

— Regardez, nous dit soudain Énée.

Elle posa sa perche et alla chercher notre projecteur le plus puissant. A. Bettik et moi nous pesâmes de tout notre poids sur les perches pour maintenir le radeau en place pendant que nous regardions. L'extrémité d'un portail massif était visible, émergeant d'un énorme bloc de glace un peu comme la courbe d'une roue de chariot prise dans la banquise. Au-dessous du bout de portail visible, le fleuve devenait de plus en plus étroit, au point de n'être plus qu'une fissure d'un mètre de large au maximum, qui finissait par disparaître sous une nouvelle muraille de glace.

— Les rives du fleuve devaient être cinq ou six fois plus espacées qu'elles ne le sont aujourd'hui en sa plus grande largeur, si l'arche du portail les enjambait, nous dit l'androïde.

— Probablement, répliquai-je, aussi exténué que découragé. Retournons à l'autre extrémité.

Nous relevâmes nos perches et nous laissâmes emporter rapidement sur toute la longueur du tunnel de glace. En deux minutes, nous avions redescendu le courant qu'il nous avait fallu une demi-heure pour remonter. Nous fûmes obligés de nous servir tous les trois de nos perches pour nous freiner et éviter de percuter la paroi de glace.

— Retour à la case départ, nous dit Énée en éclairant la paroi avec la lanterne du mât. S'il y avait une corniche ou quelque chose, nous pourrions descendre du radeau, mais je ne vois rien.

— On pourrait en pratiquer une avec le plastic, proposai-je. Créer une sorte de petite caverne.

— Tu crois que nous y serions plus au chaud ? me demanda-t-elle.

Sans sa couverture isotherme, elle claquait de nouveau des dents. Son corps menu avait si peu de graisse qu'il ne retenait pas la chaleur.

— Non, répondis-je honnêtement.

Pour la vingtième fois, j'allai fouiller dans nos affaires, sous la toile de tente, pour essayer de trouver quelque chose qui nous sauverait. Du plastic, des fusées de détresse, des armes. Leurs étuis étaient recouverts d'une épaisse couche de givre, comme tout le reste. Nous n'avions qu'une seule couverture isotherme, et des vivres. Le cube de chauffage rougeoyait toujours, et l'homme bleu et la fillette s'en étaient rapprochés le plus possible. Mais s'il continuait de fonctionner à cette intensité, il allait perdre sa charge au bout d'une centaine d'heures. Avec de bons matériaux isolants, cependant, nous pouvions aménager une caverne de glace assez confortable pour nous maintenir en vie quatre ou cinq fois plus longtemps avec un réglage moins fort.

Le problème, c'était que nous n'avions pas les matériaux isolants nécessaires. La microtoile de tente était d'excellente qualité, mais avait de médiocres propriétés d'isolation. De plus, l'idée de nous blottir dans un tombeau de glace en attendant que nos lampes et lanternes s'épuisent — ce qui n'allait pas tarder à arriver avec ce froid — et en regardant le cube de chauffage mourir peu à peu... cela me nouait les tripes.

Je m'avançai jusqu'à la proue du radeau, balayai à mon tour avec la lanterne du mât la paroi de glace bleutée, et déclarai soudain :

— Bon, voici ce que nous allons faire.

Énée et A. Bettik, dans le cercle de lumière tremblotante projetée par le cube de chauffage, se tournèrent vers moi. Nous étions tous à moitié paralysés par le froid.

— Je vais prendre du plastic, des détonateurs et tout le cordon dont nous disposons. Plus la corde, une unité com, ma lampe laser... (je m'arrêtai pour respirer), et je vais plonger sous cette foutue glace. Je me laisserai porter par le courant, en espérant que ce mur n'est qu'un surplomb et que le fleuve débouche à l'air libre un peu plus loin. Si c'est le cas, je remonterai à la surface pour placer mes charges à l'endroit où elles seront le plus efficaces. Je pourrai peut-être ménager un passage pour le radeau. Sinon, nous le laisserons ici et nous passerons tous à la nage.

— C'est la mort assurée, me dit la fillette. Tu seras en hypothermie en dix secondes. Et comment feras-tu pour revenir à la nage à contre-courant ?

— C'est la raison pour laquelle j'ai pris la corde. S'il y a un endroit, de l'autre côté, où l'on peut se mettre à l'abri de l'explosion, je ne reviendrai pas. Sinon, je tirerai sur la corde d'une manière convenue entre nous, et vous me tirerez. Quand je remonterai sur le radeau, je me déshabillerai et m'envelopperai de la couverture isotherme. S'il reste en moi la moindre chaleur corporelle, je survivrai.

— Et si nous sommes tous obligés d'aller à la nage ? demanda Énée d'une voix toujours aussi sceptique. La couverture n'est pas assez large pour nous trois.

— Nous emporterons le cube de chauffage. Nous utiliserons la couverture comme une tente pendant que nous nous réchaufferons.

— Pendant que nous nous réchaufferons sur quoi ? demanda la fillette d'une voix grelottante. Il n'y a pas la moindre rive de ce côté. Pourquoi y en aurait-il une là-bas ?

Je désignai mon paquetage.

— C'est pour cela que nous allons essayer d'ouvrir un passage au radeau, expliquai-je patiemment. Si ce n'est pas possible, j'utiliserai l'explosif pour faire tomber une partie de la muraille. Nous flotterons sur une petite plate-forme de glace. N'importe quoi, pourvu que nous parvenions jusqu'au portail suivant.

— Et si nous utilisons tout le plastic pour progresser d'une vingtaine de mètres avant de nous heurter à une autre paroi ? Si le portail est à cinquante kilomètres d'ici à travers la glace ?

Je voulus faire un geste d'impatience, mais mes mains tremblaient trop. De froid, espérais-je. Je les glissai sous mes aisselles pour les réchauffer.

— Dans ce cas, nous mourrons de l'autre côté, lui dis-je dans un nuage formé par mon haleine. Ce sera toujours mieux que de finir ici.

Au bout de quelques instants de silence, A. Bettik déclara :

— Ce plan me semble être notre meilleure chance, H. Endymion. Mais, en bonne logique, vous serez obligé de le reconnaître, c'est moi qui dois faire ce voyage à la nage. Vous êtes encore en convalescence, alors que j'ai été biofabriqué pour résister à des températures extrêmes.

— Pas aussi extrêmes que ça, répliquai-je. Je vous vois bien frissonner. Et vous ne sauriez pas où placer les charges.

— Vous pourrez me guider, H. Endymion, à l'aide de l'unité com.

— Nous ignorons si elle fonctionnera à travers cette épaisseur de glace. De plus, c'est un travail beaucoup trop délicat. Comme de tailler un diamant. Il faut mettre les charges exactement au bon endroit.

— Il serait quand même logique que...

— Peut-être, l'interrompis-je sèchement, mais ça ne va pas se passer ainsi. C'est à moi de faire ce travail. Si j'échoue, vous pourrez toujours essayer. En outre, j'ai besoin de quelqu'un de très fort de ce côté-ci pour me ramener à contre-courant. Ce sera une partie de quitte ou double.

Je m'avançai vers l'homme bleu pour poser une main sur son épaule.

— Cette fois-ci, A. Bettik, je me permettrai de me prévaloir de mon grade, murmurai-je.

Énée laissa tomber sa couverture isotherme malgré les frissons qui la secouaient.

— Quel grade ? demanda-t-elle.

Je me dressai de toute ma hauteur en affectant une posture héroïque.

— Sache que j'étais sergent de troisième classe dans les lanciers de la Garde Nationale d'Hypérion, déclarai-je.

Mes effets furent quelque peu altérés par mes claquements de dents.

— Un sergent, répéta l'enfant.

— De troisième classe.

Elle me serra soudain dans ses bras. Je fus surpris, et baissai les bras pour lui tapoter niaisement l'épaule.

— De première classe, pour moi, murmura-t-elle.

Elle recula, battit le sol de ses pieds et souffla dans ses mains avant de dire :

— Bon, qu'est-ce qu'on fait ?

— Je commence à préparer les affaires dont j'aurai besoin. En attendant, tu pourrais récupérer les cent mètres de corde qui ont servi d'ancre flottante sur Mare Infinitus. Cela devrait suffire. A. Bettik, j'aimerais que vous laissiez avancer le radeau contre la paroi de glace de manière que l'arrière ne soit pas noyé par le courant. Peut-être en calant l'avant sous ce rebord, là...

Nous nous affairâmes tous les trois durant un bon moment. Lorsque nous nous rassemblâmes de nouveau à l'avant du radeau, au pied du mât écourté avec sa lanterne faiblissante, je demandai à Énée :

— Crois-tu toujours que quelqu'un ou quelque chose nous a envoyés dans tous ces mondes du Téthys pour une raison précise ?

Elle laissa errer son regard dans la pénombre autour d'elle durant quelques secondes. Quelque part, derrière nous, une autre stalactite de glace tomba dans le fleuve avec un bruit creux.

— Oui, dit-elle.

— Et quelle est la raison de la présente impasse où nous nous trouvons ?

Elle haussa les épaules. En d'autres circonstances, cela aurait pu être comique, tant elle était emmitouflée dans ses vêtements.

— Une tentation, murmura-t-elle.

Je ne comprenais pas.

— Une tentation de quoi ? demandai-je.

— Je déteste le noir et le froid. Depuis toujours. Peut-être que quelqu'un cherche à me tenter de me servir de certaines... capacités que je n'ai pas encore convenablement explorées. Certains pouvoirs que je n'ai pas... *mérités*.

Je baissai les yeux pour regarder les eaux noires et tourbillonnantes dans lesquelles j'allais plonger dans moins d'une minute.

— Écoute-moi bien, ma grande, si tu crois avoir des pouvoirs ou des capacités susceptibles de nous faire sortir d'ici, je te suggère de les expérimenter au plus vite et de t'en servir, que tu les aies méritées ou non.

Elle posa la main sur mon bras. Elle portait une paire de mes chaussettes de rechange en laine en guise de mitaines.

— J'essaie de deviner, me dit-elle tandis que son haleine se figeait sous le bord du chapeau qu'elle avait rabattu le plus bas possible sur son front. Mais rien de ce que je pourrai apprendre dans l'immédiat ne pourra nous sortir de là tous les trois, ajouta-t-elle. Je sais que ce que je dis est vrai. Peut-être la tentation est-elle... Mais tant pis, Raul. Voyons ce que nous pouvons faire pour traverser cette glace.

Je hochai la tête, pris ma respiration et me défis de tous mes vêtements excepté mon slip et mon tricot. Le choc causé par l'air glacé fut terrible. Je nouai la corde autour de ma taille. Déjà, mes doigts étaient engourdis par le froid. Je pris le sac étanche contenant plastic des mains de A. Bettik en disant :

— L'eau du fleuve sera peut-être si froide que mon cœur se figera. Si je ne tire pas sur la corde une fois, très fort, dans les premières trente secondes, ramenez-moi sur le radeau.

L'androïde acquiesça. Nous avions déjà étudié ensemble toute une série de codes pour communiquer par le truchement de la corde.

— Ah ! Et si vous me ramenez mort ou dans le coma, ajoutai-je en m'efforçant de garder un ton neutre, n'oubliez pas qu'il est possible de me ranimer plusieurs minutes après que mon cœur aura cessé de battre. L'eau froide devrait, en principe, retarder le moment de la mort cérébrale.

A. Bettik hocha de nouveau la tête. Il avait enroulé la corde autour de son épaule et la tenait de l'autre main à hauteur de sa taille dans la posture classique d'un grimpeur.

— Très bien, leur dis-je, conscient de perdre un peu de ma chaleur corporelle à chaque instant. À bientôt, dans quelques minutes.

Je me laissai glisser dans l'eau noire.

Je crois bien que mon cœur dut s'arrêter de battre une minute, puis repartir très fort et presque douloureusement. Le courant était plus violent que je ne l'avais escompté. Il me happa littéralement sous la muraille de glace avant que je ne sois préparé. En fait, il m'entraîna sur plusieurs mètres du côté bâbord du radeau et me projeta durement contre la glace. Je fus blessé au front et aux avant-bras. Je m'agrippai de toutes mes forces à un cristal hérissé de pointes tandis que mes jambes et toute la partie inférieure de mon corps étaient aspirées par le tourbillon et que je luttais pour garder la tête hors de l'eau. La stalactite qui était tombée derrière nous s'écrasa contre la paroi à cinquante centimètres de moi sur ma gauche. Si elle m'avait heurté, j'aurais été assommé et je me serais noyé sans même comprendre ce qui se passait.

— Ce... n'était... peut-être... pas... une... si bonne... idée, réussis-je à balbutier en claquant des dents.

Puis je perdis prise et fus emporté sous la glace hérissée d'aspérités.

37

L'idée de de Soya est d'abandonner la quête laborieuse du *Raphaël* et de sauter directement jusqu'au premier système occupé par les Extros.

— À quoi cela nous servira-t-il, père capitaine ? demande le caporal Kee.

— Peut-être à rien du tout, reconnaît de Soya ; mais s'il y a une filière extro dans tout ça, c'est là-bas que nous l'apprendrons.

Le sergent Gregorius se frotte la joue.

— C'est possible, dit-il. Comme il est possible que nous nous fassions capturer par un essaim. Ce vaisseau n'est pas le mieux armé de la Flotte de Sa Sainteté, si vous me permettez de dire ce que je pense, père capitaine.

De Soya hoche la tête.

— Mais il est très rapide. Nous pouvons probablement battre de vitesse la plupart des engins extros. Il est également possible qu'ils aient abandonné le système à l'heure actuelle. Ils agissent souvent ainsi, comme vous le savez. Ils attaquent, se démènent, repoussent un peu plus loin le Grand Mur, et abandonnent le système en laissant derrière eux un dispositif de défense symbolique après avoir dévasté au maximum les planètes et leurs populations.

De Soya s'interrompt soudain. Il n'a vu de ses yeux qu'un seul monde dévasté par les Extros, c'est Svoboda, mais il espère ne jamais connaître de nouveau un tel cauchemar.

— Quoi qu'il en soit, ajoute-t-il, cela ne fera aucune différence pour nous à bord de ce vaisseau. Normalement, le saut quantique au-delà du Grand Mur demanderait huit ou neuf mois de voyage, avec onze ans ou plus de déficit de temps. Mais pour nous, le saut sera instantané, avec les trois jours habituels pour la résurrection.

Le lancier Rettig lève la main, comme il le fait souvent dans ces débats.

— Il y aurait une chose à considérer, père capitaine.

— Laquelle ?

— Les Extros n'ont jamais capturé de courrier archange. Ils ne doivent même pas savoir que cela existe. La plus grande partie des hommes de la Flotte n'ont d'ailleurs jamais entendu parler de cette technologie nouvelle.

De Soya comprend immédiatement où il veut en venir, mais Rettig continue.

— C'est un risque certain que nous allons courir, père capitaine. Pas seulement pour nous, mais pour la Pax tout entière.

Il y a un long moment de silence. Puis de Soya prend la parole.

— Vous soulevez là un point intéressant, lancier. J'y avais déjà pensé. Mais le Haut Commandement de la Pax a justement fabriqué ce vaisseau avec sa crèche de résurrection intégrée pour que nous puissions voyager au-delà de l'espace contrôlé par la Pax. Il est clair que les ordres nous autorisent à suivre les pistes qui pourraient mener aux Confins, jusque dans les territoires occupés par les Extros, si besoin est. (Le prêtre-capitaine prend une inspiration profonde.) J'y suis déjà allé. J'ai incendié leurs forêts orbitales et combattu leurs essaims. Les Extros sont... étranges. Leurs tentatives d'adaptation à des environnements hostiles, et même au vide spatial, frisent le blasphème. Ils ne sont peut-être plus humains. Mais leurs vaisseaux ne sont pas rapides. Le *Raphaël* devrait pouvoir s'introduire chez eux puis réintégrer des vitesses quantiques s'il est menacé. Nous pouvons même le programmer pour qu'il s'autodétruise en cas de capture.

Aucun des trois gardes suisses ne dit mot. Ils songent à la mort dans la mort que cela représenterait. Une destruction sans avertissement. Ils s'endormiraient comme d'habitude sur leur couche d'accélération ou dans leur crèche de résurrection pour ne plus jamais se réveiller, tout au moins dans cette vie. Le sacrement du cruciforme est quelque chose de miraculeux. Il peut ramener à la vie des corps déchiquetés, presque anéantis. Il peut redonner leur aspect physique et leur âme aux chrétiens régénérés qui ont été tués par balle, par le feu, la faim, la noyade, l'asphyxie, un coup de couteau, l'écrasement, la maladie, mais il y a certaines limites. Une décomposition prolongée rend la mort irréversible, de même que l'explosion thermonucléaire du système de propulsion d'un vaisseau.

— Nous sommes avec vous, je suppose, déclare finalement le sergent Gregorius.

Il n'ignore pas que le père capitaine a organisé ce débat simplement parce qu'il déteste ordonner à ses hommes de prendre un tel risque avec leurs vies.

Kee et Rettig se contentent de hocher la tête.

— Très bien, fait de Soya. Je vais programmer le *Raphaël* en conséquence. S'il n'y a aucune chance pour qu'il s'échappe avant que nous puissions être ressuscités, il fera exploser ses réacteurs de fusion. Et je serai très prudent en fixant les paramètres définissant la situation de « fuite impossible ». Mais je ne pense pas qu'il y ait beaucoup de chances pour qu'une telle chose se produise. Nous nous réveillerons dans... Mon Dieu ! Je n'ai même pas vérifié quel système a été le premier occupé par les Extros parmi les mondes du Téthys. S'agit-il de Taï Zhin ?

— Négatif, père capitaine, fait Gregorius en se penchant sur la liasse de cartes stellaires que le *Raphaël* a imprimées pour les besoins de leur quête. C'est Hébron, la planète juive.

— Très bien, fait le père capitaine. Regagnons nos couchettes et préparons-nous à la translation. L'année prochaine à La Nouvelle-Jérusalem !

— L'année prochaine, père capitaine ? demande le lancier Rettig, qui flotte un instant au-dessus de la table des cartes avant de se propulser d'un coup de talon vers sa couchette.

De Soya sourit.

— C'est une expression que m'ont apprise certains de mes amis juifs. J'ignore ce qu'elle veut dire.

— Je ne savais pas qu'il y avait encore des Juifs dans les mondes de la Pax, s'étonne le caporal Kee. Je croyais qu'ils s'étaient tous réfugiés dans les Confins.

Le père capitaine secoue la tête.

— Il y avait encore quelques Juifs convertis à l'université où je suivais des cours pendant mon séminaire. Mais ne vous inquiétez pas. Vous allez bientôt en voir sur Hébron. Sanglez-vous, maintenant.

Dès qu'il se réveille, le prêtre-capitaine comprend que quelque chose ne va pas. Il lui est arrivé quelquefois, dans sa jeunesse insouciante, de se soûler en compagnie d'autres séminaristes. En l'une de ces occasions, il s'est réveillé dans un lit inconnu — tout seul, Dieu merci ! —, dans un quartier de la ville qu'il ne connaissait pas. Impossible de se rappeler où il était et comment il était arrivé ici. Et le présent réveil ressemble un peu à cela.

Quand il ouvre les yeux, au lieu de voir les couchettes de résurrection de la crèche du *Raphaël*, au lieu de sentir l'odeur d'ozone et de transpiration recyclée du vaisseau, au lieu d'éprouver la terreur panique de la sensation de chute libre qu'il éprouve toujours dans ces moments-là, il se retrouve dans un lit confortable, dans une jolie chambre, sous une gravité raisonnablement proche de la normale. Il y a des icônes religieuses au mur. La Vierge Marie, un gros crucifix avec un Christ qui lève vers le ciel ses yeux pleins de douleur, un tableau représentant le martyre de saint Paul. Une faible lumière pénètre par les rideaux de dentelle.

Tous ces détails sont vaguement familiers aux yeux hagards du père capitaine, de même que le visage bienveillant du petit prêtre rondouillard qui lui apporte un bouillon et sa conversation superficielle. Finalement, les synapses de de Soya se remettent en route et établissent la jonction. C'est le père Baggio, le chapelain de résurrection qu'il a rencontré pour la dernière fois dans les jardins du Vatican et qu'il était sûr de ne plus jamais revoir. Tout en avalant son bouillon à petites gorgées, il regarde, par la fenêtre du presbytère, le ciel bleu pâle, et pense : « Pacem. » Il fait un effort pour se souvenir des événements qui l'ont amené ici, mais la dernière chose qu'il se rappelle est sa conversation avec Gregorius et ses hommes, suivie de la longue ascension du puits gravifique de Mare Infinitus et de Soixante-dix Ophiuchi A, juste avant le choc de la translation.

— Comment... ? bredouille-t-il en agrippant le prêtre par la manche. Pourquoi ? Et comment ?

— Allons, allons, lui dit le père Baggio. Il faut vous reposer, mon fils. Nous aurons plus tard tout le temps de discuter. Tout le temps qu'il faudra.

Bercé par sa voix douce, la lumière diffuse et l'oxygène richement présent dans l'air, de Soya ferme les yeux et s'endort. Ses rêves sont sinistres.

Lorsque le repas de midi arrive — de nouveau du bouillon —, il devient évident pour de Soya que le suave et rondouillard père Baggio ne va pas répondre à ses questions. Ni pour lui dire comment il est arrivé sur Pacem, ni pour lui donner des nouvelles de ses hommes, ni pour lui expliquer pourquoi il refuse de répondre.

— Le père Farrell va bientôt venir vous voir, murmure le chapelain de résurrection, comme si c'était la clé de tout.

De Soya rassemble ses forces, fait sa toilette, s'habille, s'efforce de retrouver tous ses esprits et attend l'arrivée du père Farrell.

Ce dernier se montre au milieu de l'après-midi. C'est un ecclésiastique de haute taille, maigre, d'aspect ascétique. De Soya ne tarde pas à apprendre, sans trop de surprise, qu'il a le grade de commandant dans la Légion du Christ. Sa voix, bien que douce, a un rythme haché et efficace. Ses yeux sont d'un gris d'acier.

— Votre curiosité est compréhensible, déclare-t-il. Vous devez avoir l'esprit encore un peu confus. C'est tout à fait normal, pour quelqu'un qui vient d'être régénéré.

— Je commence à bien connaître les effets secondaires, réplique de Soya avec un sourire légèrement ironique. Je suis seulement curieux de savoir pourquoi je me réveille sur Pacem. Que s'est-il passé dans le système d'Hébron ? Et comment vont mes hommes ?

Les yeux gris de Farrell ne clignent pas pendant qu'il répond.

— En ce qui concerne votre dernière question, père capitaine, je peux vous assurer que le sergent Gregorius et le caporal Kee vont très bien. Au moment où je vous parle, ils sont dans la crèche de résurrection des gardes suisses, en train de récupérer.

— Et le lancier Rettig ? demande de Soya.

Le mauvais pressentiment qui plane sur lui depuis son réveil déploie soudain ses ailes noires.

— Il est mort, malheureusement, répond Farrell. De la vraie mort. On lui a administré les derniers sacrements, et son corps a été rendu aux profondeurs de l'espace.

— Comment a-t-il pu mourir... de la vraie mort ?

De Soya a envie de fondre en larmes, mais se retient, car il ne sait pas très bien si c'est l'effet d'un réel chagrin ou de sa récente résurrection.

— J'ignore les détails, déclare Farrell.

Les deux hommes sont assis dans le petit salon du presbytère, que l'on utilise habituellement pour les réunions et les discussions importantes. Ils sont seuls, sous le regard des saints, des martyrs, du Christ et de sa Sainte Mère.

— Il semble qu'il y ait eu un problème avec les installations automatiques de résurrection du *Raphaël* à votre retour d'Hébron, poursuit l'ecclésiastique.

— À notre *retour* ? s'étonne de Soya. Je ne comprends pas, mon père. J'avais programmé le vaisseau pour qu'il reste dans le système à moins d'être pris en chasse par un essaim extro. Cela a-t-il été le cas ?

— De toute évidence, père capitaine. Mais j'ignore, comme je vous l'ai dit, les détails techniques. Je ne suis d'ailleurs pas compétent en la matière. J'ai cru comprendre que vous aviez programmé votre vaisseau archange pour qu'il pénètre dans l'espace contrôlé par les Extros.

— Notre mission nous avait conduits sur Hébron, interrompt de Soya.

Farrell ne proteste pas contre cette interruption. Son

expression demeure neutre, mais de Soya croise une fois le regard glacé de ses yeux gris, et il ne l'interrompt plus jamais.

— Comme je vous le disais, père capitaine, à ce que j'ai cru comprendre, vous avez programmé votre vaisseau pour qu'il pénètre dans l'espace extro et qu'il se mette — à condition de n'être pas poursuivi — en orbite autour de la planète Hébron.

Le silence de de Soya équivaut à une confirmation. Ses yeux noirs soutiennent le regard gris du prêtre légionnaire, sans animosité pour le moment, mais il est prêt à se défendre contre une éventuelle accusation.

— Je crois comprendre également que le... Votre vaisseau courrier, je pense, s'appelle bien le *Raphaël* ?

De Soya hoche la tête. Il vient de s'apercevoir que cette formulation soigneusement calculée, ces questions posées alors que la réponse est connue sont la marque d'un homme de loi. L'Église possède de nombreux avocats. Et inquisiteurs.

— Le *Raphaël* semble avoir exécuté votre programme. Il n'a rencontré aucune opposition directe pendant la phase de décélération et s'est mis en orbite autour d'Hébron, continue Farrell.

— C'est là que s'est produite la panne du système de résurrection ? demande de Soya.

— Je crois savoir que ce ne fut pas le cas, répond Farrell.

Les yeux gris du prêtre légionnaire quittent un instant de Soya, voyagent rapidement à travers la pièce comme pour estimer la valeur du mobilier et des objets d'art qu'elle renferme, ne découvrent apparemment rien qui les intéresse, puis reviennent se poser sur le prêtre-capitaine.

— Il semble, poursuit-il, que vous étiez tous les quatre très près de la résurrection complète lorsque le vaisseau a été obligé de quitter précipitamment le système. Le choc de la translation vous a été, comme il se doit, fatal. Une résurrection secondaire à la suite d'une résurrection primaire incomplète est, comme vous le savez sans doute, beaucoup plus délicate à réaliser qu'une résurrection simple. C'est à ce stade que le sacrement a été évincé par la défaillance mécanique.

Lorsque Farrell cesse de parler, un silence total s'établit. Perdu dans ses pensées, de Soya n'est que vaguement conscient du bruit de la circulation terrestre, dans la rue sous la fenêtre, ainsi que du grondement d'un transport qui décolle du port spatial voisin. Finalement, il déclare :

— Les crèches ont été inspectées et remises en état pendant que nous étions en orbite autour du vecteur Renaissance, père Farrell.

Ce dernier hoche la tête d'une manière presque imperceptible.

— Nous avons rassemblé un épais dossier. Je pense qu'il s'agit de la même erreur de calibrage que dans le cas de la crèche automatique du lancier Rettig. L'enquête est en cours auprès de la garnison du système Renaissance. Nous avons également étendu nos investigations au système de Mare Infinitus, à Epsilon Eridani, à Epsilon Indi, au monde de Grâce Inévitable, dans le système Lacaille 9352, au monde de Barnard, à NGC^{es} 2629-4BIV, au système Véga et à Tau Ceti.

De Soya ne peut que battre des paupières en disant :

— Vous ne laissez rien au hasard, je vois.

Il est en train de penser : *Ils doivent se servir des deux autres archanges, pour mener une enquête si poussée. Pour quelle raison ?*

— C'est exact, lui répond le père Farrell.

Le père capitaine de Soya soupire et se laisse aller en arrière contre les coussins moelleux du presbytère.

— C'est donc ainsi qu'on nous a retrouvés dans le système de Svoboda et qu'on n'a pas pu ressusciter le lancier Rettig, avance-t-il.

Le père Farrell laisse voir un léger tressaillement de sa lèvre inférieure.

— Svoboda, père capitaine ? Pas du tout. À ce qu'il paraît, votre vaisseau courrier a été retrouvé dans le système Soixante-dix Ophiuchi A, alors qu'il décélérait en direction du monde océanique de Mare Infinitus.

De Soya se redresse soudain.

— Je ne comprends pas. J'avais programmé le *Raphaël* pour qu'il se translate dans le système suivant de la Pax figurant dans sa liste de recherches au cas où il lui aurait fallu quitter prématurément le système d'Hébron. Normalement, il s'agissait de Svoboda.

— Peut-être la nature de la poursuite par des engins enne-mis dont le vaisseau a fait l'objet dans le système d'Hébron a-t-elle empêché l'alignement voulu pour la translation, suggère Farrell d'un ton neutre. L'ordinateur de bord a pu décider, dans une telle éventualité, de retourner à son point de départ.

— Ce n'est pas impossible, déclare de Soya en essayant, mais en vain, de déchiffrer l'expression de son interlocuteur. Mais vous dites que l'ordinateur « a pu décider ». N'êtes-vous pas fixé sur ce point après avoir examiné sa mémoire ?

Le silence de Farrell est interprétable, au choix, comme une confirmation ou comme une absence de réponse.

— Si nous sommes retournés sur Mare Infinitus, continue de Soya, pour quelle raison nous réveillons-nous ici, sur Pacem ? Que s'est-il passé dans le système de Soixante-dix Ophiuchi A ?

Farrell, à présent, sourit. C'est-à-dire que ses lèvres fines s'avancent presque imperceptiblement.

— Le hasard a voulu, père capitaine, que le vaisseau archange *Michel* se trouve dans l'espace militaire de Mare Infinitus au moment où vous vous y êtes translatés. Le capitaine Wu se trouvait à son bord.

— Marget Wu ? demande de Soya, indifférent à l'idée d'irriter son interlocuteur en l'interrompant encore.

— Précisément, réplique Farrell en faisant mine d'ôter un fil imaginaire sur son pantalon au pli impeccablement repassé. Compte tenu de... euh... la mauvaise impression que votre dernier passage a laissée sur Mare Infinitus...

— Vous faites allusion, je suppose, aux mesures d'éloi-gnement de l'évêque Melandriano dans un monastère pour ne plus l'avoir dans mes jambes, et à l'arrestation de plu-sieurs officiers de la Pax vendus et corrompus, qui se livraient probablement à leurs petits trafics avec la bénédic-tion de l'évêque...

Farrell l'interrompt d'un geste.

— Les événements dont vous parlez ne font pas partie de mon champ d'investigation, père capitaine. Je répondais simplement à votre question. Vous permettez que je continue ?

De Soya regarde droit devant lui. Il sent la colère monter, mêlée au chagrin qu'il éprouve à l'annonce de la mort de Rettig et à l'ivresse causée par sa résurrection récente.

— Le capitaine Wu, qui avait déjà entendu les doléances de l'évêque Melandriano et de plusieurs hauts administrateurs de Mare Infinitus, a estimé qu'il serait éminemment souhaitable que vous soyez ramenés sur Pacem pour y être ressuscités.

— Notre résurrection a donc été interrompue une seconde fois ?

— Pas du tout, réplique Farrell d'une voix d'où toute irritation est absente. Le processus de résurrection n'avait pas encore été engagé dans le système de Soixante-dix Ophiuchi A lorsque la décision de vous remettre au Haut Commandement de la Pax et au Vatican a été prise.

De Soya contemple le bout de ses doigts. Ils tremblent. En imagination, il voit le *Raphaël* avec sa cargaison de cadavres, le sien y compris. D'abord une visite funèbre au système d'Hébron, puis la lente décélération vers Mare Infinitus, puis la surgyration jusqu'à Pacem. Il relève soudain la tête.

— Combien de temps sommes-nous restés morts ? demande-t-il.

— Trente-deux jours, répond Farrell.

De Soya fait presque un bond dans son fauteuil. Finalement, il se laisse aller en arrière et murmure d'une voix aussi contrôlée que possible.

— Si le capitaine Wu a décidé de nous ramener ici avant même le début de la résurrection dans l'espace de Mare Infinitus, et s'il n'y a pas eu de résurrection dans l'espace d'Hébron, nous n'aurions pas dû rester morts plus de soixante-douze heures. Mettons que nous ayons passé trois jours ici... Qu'en est-il des vingt-six jours manquants, père Farrell ?

Ce dernier lisse le pli de son pantalon.

— Il y a eu quelques contretemps dans l'espace de Mare Infinitus, dit-il froidement. Une enquête a débuté là-bas. Il y a eu des plaintes. Le lancier Rettig a eu des funérailles officielles dans l'espace. D'autres... tâches ont été accomplies. Et le *Raphaël* est rentré avec le *Michel*.

Il se lève soudain, imité un instant après par de Soya.

— Père capitaine, annonce brusquement Farrell, je suis ici pour vous transmettre les compliments du cardinal secrétaire Lourdusamy. Il vous souhaite une prompte convalescence et une excellente santé entre les bras du Christ, et vous prie de l'honorer de votre présence demain matin à sept heures dans les bureaux vaticanais de la Congrégation pour la doctrine de la foi, où vous rencontrerez Monsignor Lucas Oddi et les autres membres officiels de la Congrégation.

De Soya est pris de court. Il ne peut que claquer les talons et incliner le front en signe d'acceptation. C'est un Jésuite et un officier de la Flotte de la Pax. Il est formé à la discipline.

— Parfait, déclare le père Farrell avant de se retirer.

Le père capitaine de Soya demeure plusieurs minutes dans le salon du presbytère après le départ du légionnaire du Christ. En tant que simple prêtre et officier de carrière, il a échappé en grande partie aux querelles de politique interne qui agitent les hautes sphères de l'Église. Mais même le prêtre provincial et soldat de métier qu'il est connaît la structure de base du Vatican et sa fonction.

Au-dessous du pape, il y a deux catégories administratives principales : la curie romaine, et ce qu'on appelle la Congrégation sacrée. De Soya sait que la curie est une structure administrative lourde et labyrinthique. Sous sa forme « moderne », elle a été créée par Sixte Quint en 1588 après Jésus-Christ. Elle comprend un secrétariat d'État, la base de pouvoir du cardinal Lourdusamy, qui fait office, en quelque sorte, de Premier ministre, avec le titre trompeur de cardinal secrétaire d'État. Ce secrétariat forme le noyau central de ce que l'on appelle parfois la « vieille curie », celle qui a été utilisée par les papes depuis le XVIᵉ siècle. Il y a en outre la « nouvelle curie », constituée de seize organismes secondaires créés par le deuxième concile du Vatican — encore communément désigné aujourd'hui sous le nom de Vatican II —, qui fut réuni en 1965 après Jésus-Christ. Ces seize organismes se sont ensuite développés pour donner trente et une assemblées interconnectées durant le règne de deux cent soixante ans du pape Jules.

Mais ce n'est pas devant la curie que de Soya est convoqué. Il doit comparaître devant l'une de ses assemblées séparées et souvent souveraines, qui porte le nom de Congrégation sacrée. Plus précisément, il va être jugé par la Congrégation pour la doctrine de la foi, un organisme qui a amassé ou, plus exactement, *retrouvé* un énorme pouvoir au cours de ces deux derniers siècles. Sous le pontificat de Jules, la Congrégation pour la doctrine de la foi avait de nouveau le pape pour préfet, et ce changement de structure eut pour effet de revitaliser ses fonctions. Durant les douze siècles qui précédèrent l'élection de Jules, la Congrégation sacrée — connue sous le nom de Saint-Office de 1908 à 1964 après Jésus-Christ — avait été continuellement affaiblie, au point de n'être plus qu'un organe vestigiel. Mais à présent, sous Jules, le pouvoir du Saint-Office se fait sentir à travers cinq cents années-lumière d'espace et trois mille ans d'histoire.

De Soya retourne dans le salon et s'appuie contre le dossier du fauteuil où il était assis. Il a l'esprit qui tourbillonne. Il sait, à présent, qu'on ne lui permettra pas de communiquer avec Gregorius ou Kee avant la séance du Saint-Office de demain matin. Il ne les reverra peut-être jamais plus. Il essaie de dérouler le fil qui l'a conduit dans cette situation, mais il se perd dans le dédale des antagonismes politiques de l'Église, des dignitaires offensés, des conflits internes de la hiérarchie de la Pax et dans le tourbillon de ses propres idées, produit de son cerveau meurtri par sa récente résurrection.

La seule chose qu'il sait de manière certaine, c'est que la Congrégation pour la doctrine de la foi, précédemment connue sous le nom de Congrégation du Saint-Office, était encore plus célèbre, auparavant, durant plusieurs siècles, sous l'appellation de Sacrée Congrégation de l'Inquisition universelle.

Et c'est sous le pontificat de Jules XIV que l'Inquisition a retrouvé à la fois son nom et le sentiment de terreur qui lui est généralement associé. Sans préparation, ni avocat, ni connaissance des accusations auxquelles il va être appelé à faire face, de Soya doit comparaître devant cette assemblée demain matin à sept heures.

Le père Baggio s'engouffre dans le salon avec un sourire de chérubin sur ses traits bouffis.

— Votre conversation avec le père Farrell a-t-elle été agréable, mon fils ? demande-t-il.

— Oui, répond de Soya d'une voix distraite. Très agréable.

— Parfait, parfait, dit le père Baggio. Mais maintenant, je pense qu'il est temps de prendre un bon bouillon et de prier. C'est bientôt l'heure de l'angélus, il me semble. Ensuite, au dodo de bonne heure. Nous devons être en forme pour affronter ce que demain nous apportera, n'est-ce pas ?

38

Quand j'étais petit et que j'écoutais la ronde sans fin des poésies récitées par Grandam, il y en avait une, très courte, que je demandais à écouter et à réécouter sans cesse. Elle commençait ainsi :

Au dire de certains, le monde périra par le feu.
Pour d'autres, par la glace.

Grandam ignorait le nom du poète. Elle pensait qu'il pouvait s'agir d'un préhégirien nommé Frost [1], mais même à l'âge que j'avais je me disais que c'était trop beau pour être vrai. Quoi qu'il en soit, l'idée que le monde pourrait finir en feu ou en glace m'a longtemps hanté, aussi envoûtante que le rythme chantant de ce très simple poème.

Mon monde à moi semblait s'achever en glace.

Il faisait complètement noir sous la muraille gelée. Quant au froid, je ne trouve pas de mots adéquats pour le décrire. J'avais déjà été exposé à des flammes. Un jour, une cuisinière à gaz avait explosé sur une barge qui remontait le fleuve Kans, et j'avais été brûlé superficiellement mais très

1. Robert Frost, poète américain (1874-1963) dont le nom signifie « givre » ou « gel ». *(N.d.T.)*

douloureusement aux bras et sur le torse. Je connaissais donc l'intensité d'un brasier. Le froid que j'endurais à présent me semblait tout aussi intense, comme si des flammes au ralenti découpaient ma chair en lambeaux.

Le corde était passée sous mes bras, et le puissant courant me faisait si bien tournoyer que je me retrouvai lancé les pieds en avant sur une sorte de toboggan noir, les mains levées pour me protéger le visage des aspérités qui pendaient de la voûte de glace dure comme de la pierre. La corde serrée me rentrait douloureusement dans les chairs tandis que A. Bettik m'assurait en me donnant progressivement du mou. J'eus bientôt les genoux en sang à force d'être traîné contre la glace coupante comme une lame de rasoir. J'étais projeté de plus en plus haut par le courant, et j'avais l'impression, chaque fois que je cognais la voûte, d'être traîné à plat ventre sur une surface rocailleuse.

J'avais mis des chaussettes, plus pour me protéger de la glace que du froid, mais elles faisaient peu pour épargner mes pieds. Quant à mon slip et à mon tricot de peau, ils ne servaient à rien contre les aiguilles de froid qui me transperçaient. Autour du cou, j'avais la sangle de mon unité com, avec les pastilles-micros adhésives collées à ma gorge pour transmettre mes messages vocaux ou subvocaux. Le bouchon d'oreille était en place. Sur mes épaules, fixé avec de la bande adhésive, il y avait le sac étanche contenant le plastic, le détonateur, le cordon et deux fusées éclairantes que j'avais prises au dernier moment. J'avais attaché à mon poignet ma petite lampe de poche laser, dont l'étroit faisceau trouait les eaux noires et se réfléchissait sur la glace en fournissant très peu d'éclairage. Je l'avais économisée le plus possible depuis mon équipée dans le labyrinthe d'Hypérion. Les lanternes et projecteurs dont nous disposions étaient plus efficaces en faisceau large et consommaient moins d'énergie. Le laser était pratiquement inutile en tant qu'arme tranchante, mais il me servirait à perforer la glace pour y glisser le plastic.

Si je survivais assez longtemps pour perforer quoi que ce soit.

La seule démarche méthodique, derrière ma folie consistant à me laisser entraîner par cette rivière souterraine, découlait des connaissances que j'avais acquises dans la Garde Nationale sur le plateau de glace du continent Ursus. Là, sur la mer de glace de la Patte de l'Ours, où la banquise fondait et se reformait presque quotidiennement pendant la durée du bref été antarctique, le risque de passer à travers la fine couche solide de la surface était toujours très grand. À l'entraînement, on nous disait que, même si le courant nous entraînait sous des couches plus épaisses, il y avait toujours une fine poche d'air entre la mer et la voûte de glace. La meilleure chose à faire était donc de remonter à la surface et de mettre le nez dans cette poche, même si le reste de notre tête devait demeurer immergé, puis de nous déplacer sous la glace jusqu'à ce qu'elle soit assez fine pour casser.

Cela, c'était la théorie. Ma seule vérification pratique, je l'avais faite en tant que membre d'une équipe de sauvetage à la recherche d'un chauffeur de scarabée qui était descendu de son blindé pour faire quelques pas et avait percé la glace à moins de deux mètres du véhicule de quatre tonnes pour disparaître sous l'eau. C'est moi qui l'avais retrouvé, à près de six cents mètres du scarabée et de la couche solide. Il avait utilisé la technique respiratoire. Son nez était toujours collé à la glace trop épaisse lorsque je le retrouvai, mais sa bouche était ouverte sous l'eau, son visage était aussi blanc que la neige qui soufflait sur le plateau, et ses yeux gelés étaient aussi durs que des billes de roulement en acier. Je m'efforçai de ne plus penser à lui en luttant contre le courant pour monter à la surface. Puis je tirai sur la corde pour indiquer à A. Bettik qu'il devait me freiner, et collai mon visage à la glace pour y trouver de l'air.

Il y avait effectivement une poche de plusieurs centimètres entre l'eau et la glace, et encore plus là où les fissures grimpaient dans le glacier d'atmosphère congelée comme des crevasses à l'envers. J'emplis mes poumons d'air froid et balayai du rayon de ma torche la voûte étroite au-dessus de moi.

— Je me repose une minute, haletai-je. Je vais bien pour l'instant. J'ai parcouru combien de mètres ?

— Huit, environ, murmura la voix de l'androïde à mon oreille.

— Merde, grommelai-je.

J'oubliais que le communicateur transmettait mes commentaires en subvocal. J'avais eu l'impression de faire au moins vingt ou trente mètres.

— Tant pis, déclarai-je tout haut. Je vais poser ma première charge ici.

Mes doigts avaient encore assez de flexibilité pour régler la torche laser au maximum et pratiquer une petite cavité sur le côté de la fissure. J'avais déjà préparé le plastic. Je le pétris de nouveau pour lui donner la forme voulue et l'orientai. C'était un explosif à charge creuse, c'est-à-dire que l'explosion se produirait exactement dans la direction que je déterminerais. Le tout était de ne pas me tromper. En l'occurrence, j'avais fait la moitié du travail à l'avance, sachant que la poussée devait s'exercer vers le haut et vers l'arrière, en direction du mur de glace qui se trouvait derrière moi. Il ne me restait plus qu'à orienter les ramifications précises de la force explosive. C'était la même technologie qui permettait à un projectile de plasma de pénétrer une plaque d'acier comme du beurre. Elle infiltrerait ses tentacules d'énergie dans la masse incroyable de glace qui s'étendait derrière moi et réduirait le tronçon de huit mètres en petits morceaux qui seraient emportés par le courant. Nous comptions aussi sur le fait que les générateurs d'atmosphère, durant les années de terraformation, avaient ajouté suffisamment d'azote et de gaz carbonique à l'atmosphère pour empêcher l'explosion de se transformer en un immense brasier d'oxygène.

Dans la mesure où je savais exactement dans quelle direction je devais orienter le souffle, le creusage des charges me demanda moins de quarante-cinq secondes et très peu de dextérité. Je tremblais cependant de tous mes membres, et mes doigts ne sentaient presque plus rien. Lorsque les détonateurs furent en place, comme je savais maintenant que les unités com n'avaient aucun mal à percer la couche de glace, je les réglai sur le code déterminé à l'avance et n'utilisai pas le cordon que j'avais dans mon sac.

— C'est bon, haletai-je avant de me laisser de nouveau aller dans l'eau froide. Vous pouvez me donner du mou.

Le courant m'emporta aussitôt dans les ténèbres. Je me cognai plusieurs fois à la voûte avant de remonter pour happer une goulée d'air, murmurer quelques mots malgré mes lèvres gourdes et lutter pour continuer à travailler et à y voir quelque chose tandis que mes dernières réserves de chaleur me quittaient.

La glace continuait sur une trentaine de mètres, à la limite de ce que je pensais être la portée du plastic. Je plaçai des charges en deux autres endroits, une fissure naturelle et une cavité que je creusai avec mon laser dans la masse compacte de la voûte. J'avais à présent les mains complètement insensibles, comme si je portais d'épaisses mitaines de glace. Mais je pus orienter les charges vers l'aval et vers l'amont, avec des vecteurs à peu près corrects. A. Bettik et moi, nous avions prévu de nous frayer un chemin à travers la glace avec la hache, mais nous ne pouvions pas progresser ainsi sur de très nombreux mètres.

À quarante et un mètres, j'émergeai à l'air libre. Je craignais, au début, qu'il ne s'agisse d'une nouvelle crevasse, mais ma torche me permit de constater que c'était une galerie plus longue et plus large que celle où j'avais quitté le radeau. Nous discutâmes de ce qu'il convenait de faire et décidâmes que je ne ferais pas sauter les explosifs si je voyais qu'il s'agissait d'une grotte fermée. Cependant, j'eus beau balayer du rayon de ma torche l'eau noire et les stalactites de glace qui la surplombaient sur une largeur de trente mètres environ, je ne vis pas d'obstacle. La rivière semblait continuer sur plusieurs centaines de mètres avant de se perdre à un tournant. Il n'y avait toujours pas de rive ni de galerie visible, comme dans le tronçon que nous avions parcouru jusqu'à la caverne, mais au moins la rivière semblait suivre son cours beaucoup plus loin.

J'aurais voulu savoir ce qu'il y avait au-delà du tournant, mais je n'avais ni la longueur de corde ni la chaleur corporelle nécessaires pour me laisser flotter jusque là-bas, décrire ce que je voyais et retourner vivant au radeau.

— Ramenez-moi ! haletai-je.

Durant les deux minutes qui suivirent, j'essayai de tenir le coup. Je ne pouvais plus me servir de mes mains. L'androïde me tirait contre le terrible courant, en s'arrêtant de temps à autre pour que je puisse me laisser flotter sur le dos et respirer l'air glacé des crevasses. Puis la folle course reprenait dans le noir.

Si A. Bettik avait été dans l'eau et si c'était moi qui l'avais tiré, ou si j'avais tiré Énée, je n'aurais jamais eu assez de force pour lutter contre ce courant, même en mettant quatre fois plus de temps que l'androïde. Je savais qu'il était fort, sans être un superman et sans avoir des capacités miraculeuses, mais il fit preuve, ce jour-là, d'une force véritablement surhumaine. Je me demandais à quels réservoirs d'énergie il puisait pour me ramener si rapidement. Je coopérais de mon mieux, en battant des jambes, en m'aidant des aspérités de la voûte et en évitant les stalactites.

Lorsque j'émergeai dans la caverne et aperçus le halo de la lanterne et les silhouettes de mes deux compagnons penchées sur l'eau, je n'eus même pas la force de lever les bras pour les aider à me hisser sur le radeau. A. Bettik m'empoigna délicatement aux aisselles et me tira hors de l'eau. Énée me prit par les jambes. Ils me transportèrent à l'arrière. Dans mon cerveau engourdi défilaient des images de la petite église catholique où nous nous arrêtions de temps à autre dans le village au nord de la zone marécageuse de Latmos, lorsque j'étais berger, pour acheter notre nourriture et les fournitures élémentaires dont nous avions besoin. Il y avait un grand tableau religieux, sur le mur sud de cette église, représentant le Christ lors de sa descente de croix, les bras soutenus par l'un de ses disciples, ses pieds nus et mutilés entre les mains de la Vierge.

Tu te flattes un peu trop, non ?

Sans que je le veuille, cette pensée avait traversé mes brumes mentales avec la voix d'Énée.

Ils me couchèrent sous la tente rigidifiée par le givre, où la couverture isotherme attendait déjà, posée sur l'épaisseur de deux sacs de couchage et d'un fin matelas. Le cube de chauffage rougeoyait à côté de ce nid douillet. A. Bettik m'enleva mon tricot mouillé et me débarrassa du sac et de l'unité com. Il défit l'adhésif de la torche laser et remit celle-ci dans le sac sans trop le secouer. Puis il me fit entrer dans le sac de couchage du dessus, avec la couverture isotherme autour de moi, et ouvrit un médipac. Il colla des pastilles de biocapteurs sur ma poitrine, l'intérieur de mes cuisses, mon poignet gauche et mes tempes, lut un instant les résultats, puis m'injecta une ampoule d'adrénonitrotaline, comme prévu.

Vous devez en avoir marre de me sortir de l'eau, voulais-je leur dire, mais mes mâchoires, ma langue et mon appareil vocal refusaient de coopérer. J'avais tellement froid que je ne pouvais même plus trembler. La conscience n'était plus pour moi qu'un mince filet qui me reliait encore à la lumière, fluctuant sous l'effet du vent glacé qui soufflait en moi.

A. Bettik se pencha pour me demander :

— H. Endymion, les charges sont prêtes ?

Je réussis à hocher la tête. C'était tout ce que j'étais capable de faire, et j'avais l'impression de manipuler une marionnette rétive.

Énée s'agenouilla à côté de moi.

— Je m'en occupe, dit-elle à l'androïde. Tâchez de nous sortir de là.

A. Bettik quitta la tente et commença à pousser le radeau avec la perche pour l'écarter de la paroi de glace et nous faire remonter le courant en prenant appui sur le fond. Après la dépense d'énergie qu'il avait dû fournir pour me ramener à contre-courant, je n'arrivais pas à croire qu'il eût encore la force de pousser le radeau jusqu'à une distance suffisante de la paroi.

Nous commençâmes à bouger. À travers l'ouverture triangulaire de la tente, je vis les reflets de la lanterne dans la brume et contre la voûte éloignée. Les stalactites se déplaçaient lentement dans mon triangle de référence, comme si j'entrevoyais à travers une ouverture isocèle une partie de la réalité du neuvième cercle de l'enfer de Dante.

Énée était en train de surveiller les moniteurs simplifiés du médipac.

— Raul, Raul, murmura-t-elle.

La couverture isotherme retenait toute la chaleur que je produisais, mais j'avais l'impression de n'en produire aucune. Mes os étaient meurtris par le froid, mais mes nerfs ne me communiquaient aucune sensation de douleur. J'avais très sommeil.

Énée me secoua.

— Reste avec moi, Raul, je t'en supplie !

J'essaie, voulus-je lui dire par la pensée, mais je savais que c'était un mensonge. Je n'avais envie que d'une chose : dormir.

— A. Bettik ! appela l'enfant.

J'eus vaguement conscience de l'arrivée de l'androïde sous la tente. Il dut consulter le médipac, et tint avec Énée un conciliabule dont je n'entendis que de vagues échos sans signification pour moi.

J'étais loin, très loin lorsque je sentis une présence contre moi. A. Bettik était retourné propulser notre radeau chargé de glace à contre-courant. Énée s'était glissée avec moi dans le sac de couchage. Au début, la chaleur de son petit corps osseux ne pénétra pas jusqu'à moi à travers les couches gelées dont j'étais maintenant entouré. Mais j'avais conscience de son haleine et du contact anguleux de ses coudes et de ses genoux contre mon corps dans l'espace exigu où nous étions.

Non, non, pensai-je à son adresse. *C'est moi le protecteur ici. C'est moi qui ai été engagé pour te sauver.*

Le sommeil glacé qui pesait sur moi ne m'autorisait pas à formuler ces pensées à haute voix. Je ne me souviens pas si elle passa ses bras autour de moi. Tout ce que je sais, c'est que je n'avais pas plus de réactions qu'une souche gelée, et pas plus de réceptivité que l'une des stalactites de glace qui se déplaçaient dans mon champ de vision triangulaire, éclairées par la lueur rougeâtre de la lanterne et tout aussi perdues dans les sommets noirs et flous de la voûte que l'était mon esprit.

Finalement, je sentis passer un peu de la chaleur de son petit corps. La sensation était extrêmement faible, mais elle s'accompagnait de mille petites aiguilles de douleur tandis qu'un peu de la température de son corps se communiquait au mien. Si j'avais pu parler, je lui aurais demandé de s'écarter pour me laisser dormir d'un sommeil insensible.

Quelque temps plus tard — je ne saurais dire si c'est dix minutes ou deux heures —, A. Bettik revint sous la tente. J'étais suffisamment conscient pour me rendre compte qu'il avait dû suivre notre plan à la lettre : « ancrer » le radeau en coinçant les perches quelque part dans la partie plus étroite de la caverne, sous la partie visible du portail distrans. Nous espérions que l'arche de métal nous protégerait d'une éventuelle avalanche de glace lorsque l'explosion aurait lieu.

Allez-y, faites sauter les charges, avais-je envie de lui dire. Mais, au lieu d'envoyer le signal codé sur le communicateur, l'androïde se défit d'une partie de ses vêtements et se glissa, en caleçon jaune et bras de chemise, sous la couverture isotherme, avec la fillette et moi-même.

La scène aurait été comique en d'autres circonstances — vous avez peut-être tout de même envie de rire en lisant ces lignes —, mais rien ne m'a jamais touché dans ma vie aussi profondément que cet acte de partage de chaleur humaine venant de mes deux compagnons. Même mon courageux et téméraire sauvetage dans la mer violette ne m'avait pas aussi profondément ému. Nous étions là blottis tous les trois l'un contre l'autre, Énée sur ma gauche, son petit bras autour de mon cou, A. Bettik sur ma droite, le corps en chien de fusil pour lutter contre le froid qui s'introduisait par le coin de la couverture isotherme. Encore quelques minutes et j'allais pouvoir pleurer sous la douleur de la circulation en train de revenir, sous la douleur du dégel de la chair. Pour le moment, cependant, c'était le don intime de la chaleur des corps, le don précieux irradiant de l'enfant et de l'homme bleu pour me redonner vie, qui me faisait pleurer.

Aujourd'hui, en racontant ces faits, j'en pleure encore.

Je suis incapable de dire combien de temps nous restâmes ainsi. Je ne l'ai jamais demandé aux deux autres, et ils ne m'en ont jamais reparlé. Sans doute une heure au moins. Mais cela me sembla durer toute une vie de chaleur, de douleur et de joie écrasante à l'idée du retour progressif de ma vitalité.

Finalement, je me mis à trembler, puis à frissonner tout doucement, puis à trembler de nouveau très fort, comme si j'étais saisi par des crises d'hystérie. Mes amis me maintenaient sous la couverture afin qu'aucune calorie ne m'échappe. Je crois qu'Énée, à ce stade, pleurait aussi, bien que je ne le lui aie jamais demandé non plus par la suite.

Lorsque la douleur et les tremblements s'apaisèrent en partie, A. Bettik se glissa hors du sac de couchage commun, consulta le médipac et s'adressa à la fillette en un langage que je ne compris encore pas.

— Tout dans le vert, murmura-t-il. Aucune gelure permanente. Aucun dommage irréversible.

Peu de temps après, Énée quitta à son tour le sac de couchage et m'aida à m'asseoir en me calant la tête et le dos avec deux paquetages couverts d'une épaisse couche de givre. Elle mit de l'eau à bouillir sur le cube de chauffage, remplit deux gobelets de liquide fumant et en porta un à mes lèvres. Je pouvais remuer les mains et même plier les doigts, mais la douleur était telle que j'étais incapable de saisir le moindre objet.

— H. Endymion, me dit l'androïde en passant la tête dans l'ouverture de la tente, je suis prêt à envoyer le signal au détonateur.

Je hochai la tête.

— Il y aura peut-être une avalanche, ajouta-t-il.

Je hochai de nouveau la tête. Nous avions envisagé tous les risques. Les charges creuses étaient calculées pour n'ébranler que la paroi qui nous bloquait le passage, mais il y aurait peut-être des vibrations sismiques qui feraient écrouler le glacier tout entier autour de nous et qui transformeraient pour nous cette caverne en tombeau éternel. Nous avions décidé que le risque valait la peine d'être couru. Je fis du regard le tour de la tente ourlée de givre et souris à la pensée que la microtoile nous donnait un futile sentiment de sécurité. Je hochai la tête une troisième fois et lui fis signe qu'il pouvait y aller.

Le bruit de l'explosion fut moins fort que ce à quoi je m'attendais, beaucoup plus étouffé que le grondement des blocs de glace et des stalactites qui dégringolaient dans la rivière ou que la crue soudaine de cette dernière. Un instant, j'eus l'impression que nous allions être soulevés et écrasés contre la voûte de la caverne tandis que de formidables vagues créées par la pression et le volume de la glace déferlaient l'une après l'autre sous le radeau. Nous nous serrâmes autour de notre petit foyer de pierre, en essayant de nous abriter de l'eau glacée, ancrés à nos rondins en folie comme les passagers d'un minuscule canot de survie ballottés par une puissante tempête.

Finalement, les vagues de fond et le grondement se calmèrent. Les violentes secousses avaient brisé notre godille et emporté l'une de nos perches. Elles nous avaient délogés de notre abri relatif, et nous étions de nouveau emportés par le courant en direction du mur de glace.

Ou plutôt de l'endroit où le mur de glace s'était trouvé.

Les charges avaient fait leur office comme nous l'espérions. Elles avaient creusé une grotte à la voûte basse et déchiquetée, mais nous nous assurâmes, à l'aide de la torche laser, que la rivière semblait continuer à perte de vue. Énée poussa un hourra. A. Bettik me donna des tapes dans le dos. À ma grande confusion, je dois avouer que je crois bien avoir versé alors quelques nouvelles larmes.

La victoire ne fut pas aussi facile qu'elle le semblait. Des blocs et des colonnes de glace obstruaient encore une partie du chemin. Même après le ralentissement du mouvement des glaces charriées par le courant, nous dûmes lutter dur, avec notre unique perche, et faire de fréquentes pauses tandis que A. Bettik s'attaquait aux obstacles avec la hache.

Au bout de trente minutes, je m'avançai en titubant jusqu'à l'entrée de la tente et fis signe à l'androïde que c'était mon tour de manier l'outil.

— Vous êtes sûr de pouvoir le faire, H. Endymion ? me demanda l'homme bleu.

— Absolument... sûr, articulai-je soigneusement malgré la résistance de mes mâchoires et de ma langue encore figées par le froid.

Le travail à la hache me réchauffa très vite, au point que mes derniers tremblements disparurent. J'avais des douleurs partout, aux endroits où j'avais cogné la voûte, mais je décidai d'en faire abstraction pour le moment.

Finalement, nous réussîmes à dépasser les derniers blocs de glace. La voie était libre. Nous restâmes quelque temps à l'avant, à battre nos mitaines pour nous réchauffer, puis nous nous retirâmes sous la tente, autour du cube de chauffage, et nous nous contentâmes de faire jouer les rayons de nos projecteurs de part et d'autre de la rivière qui nous emportait.

Le nouveau paysage était à peu près identique à l'ancien. Il y avait des parois verticales de chaque côté, avec des stalactites qui menaçaient à chaque instant de tomber sur nous ou dans les eaux noires et bouillonnantes.

— Il n'y aura peut-être pas d'autre obstacle jusqu'à la deuxième arche, nous dit Énée, son haleine se figeant dans l'air devant elle comme une promesse tangible.

Nous nous levâmes lorsque le radeau arriva au tournant encombré par les glaces. Il y eut quelques instants de confusion durant lesquels A. Bettik se servit de la perche et moi des restes de la godille pour éviter de nous écraser contre la rive côté bâbord. Nous nous retrouvâmes rapidement au milieu du courant et reprîmes de la vitesse.

— Oh ! fit soudain Énée, qui se tenait à l'avant du radeau.

Son exclamation se passait d'autres commentaires. Une soixantaine de mètres plus loin, la rivière se rétrécissait, et il y avait un deuxième mur de glace.

Ce fut Énée qui eut l'idée d'envoyer le bracelet com en reconnaissance.

— Il a un microcapteur vidéo, nous fit-elle remarquer.

— Mais nous n'avons pas de moniteur, objectai-je, et il ne peut pas envoyer de signaux vidéo au vaisseau.

Elle secoua la tête.

— C'est vrai, mais il peut nous décrire ce qu'il voit.

— Peut-être, murmurai-je en hochant la tête. Le tout est de savoir s'il est assez intelligent, coupé de l'IA du vaisseau, pour comprendre ce qu'il voit.

— Pourquoi ne pas lui poser directement la question ? demanda A. Bettik, qui avait sorti le bracelet de mon paquetage.

Nous le réactivâmes pour lui demander ce qu'il en était. Il nous assura, par la voix presque arrogante du vaisseau, qu'il était tout à fait apte à traiter des données visuelles et à nous faire part des résultats de son analyse par le truchement du communicateur. Il nous affirma aussi que, bien qu'il ne soit pas conçu pour flotter ou nager, il était parfaitement étanche.

Énée se servit de la torche laser pour découper une rondelle à l'extrémité de l'un des troncs du radeau. Avec des clous et des anneaux à pivot, elle fixa solidement le bracelet dessus, puis ajouta un piton pour y passer la corde, qu'elle attacha en faisant deux demi-clefs.

— On aurait dû utiliser ce système la première fois, déclarai-je.

Elle sourit. Son chapeau était recouvert de givre, et de véritables stalactites pendaient à son bord étroit.

— Je crois que le bracelet aurait eu un peu de mal à placer les charges, me dit-elle.

Je compris, à sa voix, à quel point elle était exténuée.

— Bonne chance, souhaitai-je stupidement au bracelet lorsque nous le lâchâmes dans le courant.

Il eut la bonne grâce de ne pas me répondre. Il disparut immédiatement sous la muraille de glace.

Nous déplaçâmes le cube de chauffage à l'avant du radeau pour nous grouper autour de lui tandis que l'androïde laissait filer la corde. J'augmentai le volume des haut-parleurs de l'unité com, et nous demeurâmes silencieux tandis que le bracelet commençait à nous décrire ce qu'il voyait.

— Dix mètres. Crevasses dans la voûte, mais pas plus larges que six centimètres. La glace ne finit pas.

« Vingt mètres. La glace continue.

« Cinquante mètres. Toujours de la glace.

« Soixante-dix mètres. Aucune issue en vue.

« Cent mètres. Encore de la glace.

Le bracelet était au bout de son filin. Nous lui attachâmes notre dernière longueur de corde d'escalade.

— Cent cinquante mètres. La glace est toujours là.

« Cent quatre-vingts mètres. De la glace partout.

« Deux cents mètres. Toujours de la glace.

Nous étions au bout de notre corde et de tous nos espoirs. Je commençai à ramener le bracelet. Bien que mes mains eussent retrouvé leur sens tactile et leur mobilité, mes gestes étaient maladroits, et même le bracelet ultraléger me donnait du fil à retordre tant le courant était fort et la corde alourdie par la gangue de glace qui l'entourait. Une fois de plus, j'essayai en vain d'imaginer l'effort déployé par A. Bettik pour me ramener.

La corde était trop raide pour plier, et nous dûmes faire sauter la glace qui entourait le persoc avant de le remonter finalement à bord.

— Bien que le froid décharge plus rapidement mes batteries et que la glace recouvre mes capteurs visuels, couina le bracelet, je suis capable et désireux de poursuivre mon exploration.

— Non, merci, répliqua poliment A. Bettik.

Il désactiva la machine et me la donna. Le métal était trop froid pour être touché, même avec la chaussette qui me servait de mitaine. Je laissai tomber le bracelet dans mon paquetage.

— Nous n'aurions même plus assez de plastic pour cinquante mètres de glace, déclarai-je.

Ma voix était d'un calme absolu. Même mes tremblements avaient cessé. Je compris que c'était à cause de la clarté incisive de la sentence de mort qui venait de nous tomber dessus.

Mais il y avait — je m'en rends compte maintenant — une autre raison à cette oasis de calme au milieu du désert de douleur et de désespoir qui nous entourait. C'était la chaleur. La chaleur humaine de mes deux compagnons, encore dans ma mémoire, la communion sacrée et mon acceptation de leur don. Nous étions, dans ces ténèbres glacées trouées par les minces halos de nos lanternes, en train d'essayer de survivre, de discuter de nos choix impossibles — par exemple utiliser le fusil à plasma pour nous frayer un chemin —, d'écarter ces options comme irréalisables, puis de revenir dessus. Et pendant tout ce temps, dans le puits noir et gelé de la confusion qui se refermait sur nous, le noyau de chaleur qui m'avait été insufflé par mes compagnons me tenait apaisé, de même que leur contact physique m'avait gardé en vie. Dans les moments difficiles à venir, et même à présent, alors que j'écris ces mots, attendant à chaque seconde l'arrivée feutrée de la mort par le cyanure, le souvenir de cette chaleur partagée, de ce don absolu de vitalité élémentaire m'aide à conserver ma sérénité à travers la tempête de mes angoisses humaines.

Nous décidâmes de retourner en arrière sur toute la longueur de la galerie récemment percée afin d'essayer de découvrir quelque crevasse ou cheminée naturelle que nous n'aurions pas remarquée en descendant le courant. La démarche semblait sans espoir, mais c'était toujours mieux que de rester ainsi coincés dans une impasse de glace.

Nous trouvâmes ce que nous cherchions juste avant l'endroit où la rivière formait son coude. De toute évidence, nous étions tous trop occupés à éviter les parois et à rester au centre du courant pour avoir remarqué à l'aller l'étroite fissure dans la glace du côté tribord. Et malgré toute notre attention, nous ne l'aurions pas remarquée non plus en remontant le courant s'il n'y avait pas eu le faisceau étroit de notre torche laser. La lueur de la lanterne, réfléchie par les facettes de cristal et les stalactites, passait dessus sans rien déceler. Le sens commun nous disait encore qu'il s'agissait d'un simple repli de la glace, l'équivalent horizontal des crevasses verticales que j'avais remarquées dans la voûte, une simple poche d'air qui ne débouchait sur rien du tout. Mais notre soif d'espoir nous faisait prier pour que le sens commun fasse erreur.

La faille, ou le repli, avait moins d'un mètre de large. Elle s'ouvrait à près de deux mètres au-dessus de la surface de l'eau. Quand nous fûmes dessous avec le radeau, la torche laser nous montra que l'ouverture se refermait ou faisait un coude trois mètres plus haut. Le sens commun, une fois de plus, nous disait que c'était un cul-de-sac. Mais nous ignorâmes résolument ce qu'il nous suggérait.

Pendant qu'Énée pesait de tout son poids sur la perche pour empêcher le radeau d'être entraîné, A. Bettik me hissa sur ses épaules. J'utilisai le bout fourchu de notre marteau comme piolet, en le plantant solidement dans la glace, mû par l'énergie du désespoir. Une fois là-haut, calé par les coudes et par les genoux, je repris haleine. J'étais encore faible. Je fis signe aux autres, qui me regardaient avec angoisse, attendant mon verdict.

Le coude de la faille débouchait sur une sorte de galerie qui partait sur la droite. Je l'illuminai, plein d'espoir, avec la torche laser. Une nouvelle paroi de glace réfléchit le rayon de lumière, mais cela ne ressemblait pas, cette fois-ci, à un coude. Ou plutôt... En m'avançant dans cette seconde galerie, à quatre pattes, parce que la voûte était de plus en plus basse, je m'aperçus que le boyau s'élevait progressivement à partir de là. Le rayon de ma torche n'avait été arrêté que par la pente glacée. Il était difficile, ici, d'avoir le sens des perspectives.

Je parcourus à quatre pattes une dizaine de mètres. Mes

chaussures raclaient la glace. Je songeai à la boutique de La Nouvelle-Jérusalem où je les avais « achetées », laissant en échange sur le comptoir mes pantoufles d'hôpital et quelque menue monnaie d'Hypérion, et j'essayai de me rappeler s'il y avait des crampons à glace au rayon escalade. Mais c'était un peu trop tard, à présent.

À un endroit, il me fallut carrément ramper sur le ventre. J'étais sûr, là encore, que la galerie allait se terminer en impasse un ou deux mètres plus loin, mais elle faisait un nouveau coude sur la gauche et continuait tout droit et horizontalement sur une vingtaine de mètres avant de tourner à droite et de se remettre à grimper. Haletant, tremblant d'excitation, je fis volte-face, courus, glissai et utilisai mon marteau-piolet pour redescendre jusqu'à la crevasse de la caverne. Le rayon de la torche laser me renvoyait d'innombrables reflets de mon visage sur la glace limpide.

Énée et A. Bettik avaient commencé à emballer l'équipement nécessaire dès que j'avais disparu de leur vue. L'androïde avait déjà hissé la fillette jusqu'à la niche de glace, et elle empilait le matériel que lui lançait A. Bettik. Nous échangeâmes des instructions et des suggestions. Tout nous semblait indispensable : les sacs de couchage, la couverture isotherme, la tente — qui ne pouvait plus être réduite qu'à trois fois sa taille compressée initiale à cause de la couche de givre et de glace qui la recouvrait —, le cube de chauffage, les vivres, le compas inertiel, les armes et les lampes.

Finalement, presque tout le contenu du radeau se retrouva à l'entrée de la faille. Nous discutâmes encore quelques instants — histoire de nous réchauffer et de dégeler nos mâchoires —, puis nous sélectionnâmes le strict nécessaire qui pouvait se loger dans nos poches et nos paquetages. Je passai le pistolet à ma ceinture et sanglai le fusil à plasma à mon volumineux paquetage. A. Bettik accepta de prendre la carabine et ses munitions sur son sac à dos déjà rempli à craquer. Encore heureux que nous n'ayons pas de vêtements dans nos sacs — nous portions tout sur nous. Nous les avions donc bourrés de matériel et de rations alimentaires. Énée et l'androïde avaient gardé leurs unités com, et je glissai le persoc encore glacé à mon poignet. Malgré toutes nos précautions, il était toujours possible que l'un de nous se perde, et il nous resterait, dans ce cas, ce moyen de communiquer.

Je m'inquiétais au sujet du radeau. J'avais peur qu'il ne parte à la dérive. La perche et la godille cassée que nous avions coincées dans l'eau n'allaient pas résister longtemps au courant. A. Bettik résolut le problème en un instant en improvisant des amarres à l'avant et à l'arrière puis en creusant des cavités dans la glace avec le laser afin d'y fixer de solides pitons où il les attacha.

Avant de nous engager dans l'étroite galerie de glace, je jetai un dernier coup d'œil à notre fidèle radeau. Je ne m'attendais pas beaucoup à le revoir un jour. Il offrait un spectacle pathétique avec son foyer de pierre toujours en place. La godille était en morceaux, le mât de la lanterne, à l'avant, était cassé, les bords étaient arrachés des deux côtés, l'arrière prenait l'eau et le radeau tout entier était couvert d'une gangue de glace et entouré de lourdes vapeurs tourbillonnantes. Après avoir exprimé muettement ma gratitude à cette triste épave, je me tournai vers la galerie et m'y enfonçai le premier, en poussant mon lourd paquetage devant moi sur la glace lorsque le passage était trop étroit.

Je craignais que le tunnel ne prenne fin quelques mètres après l'endroit où j'avais interrompu mon exploration, mais il continua de grimper, de tourner et de grimper encore durant une trentaine de minutes. Peut-être l'effort physique contribua-t-il à nous maintenir en vie, sinon au chaud. Nous sentions le froid nous gagner progressivement. Tôt ou tard, nous serions obligés de nous arrêter, épuisés, pour étaler nos sacs de couchage sur la glace et nous endormir, avec très peu de chances de nous réveiller par des températures si basses. Mais nous n'en étions pas encore là.

Je passai des barres de chocolat à mes deux compagnons et m'arrêtai un instant pour dégeler l'eau de l'une de nos gourdes avec mon laser tout en disant :

— Il n'y en a plus pour longtemps.

— Pour arriver où ? demanda Énée derrière les stalactites qui pendaient au bord de son chapeau. Il est impossible que nous soyons près de la surface. Nous n'avons pas grimpé suffisamment.

— Pour arriver à quelque chose d'intéressant, répliquai-je.

Dès que j'avais commencé à parler, mon haleine s'était condensée en un nuage de vapeur qui se déposait en givre sur ma veste et sur ma barbe de plusieurs jours. Je savais que mes sourcils laissaient également couler de la glace.

— Intéressant, répéta la fillette d'une voix sceptique.

Je la comprenais. Jusqu'à présent, tous les événements « intéressants » qui s'étaient produits avaient failli causer notre mort.

Une heure plus tard, après nous être arrêtés un peu pour faire chauffer de la nourriture sur le cube — qu'il avait fallu amarrer solidement pour que sa chaleur ne le fasse pas passer à travers la glace pendant qu'il cuisait le contenu de notre gamelle —, je consultai notre compas inertiel pour avoir une idée de la distance que nous avions parcourue et de l'altitude à laquelle nous nous trouvions par rapport à la rivière. Mais soudain, A. Bettik murmura :

— Écoutez !

Nous retînmes tous les trois notre respiration durant une bonne minute. Puis Énée chuchota :

— Qu'est-ce que c'est ? Je n'entends rien.

C'était déjà un miracle si nous nous entendions crier, avec toutes les épaisseurs de tissu et autres cagoules improvisées qui nous protégeaient les oreilles. Mais A. Bettik plissa le front et porta un doigt à ses lèvres pour nous intimer le silence. Au bout d'un moment, il murmura :

— Ce sont des pas. Et ils se dirigent de notre côté.

39

Sur Pacem, le centre d'interrogatoire principal du Saint-Office romain de l'Inquisition universelle ne se trouve pas au Vatican proprement dit, mais dans ce gros tas de pierres que l'on appelle le château Saint-Ange. C'est une forteresse massive et circulaire bâtie à l'origine pour servir de tombeau à Hadrien en 135 après Jésus-Christ et reliée au mur d'Aurélien en l'an 271 pour devenir l'une des plus importantes citadelles de Rome, et l'un des rares bâtiments à être entièrement transportés lorsque l'Église évacua l'Ancienne Terre quelques jours avant sa disparition dans le trou noir avaleur de planètes. La citadelle, en fait un monolithe de forme conique, tout en pierres et entouré d'une douve, prit une grande importance pour l'Église durant l'année de la peste 587, où Grégoire le Grand, à la tête d'une procession priant Dieu de mettre fin au fléau, eut une vision de l'archange Michel se tenant au sommet du tombeau. Plus tard, le château Saint-Ange protégea des papes de la vindicte populaire, prêta ses cachots humides et ses chambres de torture à des ennemis désignés de l'Église comme Benvenuto Cellini et, en près de trois mille ans d'existence, s'avéra insensible aux invasions barbares aussi bien qu'aux explosions nucléaires. Le château se dresse aujourd'hui sous la forme d'une petite montagne de pierres grises au centre du seul espace découvert qui reste intact dans le triangle grouillant d'activité des voies d'accès, bâtiments et bureaux répartis entre le Vatican, la cité administrative de la Pax et le port spatial.

Le père capitaine de Soya se présente vingt minutes avant l'heure de son rendez-vous de sept heures trente. On lui donne un badge qui le guidera à travers les galeries voûtées, suintantes et sans fenêtres du château. Les fresques, le mobilier somptueux et les vastes loggias établis par les papes du Moyen Âge ont disparu ou sont tombés en ruine depuis longtemps. Le château Saint-Ange a repris son caractère de tombeau et de forteresse. De Soya sait qu'il existe un passage fortifié entre la citadelle et le Vatican, amené lui aussi de l'Ancienne Terre, et que l'un des objectifs du Saint-Office, au cours des deux siècles précédents, a été de fournir à Saint-Ange des armes et des dispositifs de défense modernes, afin qu'il puisse éventuellement servir encore de refuge rapide au pape en cas de guerre interstellaire.

Le parcours lui prend la totalité de ses vingt minutes d'avance. Il doit se soumettre à plusieurs contrôles et franchir plusieurs portes de sécurité, surveillées non pas par les gardes suisses du Vatican en uniforme voyant, mais par les forces de sécurité du Saint-Office, en costume noir et argent.

La cellule d'interrogatoire proprement dite est infiniment

moins sinistre que les corridors et escaliers anciens qui y accèdent. Deux des trois murs de pierre intérieurs sont rehaussés de panneaux en verre intelligent qui laissent filtrer une lumière jaunâtre. Deux groupes solaires diffusent la clarté du jour par l'intermédiaire de leur collecteur, sur le toit, trente mètres plus haut. La cellule spatiate est meublée d'une table moderne de conférences. Le fauteuil de de Soya fait face à ceux de ses cinq Inquisiteurs, mais il leur est identique par sa forme et son confort. Contre un mur, il y a un secrétariat standard, équipé de claviers, de moniteurs, de lecteurs de disques et d'entrées virtuelles. Un peu plus loin, un buffet offre sa machine à café et ses petits pains briochés.

De Soya n'attend qu'une minute l'arrivée des Inquisiteurs. Les cardinaux — un jésuite, un dominicain et trois légionnaires du Christ — se présentent et lui serrent la main l'un après l'autre. De Soya a revêtu son uniforme noir de la Pax avec son col romain, et il offre un contraste profond avec la pourpre des tuniques du Saint-Office, au col bordé de noir. Quelques amabilités sont échangées. Ils discutent un moment de la santé de de Soya et du succès de sa résurrection. Ils lui offrent du café et des petits pains. De Soya accepte un peu de café, puis tout le monde s'assoit.

Dans la tradition des premiers jours du Saint-Office, et selon la coutume conservée par la Nouvelle Église, lorsqu'un prêtre est soumis à une enquête, la discussion se fait en latin. En réalité, un seul des quatre cardinaux de l'assemblée s'exprime au nom des autres. Ses questions sont polies, formelles, et invariablement formulées à la troisième personne. À la fin de l'interrogatoire, des transcriptions en latin et en anglais du Retz sont remises à l'intéressé.

INQUISITEUR : Le père capitaine de Soya a-t-il réussi à trouver et à détenir la fillette connue sous le nom d'Énée ?

P.C. DE SOYA : J'ai pu établir le contact avec l'enfant. Mais je n'ai pas réussi à la garder prisonnière.

INQUISITEUR : L'intéressé peut-il nous préciser le sens du mot « contact » dans le présent contexte ?

P.C. DE SOYA : À deux reprises, j'ai intercepté le vaisseau qui l'éloignait d'Hypérion. La première fois dans le système

172

de Parvati, et la seconde au voisinage du vecteur Renaissance.

INQUISITEUR : Ces tentatives infructueuses de capturer l'enfant ont été dûment enregistrées et figurent dans le dossier. L'intéressé soutient-il que la fillette se serait vraiment donné la mort, dans le système de Parvati, avant que les gardes suisses d'élite qui se trouvaient à bord du *Raphaël* n'aient pu pénétrer de force dans son vaisseau pour la protéger ?

P.C. DE SOYA : J'en avais la conviction à l'époque. Je pensais que le risque était trop important.

INQUISITEUR : À la connaissance de l'intéressé, était-ce aussi l'avis du garde suisse le plus haut en grade, qui avait la charge de l'opération d'abordage ? Partageait-il le point de vue du père capitaine selon lequel l'opération devait être décommandée ?

P.C. DE SOYA : J'ignore ce que pensait le sergent Gregorius après l'annulation de l'opération. Sur le moment, il voulait y aller.

INQUISITEUR : L'intéressé connaît-il l'opinion des deux autres troupiers engagés dans l'opération ?

P.C. DE SOYA : Sur le moment, ils voulaient tous y aller. Ils s'étaient entraînés longuement, et ils se sentaient prêts. Mais je pensais, pour ma part, qu'il y avait trop de risques que l'enfant mette ses menaces à exécution.

INQUISITEUR : Est-ce pour la même raison que l'intéressé n'a pas intercepté le vaisseau fugitif avant son entrée dans l'atmosphère du monde connu sous le nom de vecteur Renaissance ?

P.C. DE SOYA : Non. La fillette avait déclaré, en l'occurrence, qu'elle allait se poser à la surface. Il semblait plus raisonnable et moins dangereux pour tout le monde de la laisser faire avant de tenter de la capturer.

INQUISITEUR : Et pourtant, lorsque le vaisseau en question s'est approché du portail distrans en sommeil sur le vecteur Renaissance, le prêtre-capitaine a donné l'ordre à plusieurs vaisseaux de la Flotte et des différentes forces aériennes de faire feu sur lui. Est-ce bien exact ?

P.C. DE SOYA : C'est exact.

INQUISITEUR : L'intéressé soutient donc que son ordre ne mettait pas la vie de l'enfant en danger ?

P.C. DE SOYA : Pas du tout. Je savais qu'il y avait un risque. Cependant, lorsque j'ai compris que l'enfant se dirigeait vers le portail distrans, j'ai acquis la conviction intime que nous allions la perdre à jamais si je n'essayais pas d'immobiliser son vaisseau.

INQUISITEUR : L'intéressé savait-il que le portail distrans s'activerait après bientôt trois siècles de sommeil ?

P.C. DE SOYA : Ce n'est pas par connaissance, mais par intuition que j'ai agi. En catastrophe.

INQUISITEUR : L'intéressé a-t-il l'habitude de jouer la réussite ou l'échec d'une mission — qualifiée de hautement prioritaire par le Saint-Père lui-même — sur l'impulsion d'une simple intuition ?

P.C. DE SOYA : Je n'ai pas l'habitude de me voir confier des missions hautement prioritaires par le Saint-Père. Mais dans certaines circonstances, en situation de combat spatial, notamment, il m'est arrivé d'agir sur la base d'intuitions qui pouvaient ne pas paraître totalement logiques à un observateur situé en dehors du contexte de mon expérience et de ma formation.

INQUISITEUR : L'intéressé veut-il dire que le fait de savoir qu'un relais distrans allait reprendre son activité deux cent soixante-quatorze ans après la chute du Retz fait partie du contexte de son expérience et de sa formation ?

P.C. DE SOYA : Non. Ce n'était qu'une... inspiration de dernière minute.

INQUISITEUR : Se rend-il compte du coût des opérations combinées de la Flotte dans le système Renaissance ?

P.C. DE SOYA : Je sais qu'il a été considérable.

INQUISITEUR : Sait-il que plusieurs vaisseaux de ligne ont été retardés dans l'exécution de leurs ordres du Haut Commandement de la Pax, alors que ces ordres les dépêchaient dans des secteurs vitaux pour la défense de ce qu'il est convenu d'appeler le Grand Mur contre les envahisseurs extros ?

P.C. DE SOYA : Je savais que des vaisseaux étaient retardés sur mes ordres dans le système Renaissance, oui.

INQUISITEUR : Sur la planète de Mare Infinitus, le père capitaine a jugé bon de mettre plusieurs officiers de la Pax aux arrêts.

P.C. DE SOYA : C'est exact.

INQUISITEUR : Et de leur administrer du Divrai et autres drogues psychotropes réglementées, hors du contrôle de la Pax et des autorités ecclésiastiques de Mare Infinitus ?

P.C. DE SOYA : Oui.

INQUISITEUR : Soutient-il également que le disque papal qui lui a été remis pour faciliter sa mission et l'aider à retrouver cette fillette l'autorisait à arrêter des officiers de la Pax et à les interroger de cette manière sans passer par les tribunaux militaires légaux et sans permettre aux accusés de se faire assister par leurs avocats ?

P.C. DE SOYA : Oui. J'avais cru — et je crois toujours — que ce disque me conférait et me confère encore toute l'autorité légale nécessaire pour prendre les décisions de mon choix dans le cadre de ma mission.

INQUISITEUR : L'intéressé soutient donc que l'arrestation de ces officiers de la Pax conduira à la capture et à la détention de la fillette nommée Énée ?

P.C. DE SOYA : Ces investigations étaient nécessaires pour déterminer le degré de réalité des événements entourant le passage probable de l'enfant d'un relais distrans à l'autre sur Mare Infinitus. Au cours de cette investigation, il est apparu que le directeur de la plate-forme sur laquelle les événements en question s'étaient déroulés avait menti à ses supérieurs et dissimulé certains détails des incidents concernant le compagnon de voyage de la fillette. Il avait également passé avec les braconniers locaux des accords qui constituent des actes de trahison. À l'issue de notre enquête, j'ai remis les officiers et les hommes impliqués dans cette affaire aux autorités de la Pax pour qu'ils soient jugés selon le code de justice militaire de la Flotte.

INQUISITEUR : L'intéressé a-t-il eu le sentiment que la manière dont il a traité l'évêque Melandriano était également justifiée par les exigences de son... enquête ?

P.C. DE SOYA : En dépit des explications qui lui ont été fournies sur la nécessité d'une très prompte action, l'évêque Melandriano a protesté contre notre enquête sur la Station mi-littorale 326. Il a essayé, même à distance, de nous mettre des bâtons dans les roues, malgré les ordres de coopérer de son supérieur direct, l'archevêquesse Jane Kelley.

INQUISITEUR : Le père capitaine soutient-il que l'archevêquesse Kelley lui a offert son aide pour solliciter la coopération de l'évêque Melandriano ?

P.C. DE SOYA : Non, c'est moi qui lui ai demandé de m'aider.

INQUISITEUR : En vérité, le père capitaine n'a-t-il pas plutôt invoqué l'autorité de son disque papal pour contraindre l'archevêquesse à faciliter son enquête ?

P.C. DE SOYA : C'est ce qui s'est passé, oui.

INQUISITEUR : Peut-il nous rappeler les événements qui se sont produits après l'arrivée de l'évêque Melandriano en personne sur la Station mi-littorale 326 ?

P.C. DE SOYA : Il était furieux. Il a ordonné aux troupes de la Pax qui gardaient mes prisonniers...

INQUISITEUR : Quand le père capitaine se réfère à « ses prisonniers », il veut parler de l'ex-directeur et des officiers de la station ?

P.C. DE SOYA : Oui.

INQUISITEUR : Il peut poursuivre.

P.C. DE SOYA : L'évêque Melandriano a ordonné aux troupes de la Pax que j'avais fait venir de relâcher le capitaine Powl et les autres. L'évêque refusait de reconnaître l'autorité qui m'était déléguée par le disque papal. Je l'ai fait mettre temporairement aux arrêts et transférer au monastère jésuite d'une plate-forme située à six cents kilomètres du pôle Sud de la planète. En raison du mauvais temps et d'autres contingences, il n'a pas pu quitter la station durant plusieurs jours. À son départ, mon enquête était terminée.

INQUISITEUR : Et quels en ont été les résultats ?

P.C. DE SOYA : Entre autres choses, il a été établi que l'évêque Melandriano avait empoché d'importantes sommes en liquide que lui ont remises les braconniers opérant sur le territoire soumis à la juridiction de la Station mi-littorale 326. Il a été également prouvé que le directeur Powl agissait sous couvert de l'évêque Melandriano lorsqu'il s'entendait avec les braconniers sur leurs activités illégales et qu'il extorquait de l'argent aux pêcheurs d'outre-monde.

INQUISITEUR : Le père capitaine a-t-il fait part de ces accusations à l'évêque Melandriano ?

P.C. DE SOYA : Non.

INQUISITEUR : A-t-il porté ces faits à la connaissance de l'archevêquesse Kelley ?

P.C. DE SOYA : Non.

INQUISITEUR : Ou au commandant de la garnison de la Pax ?

P.C. DE SOYA : Non.

INQUISITEUR : Peut-il expliquer pourquoi il n'a pas pris les mesures prévues par le code d'éthique de la Flotte et par les réglementations en vigueur dans l'Église et la Compagnie de Jésus ?

P.C. DE SOYA : L'implication de l'évêque dans ces illégalités ne faisait pas partie du champ de mon investigation. J'ai remis le capitaine Powl et les autres au commandant de la garnison parce que je savais qu'ils seraient jugés de manière prompte et équitable, conformément au code de justice militaire de la Flotte. Je savais également que toutes les plaintes déposées contre l'évêque Melandriano, soit dans le cadre civil des procédures de la Pax, soit dans celui de la hiérarchie de l'Église, nécessiteraient ma présence sur Mare Infinitus durant des semaines et des mois. Ma mission ne pouvait attendre. J'ai estimé que la corruption de l'évêque était beaucoup moins importante que la poursuite de la fillette.

INQUISITEUR : Le père capitaine mesure bien le sérieux des accusations non corroborées et non prouvées qu'il porte à l'encontre d'un évêque de l'Église catholique romaine ?

P.C. DE SOYA : Oui.

INQUISITEUR : Et peut-on savoir ce qui l'a conduit à abandonner son plan de recherche initial pour conduire le courrier archange *Raphaël* dans le système d'Hébron, en territoire extro ?

P.C. DE SOYA : Une intuition, là encore.

INQUISITEUR : Nous aimerions des détails.

P.C. DE SOYA : J'ignorais où la fillette avait pu se distransporter après le vecteur Renaissance. La logique indiquait que son vaisseau avait dû rester quelque part pendant qu'ils continuaient sur le Téthys par un autre moyen. Le tapis haw-king, peut-être, ou plus probablement un bateau ou un radeau. Certains indices découverts durant l'enquête sur leur fuite avant et pendant la traversée de Mare Infinitus sem-blaient suggérer une relation avec les Extros.

INQUISITEUR : Des détails.

P.C. DE SOYA : Tout d'abord, le vaisseau lui-même. Il était de conception hégémonienne. Un vaisseau interstellaire privé, si l'on peut concevoir une chose pareille. Seuls quelques exemplaires ont existé durant toute l'histoire de l'Hégémonie. Celui qui ressemble le plus au vaisseau que nous avons intercepté appartenait à un certain consul de l'Hégémonie qui a vécu plusieurs décennies avant la Chute. Ce consul fut immortalisé plus tard dans les *Cantos*, un poème épique composé par le pèlerin d'Hypérion Martin Silenus. Dans les *Cantos*, le consul raconte comment il a été amené à trahir l'Hégémonie au cours de ses missions d'espionnage des Extros.

INQUISITEUR : Il peut poursuivre.

P.C. DE SOYA : Il y avait d'autres indices. J'ai envoyé le sergent Gregorius sur Hypérion avec un certain nombre de prélèvements destinés aux légistes. Ils ont permis d'identifier l'homme qui semble accompagner l'enfant. C'est un certain Raul Endymion, né sur Hypérion, ex-membre de la Garde Nationale. Il existe une relation entre le nom d'Endymion et les œuvres du... père de la fillette, l'abomination cybride du poète Keats. Ce qui nous ramène, une fois de plus, aux *Cantos*.

INQUISITEUR : Qu'il poursuive.

P.C. DE SOYA : Il existe encore une autre relation. L'engin volant saisi après la fuite et la mort probable de Raul Endymion sur Mare Infinitus...

INQUISITEUR : Pourquoi l'intéressé parle-t-il de « mort probable » ? Tous les témoins présents sur la plate-forme ont déclaré avoir vu tomber à l'eau le suspect criblé de fléchettes.

P.C. DE SOYA : Le lieutenant Belius était lui-même tombé à l'eau un peu plus tôt. Pourtant, c'est bien son sang et ses fragments de tissus qui ont été retrouvés sur le tapis hawking. Seule une petite partie du sang a été identifiée comme ayant la même configuration d'ADN que Raul Endymion. Ma théorie est qu'il a essayé de le repêcher dans la mer ou qu'il s'est fait prendre par surprise d'une manière ou d'une autre, qu'ils se sont battus sur le tapis et que notre suspect — Raul Endymion — a été blessé et est tombé du tapis avant le tir de nos hommes. Je pense que c'est le lieutenant Belius qui est mort criblé de fléchettes.

INQUISITEUR : A-t-il une preuve autre que les prélèvements de tissus et de sang, qui pourraient aisément venir de Raul Endymion, pour peu qu'il se soit arrêté dans sa fuite pour assassiner le lieutenant Belius ?

P.C. DE SOYA : Non.

INQUISITEUR : Qu'il poursuive.

P.C. DE SOYA : L'autre raison qui m'a fait soupçonner une relation avec les Extros est le tapis hawking. Les examens des experts légaux ont démontré qu'il était extrêmement vieux, peut-être suffisamment pour être le fameux tapis utilisé par le navigant Merin Aspic et Siri sur la planète d'Alliance-Maui. Une fois de plus, cela nous ramène au pèlerinage d'Hypérion et aux récits des *Cantos* de Martin Silenus.

INQUISITEUR : Il peut continuer.

P.C. DE SOYA : C'est tout. Je pensais que nous pourrions peut-être nous rendre sur Hébron sans nous heurter à un essaim extro. Ils abandonnent souvent les systèmes conquis. De toute évidence, cette fois-ci, mon intuition m'a trahi. Cela a coûté la vie au lancier Rettig. J'en suis profondément et sincèrement désolé.

INQUISITEUR : Le père capitaine soutient donc que le résultat de son investigation si coûteuse et si embarrassante pour l'évêque Melandriano peut être considéré comme positif uniquement à cause d'un petit nombre d'indices qui semblent établir une relation avec le poème dénommé les *Cantos*, lui-même très vaguement lié aux Extros ?

P.C. DE SOYA : Dans l'ensemble, oui.

INQUISITEUR : Le père capitaine sait-il que les *Cantos* en question figurent à l'Index des livres interdits depuis plus d'un siècle et demi ?

P.C. DE SOYA : Oui.

INQUISITEUR : Reconnaît-il avoir lu ce livre ?

P.C. DE SOYA : Oui.

INQUISITEUR : Se souvient-il de la peine prévue par la Compagnie de Jésus pour violation volontaire de l'Index des livres interdits ?

P.C. DE SOYA : Oui. Le bannissement de la Compagnie.

INQUISITEUR : Se souvient-il de la peine maximale préconisée par les Canons de paix et de justice de l'Église, pour ceux qui appartiennent au Corps du Christ, lorsqu'ils ont enfreint délibérément les interdictions énoncées dans l'Index des livres interdits ?

P.C. DE SOYA : L'excommunication.

INQUISITEUR : Le père capitaine est consigné dans ses quartiers de la Cure des légionnaires du Christ du Vatican, où il est prié de demeurer jusqu'à ce qu'il soit appelé à témoigner de nouveau devant cette assemblée ou toute autre instance qui lui sera indiquée. Par ces mots nous adjurons, supplions et lions notre Frère dans le Christ ; de par l'autorité de la sainte Église catholique, apostolique et romaine, nous te contraignons et t'adjurons ainsi, au nom de Notre-Seigneur Jésus.

P.C. DE SOYA : Merci, très éminents et révérends seigneurs cardinaux et Inquisiteurs. J'attendrai votre bon vouloir.

40

Nous passâmes trois semaines en compagnie des Chitchatuks sur le monde gelé de Sol Draconi Septem. Cela nous permit de récupérer avant d'explorer à loisir avec eux les tunnels glacés de leur atmosphère figée. Nous apprîmes quelques mots de leur langage compliqué, rendîmes visite au père Glaucus dans sa cité enchâssée, traquâmes les spectres arctiques et nous fîmes traquer par eux, puis accomplîmes finalement le terrible voyage vers l'aval.

J'anticipe, naturellement. J'ai souvent tendance à le faire, sans doute à cause de la probabilité croissante de respirer du cyanure chaque fois que j'ouvre la bouche. Mais assez tergiversé. Cette histoire prendra fin lorsque la chose arrivera et pas avant. Peu importe que ce soit ici ou là ou ailleurs. Je vous la raconterai comme si je devais vous la dire en entier.

Notre premier contact visuel avec les Chitchatuks faillit tourner au tragique pour tout le monde. Nous avions éteint nos torches et étions accroupis dans la pesante obscurité glacée de la galerie. Mon fusil au plasma était chargé et prêt à tirer lorsqu'une faible lueur apparut au détour de la courbe suivante. De massives silhouettes, très peu humaines, débouchèrent alors. J'allumai soudain ma lampe, illuminant trois ou quatre bêtes qui formaient un spectacle terrifiant avec leurs fourrures blanches et leurs griffes noires de la longueur de ma main, leurs crocs blancs encore plus longs, et leurs yeux rouges brillants. Ces créatures se déplaçaient entourées de la brume de leur propre haleine. J'épaulai mon fusil à plasma et plaçai le sélecteur sur feu rapide.

— Ne tire pas ! me cria Énée en m'agrippant le bras. Ils sont humains !

Son cri n'arrêta pas seulement ma main, mais celle des Chitchatuks également. De longs javelots en os étaient sortis des plis des fourrures blanches, et nos torches illuminaient des pointes aiguisées et des bras repliés en arrière pour les lancer. Mais la voix d'Énée sembla figer le tableau, chaque camp étant à un cheveu d'un terrible déchaînement de violence.

Je distinguai alors les pâles visages qui se dissimulaient derrière les visières en crocs de spectres. Ils avaient des figures épatées, au nez aplati, ridées, d'une pâleur d'albinos, mais cependant bien humaines, de même que les petits yeux noirs perçants qui nous regardaient. J'abaissai le rayon de ma torche pour éviter de les éblouir.

Les Chitchatuks étaient massifs et musclés, parfaitement adaptés à la dure gravité de 1,7 g de Sol Draconi Septem, et rendus encore plus lourds et menaçants par les différentes couches de fourrure de spectre qui les enveloppaient. Nous apprîmes plus tard qu'ils ne portaient sur eux que la partie antérieure de l'animal, y compris la tête, de sorte que les griffes noires des spectres leur pendaient au niveau des mains et que leurs crocs leur couvraient le visage comme une herse acérée. Nous apprîmes aussi que les lentilles noires des yeux de spectres, même privées de l'optique et des nerfs complexes qui permettaient aux monstres d'avoir une vision presque normale dans une obscurité quasi totale, fonctionnaient comme des lunettes de vision nocturne rudimentaires. Tout ce que les Chitchatuks portaient sur eux ou avec

eux provenait des spectres : leurs javelots en os, leurs lanières de cuir, les boyaux et tendons dont ils se servaient pour
différents usages, leurs outres fabriquées à partir des intes-
tins des monstres, leurs vêtements de nuit, leurs tapis, et
même les deux objets précieux qu'ils emportaient dans tous
leurs déplacements, le brasero en forme de mitre, taillé dans
un os de spectre et suspendu à des lanières tressées, qui
contenait les braises grâce auxquelles ils pouvaient éclairer
leur chemin, et aussi le bol-entonnoir plus complexe qui servait à fondre la glace au-dessus du brasero. Beaucoup plus
tard, nous apprîmes encore qu'ils paraissaient beaucoup plus
massifs qu'ils ne l'étaient en réalité à cause des outres d'eau
qu'ils portaient sous leurs fourrures afin que la chaleur de
leur corps empêche le liquide de geler.

L'affrontement figé dut durer une bonne minute et demie.
Puis Énée fit un pas en avant, imitée aussitôt par le Chitchatuk dont nous apprîmes plus tard qu'il se nommait Cuchiat.
Il parla le premier, en un torrent de syllabes claquantes qui
ressemblaient à des stalactites de glace s'écrasant au sol.

— Désolée, fit Énée, mais je ne comprends pas.

Elle se tourna vers nous. Je regardai A. Bettik.

— Vous connaissez ce dialecte ?

L'anglais du Retz était la langue standard depuis tant de
siècles qu'il était presque choquant d'entendre des mots sans
pouvoir leur attribuer de signification. Même trois siècles
après la Chute, d'après les outre-mondiers que j'avais connus sur Hypérion, la plupart des dialectes planétaires et
régionaux qui en étaient dérivés demeuraient compréhen-
sibles.

— Je regrette, mais il m'est également inconnu, fit
A. Bettik. H. Endymion, puis-je vous suggérer... le persoc ?

Hochant la tête, je sortis le bracelet de mon paquetage.
Les Chitchatuks suivaient attentivement chacun de mes gestes, échangeant quelques propos entre eux, le regard à l'affût
d'une arme. Leurs javelots s'abaissèrent lorsque je portai le
bracelet au niveau de mes yeux pour l'activer.

— Prêt à répondre à vos questions ou à exécuter vos
ordres, pépia le persoc couvert de givre.

— Écoutez ça, demandai-je tandis que Cuchiat se lançait

dans une nouvelle tirade, et voyez si vous pouvez nous en donner une traduction.

Le guerrier habillé de peaux de spectres arrêta au bout d'un moment le flot de ses syllabes sèches.

— Alors ? demandai-je au persoc.

— Ce langage ou dialecte ne m'est pas familier, fit la voix du vaisseau sortant du bracelet. Je connais plusieurs langues de l'Ancienne Terre, parmi lesquelles l'anglais pré-retzien, l'allemand, le français, le hollandais, le japonais...

— Laissez tomber, lui dis-je.

Les Chitchatuks regardaient le bracelet avec de grands yeux, entre leurs crocs de spectres, mais je ne décelai chez eux aucune terreur superstitieuse, simplement de la curiosité.

— Je suggère, me dit le persoc, que vous me laissiez activé durant quelques semaines ou quelques mois pendant que ce langage est parlé, afin que je puisse constituer une base de données à partir de laquelle j'établirai un lexique. Il serait également souhaitable que...

— Merci quand même, déclarai-je en l'éteignant.

Énée fit un nouveau pas vers Cuchiat et lui expliqua par gestes que nous avions froid et que nous étions fatigués. Elle fit la mimique de manger, puis de tirer une couverture sur nos épaules et de dormir.

Cuchiat émit un grognement et conféra avec les autres. Il y avait à présent sept Chitchatuks qui barraient la largeur du tunnel. Nous apprîmes plus tard qu'ils voyageaient toujours, quand ils allaient à la chasse, par nombres premiers, de même que lorsqu'ils se déplaçaient en masse. Finalement, après avoir parlé séparément à chacun de ses hommes, Cuchiat nous adressa un bref discours, se tourna vers une galerie ascendante et nous fit signe de les suivre.

Frissonnants, courbés sous le poids de la gravité de ce monde, plissant les yeux pour essayer d'y voir quelque chose à la lueur ambrée de leur brasero après avoir éteint nos torches pour en économiser les piles, nous étant assurés, enfin, que mon compas inertiel fonctionnait bien et semait ses petites miettes de pain numériques derrière nous dans la galerie, nous suivîmes Cuchiat et ses hommes jusqu'au camp chitchatuk.

C'était un peuple généreux. Ils nous donnèrent des fourrures de spectres à porter et d'autres pour nous servir de sac de couchage. Nous eûmes droit à du bouillon de spectre chauffé sur leur petit brasero, à de l'eau réchauffée au contact de leur corps et, surtout, à leur confiance. Nous apprîmes très vite qu'ils ne se battaient jamais entre eux. L'idée de tuer un autre humain leur était totalement étrangère. Essentiellement, les Chitchatuks, des indigènes qui avaient appris à s'adapter à la glace depuis près d'un millier d'années, étaient les seuls humains qui avaient survécu à la Chute, aux épidémies virales et aux spectres. Ils tiraient des spectres tout ce dont ils avaient besoin pour vivre, et constituaient, semblait-il, la seule source de nourriture de ces monstres. Toutes les autres formes de vie — au demeurant marginales — étaient passées en dessous du seuil de survie après la Chute et l'abandon de la terraformation.

Les deux premiers jours furent passés à dormir, manger et essayer de communiquer. Les Chitchatuks n'avaient pas de village permanent dans la glace. Ils dormaient quelques heures, repliaient leurs fourrures et continuaient leur chemin dans le dédale des galeries de glace. Lorsqu'ils faisaient chauffer la glace pour la fondre — c'était le seul usage de leurs braises, car elles n'étaient pas assez fortes pour les réchauffer, et ils ne faisaient pas cuire leur viande —, ils suspendaient le récipient en forme de mitre à la voûte de glace à l'aide de trois tendons, de sorte qu'il ne restait aucune trace au sol après leur passage.

Ils étaient vingt-trois dans la tribu, horde ou clan, comme vous voudrez. Au début, il était impossible de dire s'il y avait ou non des femmes parmi eux. Les Chitchatuks semblaient porter leurs robes en tout temps et ne les soulever, afin de ne pas les salir, que pour uriner ou déféquer dans l'une des fissures de la glace. Ce n'est que lorsque nous aperçûmes celle qu'on appelait Chatchia en train de s'accoupler avec Cuchiat lors de notre troisième période de sommeil que nous acquîmes la certitude qu'il y avait des représentantes du sexe féminin dans le groupe.

Peu à peu, à force de parler et de déambuler avec eux dans les galeries obscures et identiques pendant les deux jours suivants, nous commençâmes à reconnaître leurs visages et à les associer à des noms. Cuchiat, leur chef, était — malgré sa voix sonore — un homme doux, qui souriait souvent, aussi bien avec ses lèvres fines qu'avec ses yeux noirs. Chiaku, son lieutenant, était le plus grand de la horde et portait une robe de spectre avec une traînée de sang en travers, ce qui, nous l'apprîmes plus tard, était une marque d'honneur. Aichacut était du type coléreux. Il nous lançait souvent des regards noirs et gardait ses distances. Je pense que s'il avait été le chef du groupe de chasse lors de notre rencontre, il y aurait eu pas mal de cadavres sur la glace ce jour-là.

Cuchtu était, pensions-nous, une sorte de chaman dont le travail consistait à tourner autour de la niche de glace ou galerie dans laquelle nous dormions, en murmurant des incantations et en retirant de temps à autre ses gants en cuir de spectre pour presser ses mains nues contre la glace, sans doute, me disais-je, pour chasser les mauvais esprits. Énée, pour sa part, suggéra en plaisantant qu'il faisait la même chose que nous, qu'il essayait de trouver le moyen de sortir de ce labyrinthe de glace.

Chichticu était le gardien du feu, très fier, visiblement, de cet honneur. Les braises constituaient pour nous un mystère. Elles continuaient de rougeoyer et de donner de la lumière et de la chaleur durant des jours et des semaines sans jamais être entretenues ni renouvelées. Nous n'eûmes la solution de l'énigme que le jour où nous rencontrâmes le père Glaucus.

Il n'y avait pas d'enfants dans la horde. Et il était difficile de donner un âge aux Chitchatuks que nous connaissions. Cuchiat était visiblement plus âgé que la plupart des autres — son visage n'était qu'un réseau de rides qui rayonnaient à partir de l'arête de son nez large et osseux —, mais nous ne réussîmes jamais à obtenir le moindre renseignement sur l'âge réel des autres. Ils reconnaissaient en Énée une enfant, ou tout au moins une jeune adulte, et la traitaient en conséquence. Les femmes, comme nous pûmes le constater après en avoir identifié trois, jouaient tour à tour le rôle de chasseur et de sentinelle sur un pied d'égalité avec les hommes. S'ils nous demandèrent, à l'androïde et à moi, de participer aux tours de garde pendant les heures de sommeil de la horde — il y avait toujours trois veilleurs armés —, ils ne firent jamais appel à Énée pour cette corvée. Mais ils appréciaient visiblement sa compagnie et sa conversation. Les échanges verbaux étaient très limités, mais nous utilisions un ensemble élaboré de signes qui avaient fait leurs preuves pour réduire le fossé entre les peuples depuis les temps paléolithiques.

Le troisième jour, Énée réussit à leur expliquer que nous voulions qu'ils retournent avec nous jusqu'à la rivière. Au début, ils eurent du mal à comprendre, mais elle leur décrivit, à l'aide des quelques mots qu'elle avait appris, notre aventure sur le radeau et la présence de l'arche figée dans la glace (ils poussèrent des exclamations), puis la muraille infranchissable à laquelle nous nous étions heurtés avant de nous engager dans la galerie où nous avions rencontré nos amis les Chitchatuks.

Quand elle suggéra qu'ils descendent avec nous jusqu'à la rivière, ils n'hésitèrent pas. Ils plièrent leurs fourrures de nuit, les tassèrent dans leurs sacs en cuir de spectre et se mirent en route. Pour une fois, c'était moi qui guidais. Le cadran lumineux du compas inertiel nous indiquait la route, et nous pûmes retrouver les coudes, les montées et les descentes de nos errances de trois jours.

Il faut dire ici que, sans nos montres, toute notion du temps nous aurait quittés dans ces galeries de Sol Draconi Septem. La lueur inchangée du brasero, son reflet sur les parois de glace, l'obscurité devant et autour de nous, le froid oppressant, les courtes périodes de sommeil alternant avec d'interminables marches dans des couloirs glacés où nous portions le poids de la planète sur les épaules, tout cela se combinait pour détruire en nous le sens du temps, mais nos montres nous indiquaient que c'est à la fin du troisième jour après avoir abandonné le radeau que nous descendîmes le dernier couloir abrupt qui menait à la rivière.

Le radeau offrait un triste spectacle avec son mât cassé à l'avant, ses troncs disloqués, sa partie arrière submergée à cause du surcroît de poids de la glace et ses lanternes recouvertes d'une gangue de givre. Il avait, sans notre matériel et sans la tente, un aspect lugubre et délaissé. Mais les Chitchatuks étaient fascinés. Ils manifestaient plus d'excitation que jamais depuis notre première rencontre. À l'aide de cordes tressées en cuir de spectre, Cuchiat et plusieurs autres se laissèrent glisser à bord et examinèrent soigneusement chaque détail : la pierre de notre foyer abandonné, le métal des lanternes, la cordelette de nylon utilisée pour attacher les troncs, etc. Leur émerveillement était total, et je compris que, dans une société où l'unique source de matériaux de construction, de vêtements et d'armes était un animal bien précis, et un prédateur rusé, par-dessus le marché, ce radeau devait représenter un trésor de matières premières nouvelles.

Ils auraient pu essayer de nous tuer sur place pour s'emparer de tous ces trésors, mais les Chitchatuks, comme je l'ai déjà dit, sont un peuple généreux, qui ignore la cupidité et pour qui tous les humains sont des alliés de même que tous les spectres sont des proies et des ennemis. Nous n'avions encore jamais vu de spectre, excepté sous forme de peaux que nous portions par-dessus nos vêtements tropicaux, car elles étaient si chaudes et si isolantes — elles pouvaient aisément rivaliser avec notre couverture isotherme — que nous avions rangé presque tous les autres vêtements que nous avions mis au début l'un sur l'autre. Nous étions totalement ignorants de l'agressivité et de la férocité des spectres, mais nous n'allions pas le rester longtemps.

Une fois de plus, Énée leur fit part de son idée de flotter avec le radeau jusqu'à l'arche. Elle décrivit par gestes le mur de glace, dont elle montra la direction en aval, puis elle leur fit comprendre que nous voulions continuer jusqu'à la deuxième arche.

Cuchiat et son groupe s'animèrent et oublièrent le langage des signes pour déverser sur nous un flot de paroles qui ressemblait à une avalanche assourdissante de gravier tombant de la benne d'un camion. Voyant qu'ils n'étaient pas compris, ils palabrèrent entre eux un long moment avec excitation, jusqu'à ce que Cuchiat s'avance finalement d'un pas dans notre direction en articulant une courte phrase qu'il répéta plusieurs fois. Nous reconnûmes le mot « glaucus », que nous avions déjà entendu plusieurs fois dans leurs discours, et dont la sonorité était aussi étrangère à leur langue que nos mots d'anglais. Lorsque, finalement, Cuchiat nous fit signe de remonter vers la surface, nous acceptâmes tous avec plaisir.

C'est ainsi que, emmitouflés dans nos fourrures de spectres, nos lourds paquetages sur le dos, courbés sous la gravité accablante de la planète, glissant sur la glace dure comme le roc, nous prîmes le chemin de la cité enchâssée pour aller voir le prêtre.

41

Quand, finalement, l'ordre arrive de libérer le père capitaine de Soya de son assignation virtuelle à résidence chez les légionnaires du Christ, il n'émane pas du Saint-Office de l'Inquisition, comme on pourrait s'y attendre, mais est transmis en personne par Monsignor Lucas Oddi, adjoint du secrétaire d'État du Vatican, Son Excellence Simon Augustino, cardinal de Lourdusamy.

De Soya est impressionné au plus haut point par la traversée des jardins de la cité du Vatican. Tout ce qu'il voit et entend — le ciel bleu pâle de Pacem, les battements d'ailes des bouvreuils dans les vergers de poires, le son feutré des cloches appelant aux vêpres — fait monter en lui une émotion telle qu'il a fort à faire pour contenir ses larmes. Monsignor Oddi bavarde gaiement tout en marchant, il mêle les menus potins du Vatican aux plaisanteries légères d'une manière qui fait bourdonner les oreilles du père capitaine longtemps après qu'ils ont dépassé la partie du jardin où les abeilles s'activent au milieu des massifs floraux.

De Soya reporte son attention sur le vieillard qui le conduit d'un pas allègre. Oddi est d'une taille supérieure à la moyenne, et il semble glisser sur le chemin, ses jambes silencieuses sous la longue soutane. Son visage de monsignor est mince et rusé, ses rides dénotent de nombreuses années de rire et d'ironie, son long nez crochu semble renifler l'air du Vatican pour en prendre la température et en capter les humeurs. De Soya a souvent entendu des plaisanteries à son sujet et à celui de son supérieur le cardinal de

Lourdusamy. Sans le redoutable pouvoir qu'ils détiennent, ils formeraient une paire presque comique.

De Soya est momentanément surpris lorsqu'ils débouchent du jardin pour monter dans l'un des ascenseurs extérieurs qui desservent les loggias du palais du Vatican. Des gardes suisses, vêtus de leurs rutilants et antiques uniformes à rayures rouges, bleues et orangées, se mettent au garde-à-vous lorsqu'ils entrent puis sortent de la cage d'ascenseur grillagée. Ici, les gardes sont armés de longues piques, mais de Soya n'ignore pas qu'elles peuvent éventuellement faire fonction d'armes pulsantes.

— Vous vous souvenez peut-être que Sa Sainteté, à sa première résurrection, a décidé de réoccuper ce niveau en raison de son affection pour son homonyme Jules II, déclare Monsignor Oddi en désignant le long couloir d'un ample mouvement du bras.

— Oui, répond de Soya.

Les battements de son cœur s'accélèrent. Jules II, le célèbre pape guerrier qui fit décorer le plafond de la Sixtine durant son règne, de 1503 à 1513 après Jésus-Christ, fut le premier à habiter ces quartiers. Aujourd'hui, le pape Jules, dans toutes ses réincarnations de Jules VI à Jules XIV, totalise un règne environ vingt-sept fois plus long que celui du pape guerrier, qui ne dura que dix ans. Il n'arrive pas à imaginer qu'il va peut-être rencontrer le Saint-Père ! Il s'efforce de rester calme extérieurement, mais ses paumes sont moites et sa respiration beaucoup trop rapide.

— Nous allons voir le secrétaire, naturellement, explique Oddi en souriant ; mais si vous n'avez jamais vu les appartements pontificaux, ce sera une visite agréable. Sa Sainteté est en réunion pour toute la journée avec le synode interstellaire des évêques dans le petit salon du bâtiment Nervi.

De Soya hoche gravement la tête. En vérité, son attention est captivée par les *stanze* de Raphaël qu'il aperçoit, sur son passage, par les portes ouvertes des appartements pontificaux. Il en connaît les grandes lignes historiques. Le pape Jules II, fatigué des fresques « démodées » de génies mineurs tels Piero della Francesca et Andrea del Castagno, fit venir d'Urbino, à l'automne 1508, un jeune génie de vingt-six ans nommé Raffaello Stanzio, également connu sous le nom de Raphaël. Dans l'une des chambres devant lesquelles il passe, de Soya aperçoit la *Stanza della Segnatura*, une fresque imposante qui représente le Triomphe de la vérité religieuse opposé au Triomphe de la vérité philosophique et scientifique.

— Ah ! fait Monsignor Oddi en s'arrêtant pour que de Soya puisse admirer le chef-d'œuvre. Vous aimez ça, hein ? Vous voyez Platon, là, parmi les philosophes ?

— Oui, fait de Soya.

— Savez-vous à qui il ressemble en réalité ? Qui a servi de modèle ?

— Non.

— Léonard de Vinci, fait le monsignor en esquissant un petit sourire. Et Héraclite... Vous le reconnaissez ? Vous voulez savoir qui a servi, pour lui, de modèle à Raphaël ?

De Soya ne peut que secouer négativement la tête. Il se souvient de sa petite chapelle marialiste en pisé, sur son monde natal, où le vent de sable s'engouffrait continuellement sous la porte, formant de petites dunes sous la statue rudimentaire de la Vierge.

— Héraclite, c'était Michel-Ange, continue Monsignor Oddi. Et Euclide, là, vous le voyez ? C'était Bramante. Rapprochez-vous, n'ayez pas peur.

De Soya ose à peine fouler aux pieds le somptueux tapis. Les fresques, les statues, les moulures dorées et les fenêtres hautes semblent danser la farandole autour de lui.

— Vous voyez ces lettres, là, sous le col de Bramante ? Penchez-vous en avant... Là... Que lisez-vous, mon fils ?

— R, U, S, M, déchiffre de Soya.

— C'est bien ça, oui, glousse Oddi. *Raphaël Urbinus Sua Manu*. Allons, mon fils, un petit effort. Traduisez ces mots à un vieil homme. Je suis sûr que vous n'avez pas oublié de réviser votre latin, cette semaine.

— Raphaël, d'Urbino, murmure de Soya, plus pour lui-même que pour Lucas Oddi. Fait de sa main.

— Tout juste. Allons, venez, maintenant. Nous allons prendre l'ascenseur pontifical pour descendre dans les appartements. Il ne faut pas faire attendre le secrétaire.

L'appartement Borgia occupe une grande partie du rez-de-chaussée de cette aile du palais. Ils entrent par la petite chapelle de Nicolas V, et le père capitaine de Soya se dit qu'il n'a jamais vu d'œuvre de la main de l'homme plus admirable que cette petite pièce. Les fresques, peintes par Fra Angelico entre 1447 et 1449 après Jésus-Christ, sont l'essence même de la simplicité, l'avatar de la pureté.

Après la chapelle, les chambres de l'appartement Borgia deviennent plus sombres et plus sinistres, un peu comme l'histoire de l'Église sous le règne des papes Borgia. Mais en passant devant la salle IV, le bureau privé du pape Alexandre, dédié aux sciences et aux arts libéraux, de Soya commence à apprécier la puissance des riches couleurs, l'application extravagante des dorures à la feuille d'or et l'usage somptueux du stuc. La salle V décrit la vie des saints à travers les fresques et la statuaire, mais possède un côté stylisé, presque inhumain, que de Soya associe aux vieilles représentations qu'il a eu l'occasion de voir de l'art égyptien de l'Ancienne Terre. La salle VI, la salle à manger du pape, d'après le monsignor, explore les mystères de la foi en une explosion de couleurs et de formes qui laisse de Soya littéralement muet.

Monsignor Oddi s'arrête devant une large fresque de la Résurrection et pointe deux doigts en direction d'un personnage secondaire dont la piété intense est ressentie à travers les siècles de couleurs passées.

— Le pape Alexandre VI, murmure-t-il. Le deuxième pape Borgia.

Il agite la main de manière presque négligente vers les deux hommes qui se tiennent un peu à l'écart dans la fresque très dense. Ils ont tous les deux une expression généralement réservée à des saints.

— César Borgia, explique Oddi. Le bâtard du pape Alexandre VI. Celui qui se tient à côté de lui est son frère... qu'il a assassiné plus tard. La fille du pape, Lucrèce, était représentée dans la salle V. Vous ne l'avez peut-être pas remarquée. Elle figurait sous les traits de Catherine d'Alexandrie, la vierge sainte.

De Soya ne peut qu'ouvrir de grands yeux devant ce spectacle. Il lève la tête au plafond et voit le motif que l'on retrouve dans chacune de ces chambres, composé d'une couronne et d'un taureau lumineux, l'emblème des Borgia.

— C'est Pinturicchio qui a peint tout cela, déclare Monsignor Oddi en poursuivant son chemin. Son vrai nom était Bernardino di Betto, et il avait l'esprit complètement dérangé. C'était peut-être un serviteur des ténèbres. (Il s'arrête pour se tourner vers la chambre tandis que les gardes suisses rectifient la position.) Presque certainement un génie, au demeurant, murmure-t-il. Mais venez, c'est l'heure de votre audience.

Le cardinal Lourdusamy attend dans la salle VI derrière un long bureau bas. C'est la *Sala dei Pontifici*, ou salle des papes. Le personnage corpulent ne se lève pas, mais se penche sur le côté dans son fauteuil tandis que le père capitaine de Soya est annoncé et que l'autorisation d'approcher lui est donnée. De Soya met un genou à terre et baise l'anneau du cardinal. Lourdusamy lui tapote la tête et fait un geste qui met un terme à toutes ces formalités.

— Prenez ce siège, mon fils, murmure-t-il. Mettez-vous à l'aise. Je vous assure que cette petite chaise est bien plus confortable que l'espèce de trône à dossier droit qu'ils me font utiliser.

De Soya avait presque oublié la voix du cardinal. C'est une basse puissante qui semble monter des entrailles de la terre et pas seulement de celles de son corps massif. Lourdusamy est un personnage énorme enveloppé de soie rouge, de lin blanc et de velours pourpre. Un vrai massif géologique humain, qui culmine en une large tête surmontant de multiples replis de menton, une petite bouche, des yeux ronds, minuscules et mobiles, et un crâne presque chauve agrémenté d'une calotte pourpre.

— Federico, tonne-t-il, je me réjouis d'apprendre que vous avez traversé tant de morts et d'obstacles sans trop en pâtir. Vous avez une mine splendide, mon fils. Un peu fatiguée, mais splendide.

— Merci, Votre Éminence, fait de Soya.

Monsignor Oddi a pris un siège à la gauche du prêtre-capitaine, un peu à l'écart de la table de travail du cardinal.

— Je crois comprendre que vous êtes passé hier devant

le tribunal du Saint-Office, gronde le cardinal Lourdusamy en fixant de Soya de son regard perçant.

— Oui, Votre Éminence.

— Ils ne vous ont pas mis les poucettes, j'espère ? Pas de vierge de Nuremberg ni de tisons ardents ? Ils vous ont fait passer au chevalet ?

Le gloussement de rire du cardinal semble se répercuter à l'intérieur de sa poitrine massive.

— Non, Votre Éminence, répond de Soya avec un sourire forcé.

— Parfait, parfait, déclare le cardinal tandis que la lumière du lustre suspendu au plafond dix mètres plus haut fait étinceler son anneau. Lorsque Sa Sainteté a ordonné au Saint-Office de reprendre son ancien titre, l'Inquisition, quelques non-croyants se sont dit que les jours de folie et de terreur allaient revenir dans l'Église. Mais ils savent maintenant que ce n'est pas le cas, Federico. Le seul pouvoir du Saint-Office réside dans son rôle de conseiller auprès des Ordres de l'Église, et sa seule peine consiste à recommander l'excommunication.

De Soya s'humecte les lèvres.

— Il s'agit d'un terrible châtiment, Votre Excellence.

— C'est vrai, reconnaît le cardinal, dont la voix a perdu toute ironie. Un châtiment terrible, mais dont vous n'avez pas à vous inquiéter, mon fils. L'incident est clos. Votre nom et votre réputation n'en souffriront aucunement. Le rapport que le tribunal va adresser à Sa Sainteté vous exonère de tout blâme autre que... disons une certaine insensibilité aux réactions d'un certain évêque provincial qui a suffisamment de relations à la curie pour avoir rendu cette comparution nécessaire.

De Soya n'ose pas encore exhaler l'air qu'il retient dans ses poumons.

— L'évêque Melandriano est un escroc, Votre Éminence.

Les yeux vifs de Lourdusamy se portent sur Monsignor Oddi, puis de nouveau sur le visage du prêtre-capitaine.

— Bien sûr, bien sûr, Federico. Nous le savons. Nous le savons depuis pas mal de temps déjà. Ce brave évêque dans sa lointaine cité flottante aura lui aussi son moment devant les membres du Saint-Office, vous pouvez en être assuré. Et soyez également assuré que les recommandations de cette assemblée ne seront pas aussi indulgentes que dans votre cas.

Le cardinal se laisse aller en arrière dans son fauteuil en bois à dossier haut. Le bois ancien craque.

— Parlons d'autre chose, à présent, mon fils, reprend le cardinal. Êtes-vous prêt à reprendre votre mission là où elle a été interrompue ?

— Je suis prêt, Votre Éminence.

De Soya est lui-même surpris par la spontanéité sincère de sa réponse. Jusqu'à ces dernières secondes, il était convaincu que cette partie de sa carrière et de son existence était terminée. Mais l'expression du cardinal Lourdusamy est devenue très sérieuse, et même ses bajoues semblent avoir acquis de la fermeté.

— Parfait, répète-t-il. Mais j'ai appris que l'un de vos hommes avait trouvé la mort durant votre expédition sur Hébron.

— Un accident de résurrection, Votre Éminence.

Lourdusamy secoue la tête.

— C'est terrible, vraiment terrible.

— Le lancier Rettig, murmure de Soya, éprouvant le besoin de ne pas laisser dans un obscur anonymat son compagnon disparu. C'était un excellent soldat.

Les petits yeux du cardinal pétillent, comme si, soudain, les larmes montaient. Il regarde de Soya en disant :

— Nous ferons quelque chose pour ses parents et sa sœur. Il avait également un frère, qui a atteint le grade de prêtre-commandant sur Bressia. Le saviez-vous, mon fils ?

— Non, Votre Éminence, répond de Soya.

Le cardinal hoche lentement la tête.

— Une grande perte pour tout le monde.

Soupirant, il pose sa grosse main potelée sur son bureau nu. De Soya distingue les fossettes qui creusent le dos de cette main et il la considère comme si c'était une entité à part, une créature sans os issue de la mer.

— Federico, déclare Lourdusamy de sa voix tonnante, j'ai une suggestion à vous faire pour combler le vide créé à bord du *Raphaël* par la mort du lancier Rettig. Mais d'abord, nous devons discuter des raisons de votre mission. Savez-vous pourquoi nous devons à tout prix retrouver et capturer cette fillette ?

De Soya se redresse sur sa chaise.

— Votre Éminence m'a expliqué que c'était la progéniture d'une abomination cybride, et qu'elle constituait une menace pour l'Église, dit-il. En outre, elle pourrait être au service du TechnoCentre des IA.

Lourdusamy hoche la tête.

— Tout cela est exact, Federico. Parfaitement exact. Mais nous ne vous avons jamais expliqué la nature exacte de la menace qu'elle constitue. Non seulement pour l'Église et la Pax, mais également pour toute l'humanité. Si nous vous renvoyons là-bas pour continuer votre mission, mon fils, vous avez le droit de savoir.

Au-dehors, étouffés mais encore audibles à travers les murs et les fenêtres du palais, deux séries de bruits soudains et distincts se font entendre simultanément : la canonnade de midi de la colline du Janicule, au bord du fleuve, dans la direction de Trastevere, et les pendules de Saint-Pierre, qui sonnent leurs douze coups.

Lourdusamy tire une antique montre des replis de sa robe pourpre, la consulte, hoche la tête d'un air satisfait et la remet en place.

De Soya attend.

42

Il nous fallut un peu plus d'une heure pour franchir les galeries qui nous séparaient du père Glaucus et de la cité enchâssée, mais nous nous arrêtâmes à trois reprises pour dormir un peu, et le voyage dans la pénombre des étroites galeries ne se serait pas trop mal passé si un spectre n'avait surgi pour enlever l'une des femmes du groupe.

Comme dans tous les actes de violence, les choses se passèrent beaucoup trop vite pour être véritablement observables. À un moment, nous étions en train de cheminer, Énée, l'androïde et moi, au bout de la file indienne des Chitchatuks, lorsqu'il y eut une explosion de glace accompagnée d'un mouvement. Je me figeai, certain qu'une mine avait éclaté sous les pas de quelqu'un, lorsque la silhouette enveloppée de fourrure qui marchait deux rangs avant Énée disparut sans un cri.

Je demeurais figé, le fusil à plasma dans ma main protégée d'une mitaine, mais inutilisable immédiatement, car la sécurité était en place. Le Chitchatuk le plus proche de moi se mit à lancer des imprécations de rage et d'impuissance tandis que plusieurs chasseurs se ruaient dans l'ouverture qui s'était formée là où il n'y avait auparavant qu'une paroi de glace pleine.

Énée braquait déjà le rayon de sa lampe dans le boyau presque vertical lorsque je m'avançai pour l'écarter, mon arme prête à tirer. Deux des Chitchatuks s'étaient laissés glisser dans le boyau, en freinant leur chute avec les talons de leurs bottes et leurs poignards qui faisaient jaillir des morceaux de glace au-dessus de leurs têtes. J'allais faire comme eux lorsque Cuchiat me saisit l'épaule en criant :

— Ktché ! Ka tchéta chi !

Je connaissais suffisamment leur langue, en ce quatrième jour, pour comprendre qu'il m'interdisait d'y aller. J'obéis, mais sortis ma torche laser pour éclairer les chasseurs hurlants qui se trouvaient déjà à vingt mètres au-dessous de nous et qui disparurent de notre vue lorsqu'ils prirent un nouveau boyau qui continuait presque à l'horizontale. Au début, je crus qu'il s'agissait d'un effet de la couleur rouge du laser, mais je m'aperçus que la paroi du puits vertical était entièrement tapissée, comme peinte, d'une couche de sang vermeil.

Les ululations des Chitchatuks continuèrent même lorsque les chasseurs revinrent bredouilles parmi nous. Je compris qu'ils n'avaient pas trouvé trace du spectre ni de sa victime, à l'exception du sang, de sa fourrure déchiquetée et du petit doigt de sa main droite. Cuchtu, celui que nous considérions comme le sorcier de la horde, s'accroupit pour baiser le doigt sectionné, puis enfonça la pointe d'un couteau en os dans son propre avant-bras jusqu'à ce que le sang coule sur le doigt coupé. Il prit alors celui-ci avec précaution, presque avec respect, pour le déposer dans son sac en cuir. Les ululations cessèrent presque immédiatement. Chiaku, le grand guerrier à la robe de spectre tachée de sang (elle était à présent doublement maculée, car il faisait partie de ceux qui s'étaient élancés dans le boyau), se tourna vers nous et nous harangua longuement tandis que les autres mettaient leur paquetage sur leur dos, rangeaient leur javelot et reprenaient leur marche silencieuse en file indienne.

Tandis que nous gravissions la pente légère de la galerie, je ne pouvais m'empêcher de me retourner de temps à autre pour regarder le trou aux contours déchiquetés par où le spectre avait surgi. L'ouverture était déjà invisible dans l'obscurité qui nous suivait partout. Comme je savais que ces animaux vivaient à la surface et descendaient dans les galeries presque uniquement pour chasser, leur présence ne m'avait causé jusqu'ici aucune inquiétude ; mais à présent, même la glace du sol me semblait insidieuse, et chaque fissure ou recoin des parois et de la voûte menaçait de laisser passer un spectre. Je m'aperçus que j'essayais de marcher sur la pointe des pieds, comme si cela allait m'éviter de passer à l'endroit où un tueur était peut-être tapi. Malheureusement, il n'est pas facile d'avancer sur la pointe des pieds sur une planète comme Sol Draconi Septem.

— H. Énée, fit la silhouette emmitouflée de A. Bettik, je n'ai pas compris ce que disait H. Chiaku. Quelque chose qui concerne les nombres, je crois ?

Le visage de la fillette était plus qu'à moitié dissimulé sous les dents de spectre de sa robe. J'avais appris depuis peu que ces vêtements étaient confectionnés à partir de jeunes spectres — des bébés ! —, et le spectacle des bras blancs de l'épaisseur de mon torse émergeant de la paroi de glace, prolongés par des griffes de la longueur de mon avant-bras, avait suffi à me donner une idée de la taille de ces monstres. Parfois, me disais-je en essayant de marcher, avec la sécurité de mon fusil au plasma désactivée, le plus légèrement possible sous la gravité écrasante de la planète, la route du courage la plus courte passe par l'ignorance absolue.

— ... je suppose donc qu'il faisait allusion au fait que l'effectif du groupe ne correspond plus à des nombres premiers, était en train de dire Énée à l'androïde. Avant... l'enlèvement, nous étions... vingt-trois plus trois, ce qui allait très bien ; mais maintenant, il va falloir qu'ils fassent quelque chose ou... je ne sais pas... ça risque de porter malheur.

Apparemment, ils résolurent le problème en envoyant Chiaku en éclaireur. Peut-être se porta-t-il volontaire pour se séparer du groupe jusqu'à ce qu'ils nous laissent dans la cité glacée. Vingt-cinq, en tant que nombre impair, était provisoirement acceptable. Mais sans nous, le groupe serait réduit à vingt-deux, ce qui était interdit.

Je laissai leur casse-tête sur les nombres premiers aux Chitchatuks lorsque nous arrivâmes en vue de la cité.

Ce fut la lumière qui nous frappa tout d'abord. Nos yeux, au bout de quelques jours, s'étaient si bien habitués à la lueur du « chuchkituk », le brasero en forme de mitre, que même la faible lumière de nos torches, quand nous les allumions, nous aveuglait. Celle qui se dégageait de la cité enchâssée était réellement douloureuse.

À une époque, la construction devait être en acier ou en plastacier, avec des panneaux de verre intelligent. Elle devait avoir une hauteur de soixante-dix étages et donner sur la verdure d'une agréable vallée terraformée. Sans doute la rivière coulait-elle au sud, à cinq cents mètres de là. Aujourd'hui, cependant, notre galerie débouchait sur un trou dans la glace situé à peu près à hauteur du cinquante-huitième étage, et des avancées du glacier d'atmosphère gelée avaient courbé la carcasse d'acier du gratte-ciel et trouvé leur chemin vers l'intérieur en divers endroits.

Mais la structure avait résisté, et ses étages supérieurs émergeaient peut-être à la surface du glacier, dans l'obscurité d'un vide quasi total. Le plus étonnant, cependant, c'était qu'elle était toujours illuminée.

Les Chitchatuks s'arrêtèrent devant l'entrée en s'abritant les yeux de la lumière et en ululant d'une manière très différente de ce qu'ils avaient fait entendre quand la femme avait été enlevée. C'était plutôt un signal. Pendant que tout le monde attendait, je profitai de l'occasion pour examiner la carcasse éventrée d'acier et de verre, avec ses dizaines de lanternes accrochées partout à chaque étage. La glace était suffisamment mince à cet endroit pour que nous puissions contempler, entre nos pieds, l'enfilade des étages inférieurs, aux fenêtres illuminées.

Le père Glaucus s'avança lentement vers nous à travers un espace mi-bureau, mi-caverne de glace. Il portait la longue soutane noire et le crucifix que j'associais aux jésuites du monastère des environs de Port-Romance. Je vis que le vieillard était aveugle. Ses yeux, rendus laiteux par la cataracte, étaient aussi opaques que des pierres. Mais ce n'est pas cela qui me frappa au premier abord chez le père Glaucus. Il était très âgé, avec des cheveux blancs et une barbe de patriarche. Lorsque Cuchiat lui adressa la parole, ses traits s'animèrent comme s'il sortait de transe, ses sourcils neigeux s'arquèrent, et son large front se plissa tandis que tout son visage s'épanouissait en un large sourire. Cela peut vous sembler bizarre, mais le père Glaucus n'avait absolument rien de grotesque, ni dans sa cécité, ni dans la blancheur éblouissante de sa barbe, ni dans sa peau tannée, ridée et tavelée, ni dans ses lèvres desséchées. Il ressemblait tant à... ce qu'il était que les comparaisons tombent à plat.

J'avais quelques réticences concernant cette rencontre avec Glaucus. Je craignais qu'il ne soit en relation avec la Pax. Et en voyant qu'il s'agissait vraiment d'un prêtre, j'aurais dû entraîner la fillette et l'androïde avec moi et repartir avec les Chitchatuks. Mais aucun de nous trois ne semblait vraiment désireux de repartir. Cet homme n'appartenait pas à la Pax, c'était le père Glaucus, et il ne représentait que lui-même. C'est ce que nous devions apprendre quelques minutes à peine après notre arrivée.

Pour commencer, sans qu'aucun de nous ait parlé, le prêtre aveugle sembla s'apercevoir de notre présence. Après avoir dit quelques mots à Cuchiat et à Chichticia dans leur langue, il pivota soudain vers nous trois, les bras tendus, les paumes en avant, comme s'il était capable de capter notre chaleur. Puis il s'avança vers nous, à la limite de son bureau et de la caverne de glace d'où nous venions.

Le père Glaucus marcha sans hésiter sur moi, posa une main osseuse sur mon épaule et articula nettement en anglais du Retz :

— Tu es celui qui devait venir !

Il m'a fallu du temps — des années, en fait — pour donner toute la perspective voulue à cette formule. À l'époque, je me disais simplement que le vieux prêtre était aussi fou qu'aveugle.

L'idée des Chitchatuks était de nous laisser quelques jours avec le père Glaucus dans sa tour subglaciale pendant qu'ils vaquaient à d'autres occupations. Énée et moi, nous nous doutions qu'il s'agissait principalement de régler la question cruciale des nombres premiers. Ensuite, la horde viendrait nous reprendre ici. Nous avions réussi à leur expliquer par signes que nous voulions démanteler le radeau pour le transporter en aval jusqu'au portail distrans suivant. Les Chitchatuks avaient paru comprendre, c'est-à-dire qu'ils avaient hoché la tête en prononçant le mot qu'ils utilisaient pour marquer leur accord : « chia ». Avec force gestes, nous avions indiqué notre intention de franchir la deuxième arche avec le radeau. Si j'avais bien interprété leur réponse par signes et par la parole, le voyage à pied à la surface demanderait plusieurs jours et nous conduirait dans des secteurs infestés de spectres arctiques. Je crus comprendre qu'ils me promettaient d'en discuter de nouveau après avoir résolu l'importante question de l'*équilibre* de la horde, ce qui signifiait en clair qu'il fallait qu'ils trouvent un nouveau membre ou qu'ils en perdent trois. De quoi nous laisser rêveurs.

Quoi qu'il en soit, nous resterions avec le père Glaucus jusqu'au retour de la horde. Le prêtre aveugle bavarda quelques minutes de manière animée avec les chasseurs, puis les accompagna jusqu'à l'entrée de la caverne de glace, où il demeura, l'oreille tendue, longtemps après que la faible lueur du brasero eut disparu au loin.

Il revint alors vers nous pour nous palper de nouveau, sur le visage, les épaules, les bras et les mains. J'avoue que je ne me suis jamais senti scruté aussi intensément. Lorsqu'il prit le petit visage d'Énée entre ses deux mains, il murmura :

— Un enfant humain. Je ne me serais jamais attendu à retrouver un visage d'enfant.

Je ne comprenais pas pourquoi il disait cela.

— Et les Chitchatuks ? demandai-je. Ils sont humains. Ils doivent bien avoir des enfants ?

Le père Glaucus nous guida dans les profondeurs du gratte-ciel, puis nous grimpâmes un escalier qui conduisait à un appartement chauffé où il avait, de toute évidence, établi ses quartiers. L'endroit était illuminé par des lanternes qui brûlaient les mêmes tablettes rougeoyantes que celles des braseros des Chitchatuks, à cette exception près qu'il y en avait ici des centaines au lieu d'une poignée. Le mobilier était très confortable. Il y avait dans un coin un vieux lecteur de disques audio, et la paroi intérieure était tapissée de livres, chose que je jugeai tout à fait incongrue chez un aveugle.

— Les Chitchatuks ont bien des enfants, me dit le vieillard, mais ils ne leur permettent jamais d'accompagner les groupes qui vont si loin au nord.

— Pourquoi pas ?

— À cause des spectres, qui sont extrêmement nombreux au nord de l'ancienne limite de terraformation.

— Je croyais que la survie de la horde dépendait d'eux.

Le vieillard hocha la tête en se lissant la barbe. Elle était dense, d'une blancheur éclatante, et assez longue pour dissimuler son col romain. Sa soutane, soigneusement rapiécée, s'effrangeait en plusieurs endroits.

— Mes amis les Chitchatuks dépendent des *bébés* spectres pour tout ce qui concerne leur survie, me dit-il. Mais le métabolisme des adultes est tel que leurs peaux et leurs os ne peuvent leur servir à rien.

Je ne comprenais pas ce qu'il voulait dire, mais je le laissai continuer.

— Les spectres, de leur côté, raffolent des enfants humains. C'est la raison pour laquelle les Chitchatuks s'étonnent de la présence de notre jeune amie sur ce territoire.

— Où sont leurs enfants ? demanda Énée.

— À plusieurs centaines de kilomètres au sud, avec les hordes de puériculture. Le climat est plus... tropical. La glace ne fait que trente ou quarante mètres d'épaisseur, et l'atmosphère est presque respirable.

— Pourquoi les spectres n'y vont-ils pas à la chasse aux enfants ? demandai-je.

— Le terrain leur est défavorable. Il y fait beaucoup trop chaud.

— Dans ce cas, pourquoi les Chitchatuks ne se réfugient-ils pas tous au Sud, pour...

Je m'interrompis soudain. Le froid et la gravité avaient dû me rendre encore plus stupide que d'habitude.

— Exactement, me dit le père Glaucus en voyant, d'après mon silence, que j'avais compris. Les Chitchatuks dépendent entièrement des spectres. Les hordes de chasseurs comme celle de notre ami Cuchiat prennent de terribles risques pour alimenter les puériculteurs en peaux, viande et outils. Sinon, c'est la famine. Les Chitchatuks n'ont pas beaucoup d'enfants, mais ils leur sont précieux. Comme ils disent, « utchaï tuk aïchit chacutkuchit ».

— Plus... sacrés — ce doit être à peu près ça — que la chaleur, traduisit Énée.

— Exactement, fit le vieux prêtre. Mais pardonnez-moi, j'oublie les bonnes manières. Je vais vous conduire à vos chambres. J'en ai plusieurs, que je laisse meublées et chauffées, bien que vous soyez mes premiers invités non chitchatuks depuis... euh... une cinquantaine d'années standard, je pense. Pendant que vous vous installerez, je m'occuperai de préparer le dîner.

43

Au beau milieu de ses explications sur la véritable raison de la mission de De Soya le cardinal Lourdusamy se laisse aller en arrière sur son trône et agite une grosse main molle en direction du haut plafond.

— Que pensez-vous de cette salle, Federico ?

Le père capitaine, qui s'apprêtait à entendre d'importantes révélations, ne peut que battre plusieurs fois des paupières en levant la tête. Cette grande salle est tout aussi décorée que les autres pièces de l'appartement Borgia — un peu plus, même, se dit-il, car les couleurs sont moins passées, plus vivantes. C'est alors qu'il s'aperçoit de la différence.

Ces fresques et tapisseries sont modernes. Elles représentent le pape Jules VI en train de recevoir le cruciforme des mains d'un ange du Seigneur, ou bien Dieu le père lui-même, penché en avant — comme en écho du plafond de la chapelle Sixtine peint par Michel-Ange — pour conférer le sacrement de la Résurrection à Jules. Il distingue aussi le malheureux antipape Teilhard Ier, qu'un ange armé d'une épée flamboyante est en train de bannir. D'autres décorations du plafond et tapisseries murales proclament la gloire du premier grand siècle de la résurrection de l'Église et de l'expansion de la Pax.

— Le plafond d'origine s'est effondré en 1500 après Jésus-Christ, explique Lourdusamy de sa grosse voix. Il a failli tuer le pape Alexandre. La majeure partie des décorations a été perdue. Léon X a tout fait reconstituer après la mort de Jules II, mais le travail était inférieur à l'original. Sa Sainteté a commandé ce nouvel ouvrage il y a cent trente années standard. Vous remarquerez la fresque centrale. Elle est de la main de Halaman Ghena, du vecteur Renaissance. La tapisserie de l'Ascension de la Pax que vous voyez ici est due à Shiroku. La restauration architecturale a été effectuée par la crème des artisans de Pacem, parmi lesquels figure en bonne place Peter Baines Cort-Bilgruth.

De Soya hoche poliment la tête. Il n'a pas encore compris le rapport avec leur discussion précédente. Peut-être le cardinal, comme toutes les personnes qui détiennent un peu de pouvoir, a-t-il pris l'habitude de digresser à sa guise parce que ses interlocuteurs n'osent jamais protester.

Comme s'il lisait dans la pensée du prêtre-capitaine, Lourdusamy laisse entendre un petit rire caquetant et pose sa main potelée sur la surface de cuir de la table.

— J'ai mes raisons de parler de ça, Federico, murmure-t-il. Êtes-vous d'accord pour dire que la Pax et l'Église ont apporté à l'humanité une ère sans précédent de paix et de prospérité ?

De Soya hésite. Il a des connaissances en histoire, mais il n'est pas tout à fait sûr que cette ère soit sans précédent. Quant à la « paix »... Le souvenir des forêts orbitales en flammes et des planètes ravagées hante toujours ses nuits.

— L'Église et ses alliés de la Pax ont certainement amélioré la situation de la plupart des anciens mondes du Retz que j'ai eu l'occasion de visiter, Votre Éminence, répond-il. Et nul ne peut nier les bienfaits sans précédent de la résurrection.

La gorge de Lourdusamy vibre d'un rire amusé.

— Que les saints nous viennent en aide ! Un diplomate ! s'exclame-t-il avant de se frotter la lèvre supérieure. Oui, oui, vous avez parfaitement raison, Federico. Chaque époque a ses imperfections, et la nôtre est marquée par une lutte de tous les instants contre les Extros, et par un combat encore plus urgent pour établir le règne de Notre-Seigneur et Sauveur dans le cœur de chaque homme et de chaque femme. Mais, comme vous le voyez (sa main s'agite, une fois de plus, en direction des fresques et des tapisseries), nous sommes au cœur d'une Renaissance aussi puissante et aussi authentique que celle qui nous a donné la chapelle de Nicolas V et toutes les autres merveilles que vous avez pu admirer au passage. Et cette Renaissance est véritablement celle de l'esprit, Federico.

De Soya ne dit rien.

— Mais cette... abomination cherche à détruire toutes ces choses, continue gravement Lourdusamy. Comme je vous le disais déjà l'an dernier, ce n'est pas un enfant que nous traquons, c'est un virus. Et nous savons, à présent, d'où il vient.

De Soya écoute toujours en silence.

— Sa Sainteté vient d'avoir une de ses visions, continue le cardinal d'une voix si douce qu'elle est à peine audible. Vous savez, je suppose, que le Saint-Père fait souvent des rêves que lui envoie Dieu ?

— J'ai entendu quelques rumeurs à ce sujet, Votre Éminence.

Cet aspect magique de l'Église a toujours un peu rebuté de Soya. Il attend encore.

Lourdusamy écarte d'un revers de main les rumeurs fantaisistes.

— Il est vrai que Sa Sainteté a eu des révélations vitales après des périodes de grand recueillement, de jeûne et d'extrême humilité, dit-il gravement. Ces révélations ont été la source de nos renseignements concernant le moment et l'endroit où l'enfant devait apparaître sur Hypérion. Sa Sainteté ne s'était pas trompée quant au moment, n'est-ce pas ?

De Soya incline la tête en signe d'assentiment.

— Et c'est également l'une de ces révélations sacrées qui a poussé le Saint-Père à faire appel à vos services, Federico. Il a vu que votre destin et le salut de notre Église et de notre société étaient inextricablement liés.

Le père capitaine de Soya continue de regarder droit devant lui, sans ciller.

— Récemment, continue le cardinal de sa voix tonnante, la menace pesant sur l'avenir de l'humanité lui a été révélée de manière beaucoup plus détaillée.

Le cardinal se lève. Lorsque Monsignor Oddi et de Soya s'empressent de l'imiter, le colosse leur fait signe de rester assis. De Soya obéit et suit des yeux la masse vêtue de rouge et de blanc qui se déplace parmi les flaques de lumière de la salle obscure. Les joues du cardinal sont luisantes, ses petits yeux sont perdus dans l'ombre projetée par les spots du plafond.

— Il s'agit, en fait, d'une grande offensive du Techno-Centre, visant à nous détruire définitivement. Les entités mécaniques malveillantes qui ont causé la perte de l'Ancienne Terre, parasité l'âme et l'esprit de l'humanité à travers leurs distrans, et déclenché l'offensive des Extros précédant la Chute sont de nouveau à l'œuvre. Cette progéniture de cybride, cette... Énée... est leur instrument. C'est la raison pour laquelle les distrans fonctionnent avec elle et ne laissent passer personne d'autre. C'est aussi la raison pour laquelle le démon qu'on appelle le gritche a massacré des milliers de nos hommes et en massacrera peut-être bientôt des millions ou même des milliards. À moins qu'on ne l'arrête, ce... succube va réussir à nous ramener sous le Joug de la Machine.

De Soya suit des yeux le cardinal tandis qu'il quitte la lumière pour se placer dans l'ombre. Rien de tout cela n'est nouveau.

Lorsque Lourdusamy cesse momentanément de faire les cent pas, il reprend :

— Mais Sa Sainteté sait à présent que ce rejeton de

cybride n'est pas seulement l'agent du Centre, Federico. Elle est aussi l'instrument du Dieu Machine.

De Soya commence à comprendre. Lorsque l'Inquisition l'a interrogé sur les *Cantos*, son estomac s'est noué à la pensée du châtiment réservé à ceux qui ont lu le poème interdit. Mais même ce livre à l'Index reconnaissait que les éléments du Centre des IA travaillaient depuis des siècles à produire une Intelligence Ultime, c'est-à-dire une divinité cybernétique susceptible d'étendre rétrospectivement son pouvoir à travers le temps dans tout l'univers, pour le soumettre. En fait, aussi bien les *Cantos* que l'histoire officielle de l'Église reconnaissaient l'existence de cette bataille à travers le temps entre un faux dieu et Notre-Seigneur. Le cybride Keats — ou les cybrides, plutôt, car il y en avait eu un deuxième lorsqu'une secte du Centre avait détruit le premier dans la mégasphère — avait été faussement représenté comme candidat au statut de messie de l'« IU humaine » — ce concept teilhardien blasphématoire de dieu humain évolué — dans les *Cantos* interdits. Le poème affirmait que l'*empathie* était la clé de l'évolution spirituelle de l'homme. L'Église avait corrigé cela en déclarant que la soumission à la volonté divine était la seule source de révélation et de salut.

— Par la révélation, continue Lourdusamy, Sa Sainteté sait exactement où se trouvent, en ce moment même, le rejeton cybride et ses complices.

De Soya se penche en avant.

— Où, Votre Éminence ?

— Sur le monde de glace abandonné de Sol Draconi Septem, fait la grosse voix du cardinal. Sa Sainteté est formelle. Et elle est également formelle en ce qui concerne les conséquences, si quelqu'un n'arrête pas cette fillette au plus vite.

Lourdusamy contourne le long bureau et vient se placer devant le prêtre-capitaine. De Soya lève la tête et voit le rouge vif et le blanc éclatant de son costume tandis que deux petits yeux ronds le transpercent.

— Elle est à la recherche d'alliés, reprend la voix grave du cardinal. Ceux qui doivent l'aider à détruire la Pax et à profaner l'Église. Jusqu'à présent, elle n'était qu'un virus mortel dans une région déserte. Un danger en puissance, mais contrôlable. D'ici peu, si elle nous échappe encore, elle va atteindre sa pleine maturité et sa pleine puissance. La puissance du Malin.

Au-dessus de l'épaule luisante du cardinal, de Soya voit des figures qui se tordent dans les fresques du plafond.

— Chacun des vieux portails distrans s'ouvrira simultanément, continue le cardinal. Le démon gritche — reproduit à un million d'exemplaires — fera irruption chez les chrétiens pour commencer le massacre. Les Extros disposeront d'une puissance décuplée par les armes du TechnoCentre et par les redoutables technologies IA. Déjà, ils ont utilisé les machines subcellulaires pour se transformer en quelque chose de plus et de moins que des humains. Ils ont renoncé à leurs âmes immortelles en échange d'appareils qui leur permettent de s'adapter à l'espace, de se nourrir de radiations solaires et de survivre... de survivre... comme des plantes dans l'obscurité. Leurs capacités guerrières seront multipliées par mille avec les moteurs secrets du Centre. Cette redoutable puissance n'est nullement niée par l'Église. Des milliards d'êtres humains mourront de la vraie mort. Leurs cruciformes leur seront arrachés, leurs âmes seront déchirées de leurs corps comme des cœurs vivants dans les poitrines. Des dizaines de milliards de vies prendront fin. Les Extros mettront la Pax à feu et à sang, ils ne laisseront derrière eux que des ruines, comme les Vandales et les Wisigoths. Ils détruiront Pacem, le Vatican et tout ce que nous connaissons. Ils tueront la paix. Ils contreront la vie et profaneront le principe de la dignité individuelle.

De Soya ne fait aucun commentaire.

— Toutes ces choses ne se produiront pas obligatoirement, continue Lourdusamy. Sa Sainteté prie chaque jour pour qu'elles ne se produisent pas. Mais nous vivons en des temps périlleux, Federico. Périlleux pour l'Église, pour la Pax et pour l'avenir de la race humaine. Le Saint-Père a vu ce qui *pourrait* se passer, et il a dédié nos vies et notre honneur sacré de princes de l'Église au combat qu'il nous reste à mener pour empêcher la concrétisation d'une réalité aussi terrible.

De Soya lève la tête tandis que le cardinal se penche en avant.

— À ce stade, Federico, j'ai une révélation à vous faire. C'est une chose que nos milliards de fidèles n'apprendront que dans quelques mois. Au moment même où je vous parle, au Synode épiscopal interstellaire, Sa Sainteté est en train d'annoncer l'instauration d'une croisade.

— Une croisade ? répète de Soya tandis que même l'imperturbable Monsignor Oddi laisse échapper un grognement de surprise.

— Une croisade contre la menace extro, reprend le cardinal Lourdusamy de sa grosse voix de basse. Durant des siècles, nous sommes restés sur des positions défensives. Même le Grand Mur est un dispositif de défense, qui consiste à interposer des chrétiens, des vaisseaux et des vies humaines sur le chemin des agressions extros ; mais à partir de ce jour, grâce à Dieu, l'Église et la Pax vont passer à l'offensive.

— De quelle manière ? demande De Soya.

Il sait que des combats font déjà rage dans les régions grises intermédiaires qui séparent les domaines de la Pax et des Extros, emplissant des milliers de parsecs de mouvements de flottes dans tous les sens ; mais, compte tenu du déficit de temps — il faut deux ans de vaisseau pour faire le voyage de Pacem aux régions extrêmes du Grand Mur, soit plus de vingt ans de déficit —, il est difficile, sinon impossible, d'assurer une coordination des mouvements offensifs ou défensifs.

Lourdusamy esquisse un sourire grave avant de répondre.

— Au moment où je vous parle, tous les mondes de la Pax et du Protectorat ont reçu la demande — l'ordre — de consacrer une partie de leurs ressources planétaires à la construction d'un gros vaisseau — un pour chaque planète.

— Mais nous avons déjà des milliers de vaisseaux..., commence le prêtre-capitaine, qui laisse brusquement sa phrase en suspens.

— Je sais, murmure le cardinal. Mais ces vaisseaux bénéficieront de la nouvelle technologie archange. Ils ne seront cependant pas comme votre *Raphaël*, dont l'armement est léger. Il s'agira des croiseurs de combat les plus redoutables que ce bras spiralé ait jamais connus. Capables de se translater n'importe où dans la galaxie en moins de temps qu'il n'en faut à un vaisseau de descente pour grimper en orbite.

Chaque croiseur portera le nom de sa planète. Les équipages seront composés d'officiers de la Pax dévoués comme vous-même ainsi que d'hommes et de femmes prêts à connaître la mort et à recevoir la résurrection autant de fois qu'il le faudra. Et chaque vaisseau sera capable de détruire un essaim entier.

De Soya hoche la tête.

— C'est la réponse du Saint-Père à la révélation de la menace représentée par l'enfant, Votre Éminence ?

Lourdusamy retourne s'asseoir sur son trône derrière son bureau comme s'il était épuisé.

— En partie, Federico. En partie. La construction de ces nouveaux vaisseaux commencera dans la prochaine décennie standard. La technologie est complexe, très complexe. En attendant, le succube cybride continue de propager la maladie comme un virus malfaisant. Cette partie-là dépendra de vous et de votre équipage renforcé de traqueurs de virus.

— Renforcé ? répète de Soya. Le sergent Gregorius et le caporal Kee ne pourront pas en faire partie ?

— Mais oui, fait le cardinal. Ils ont déjà reçu leur affectation.

— De quel renforcement voulez-vous parler, dans ce cas ? insiste de Soya.

Il craint que l'un des cardinaux du Saint-Office ne lui soit imposé à bord.

Lourdusamy ouvre sa grosse main comme pour dévoiler le secret d'un coffre au trésor.

— Il s'agit d'une simple adjonction à votre équipage, Federico, dit-il.

— Un officier de l'Église ? interroge le prêtre-capitaine, qui est en train de se demander si le disque papal ne va pas être confié à quelqu'un d'autre.

Lourdusamy secoue la tête. Ses bajoues suivent mollement le mouvement.

— Un soldat, père capitaine de Soya. Issu d'une nouvelle race de guerriers spécialement adaptés pour constituer la nouvelle Armée du Christ.

De Soya ne comprend pas. Le cardinal a l'air de dire que la réponse du Vatican à la nanotechnologie extro consiste à introduire des biomodifications de son cru. Ce qui défierait toutes les doctrines de l'Église qui lui ont été inculquées.

Une fois de plus, le cardinal semble lire dans les pensées du prêtre-capitaine.

— Ne vous méprenez pas, Federico. Il s'agit uniquement de... certains rehaussements... et de beaucoup d'entraînement dans une nouvelle branche de la Pax militaire. Mais l'individu demeure totalement humain... et chrétien.

— Un seul soldat ? demande De Soya, mystifié.

— Un guerrier. Et qui n'appartient pas à la chaîne de commandement de la Pax. Le premier membre des légions d'élite qui seront le fer de lance de la croisade lancée aujourd'hui par Sa Sainteté.

De Soya se frotte le menton.

— Et il sera placé sous mon commandement direct, comme Gregorius et Kee ?

— Bien entendu, bien entendu, fait Lourdusamy en se laissant aller en arrière, les mains croisées sur sa bedaine. Il n'y aura qu'une seule petite modification, jugée nécessaire par le conseil du Saint-Office en accord avec Sa Sainteté. Elle aura son propre disque papal pour tout ce qui concerne les décisions militaires et les actions destinées à préserver les intérêts de l'Église.

— Elle ? répète de Soya sans comprendre.

Si ce mystérieux « guerrier » et lui disposent de la même autorité papale, comment arriveront-ils à prendre la moindre décision ? La poursuite de la fillette, jusqu'à présent, a eu des aspects et des implications militaires à tous les niveaux. Et chaque décision est allée dans le sens de la préservation des intérêts de l'Église. Autant être déchargé de cette mission que subir ce faux partage du commandement.

Avant qu'il ait pu formuler ses objections, le cardinal Lourdusamy se penche en avant et articule aussi bas que le lui permet sa voix de basse :

— Federico, Sa Sainteté vous voit toujours impliqué dans cette mission, et responsable au premier degré. Mais Notre-Seigneur lui a révélé une terrible nécessité, que le Saint-Père cherche à retirer de vos mains, sachant que vous êtes un homme de conscience.

— Une terrible nécessité ? répète de Soya.

Mais il sait déjà exactement, avec une certitude totale et immédiate, de quoi il s'agit.

Les traits de Lourdusamy sont baignés de lumière et d'ombre tandis qu'il se penche sur son bureau.

— Le succube procréé par un cybride doit être détruit. Anéanti. Le virus doit être extirpé du corps du Christ. C'est le premier acte de chirurgie corrective qui doit être entrepris.

De Soya compte jusqu'à huit avant de parler.

— À moi de trouver l'enfant, dit-il, et à ce... guerrier... de la tuer.

— Oui, déclare Lourdusamy.

Il n'y a pas de discussion pour savoir si de Soya accepte cette nouvelle forme de mission. Les chrétiens régénérés, les prêtres, en particulier les jésuites, et les officiers de la Pax ne pinaillent pas lorsque le Saint-Père et la Sainte Église leur assignent une mission.

— Quand ferai-je la connaissance de ce guerrier, Votre Éminence ? demande De Soya.

— Le *Raphaël* se translatera dès cet après-midi sur Sol Draconi Septem, couine la petite voix de Monsignor Oddi de la place qu'il occupe derrière de Soya, sur sa gauche. Votre nouveau membre d'équipage est déjà à bord.

— Puis-je vous demander son nom et son grade ? fait de Soya en se tournant vers le monsignor.

C'est le secrétaire cardinal Simon Augustino Lourdusamy qui lui répond.

— Elle n'a pas encore de grade officiel, père capitaine de Soya. Elle sera intégrée plus tard comme officier dans les rangs de la nouvelle Légion des Croisés. En attendant, vos hommes et vous pourrez l'appeler par son nom.

De Soya attend.

— Qui est Némès, continue le cardinal. Radamanthe Némès.

Il darde le regard de ses petits yeux mobiles sur Lucas Oddi. Celui-ci se lève aussitôt. De Soya s'empresse de l'imiter. L'audience est visiblement terminée.

La main potelée de Lourdusamy se lève pour leur accorder sa bénédiction à trois doigts. De Soya courbe le front.

— Puisse Notre-Seigneur et sauveur Jésus-Christ vous préserver de tous les maux et vous accorder le succès dans

votre très important voyage. Au nom de Jésus, nous en faisons la requête.

— Amen, murmure Monsignor Lucas Oddi.

— Amen, répète de Soya.

44

Ce n'était pas qu'un simple immeuble pris dans la glace.
Il y avait toute une cité enfouie ici dans l'atmosphère resu-
blimée de Sol Draconi Septem, un petit morceau d'*hubris*
de la vieille Hégémonie figé sur place comme un insecte
emprisonné depuis longtemps dans l'ambre.

Le père Glaucus était un homme doux et généreux. Nous
eûmes tôt fait d'apprendre qu'on l'avait exilé sur Sol Draconi Septem en punition de son appartenance à l'un des derniers ordres teilhardiens de l'Église. Bien que son ordre eût
rejeté les dogmes fondamentaux de Teilhard après la publi-
cation par Jules VI d'une bulle proclamant le caractère blasphématoire de la philosophie de l'antipape, il fut dissous
et ses membres excommuniés ou expédiés au fin fond des
territoires contrôlés par la Pax. Le père Glaucus n'employait
jamais le mot « exil » à propos des cinquante-sept années
standard qu'il avait passées dans ce tombeau de glace. Il
préférait parler de sa « mission ».

Tout en reconnaissant qu'aucun des Chitchatuks n'avait
manifesté le moindre désir de se convertir, le père Glaucus
avouait qu'il ne recherchait pas particulièrement ce but. Il
admirait leur courage, respectait leur probité et se disait fasciné par leur culture si durement acquise. Avant de devenir
aveugle — il prétendait que ce n'était pas une simple cataracte, mais une cécité des neiges due à la combinaison du
froid, du vide et des radiations qui frappaient la surface —,
il avait longtemps erré avec plusieurs hordes de Chitchatuks.

— Ils étaient beaucoup plus nombreux, à l'époque, nous
expliqua-t-il tandis que nous étions confortablement installés
dans son bureau brillamment illuminé. L'attrition a durement prélevé sa part. Sur des dizaines de milliers de Chitcha-

tuks qui peuplaient ces régions il y a cinquante ans, il ne reste aujourd'hui que quelques centaines de survivants.

Les deux premiers jours, pendant qu'Énée, A. Bettik et le prêtre aveugle discutaient, je passai une grande partie de mon temps à explorer la cité glacée. Le père Glaucus avait illuminé quatre étages d'un autre grand immeuble avec les lanternes alimentées par des tablettes.

— Pour maintenir les spectres à distance, nous avait-il expliqué. Ils ont horreur de la lumière.

Je découvris un escalier et commençai à descendre dans l'obscurité, ma lampe dans une main et mon fusil dans l'autre. Une vingtaine d'étages plus bas, je pénétrai dans une garenne de tunnels de glace qui communiquaient avec d'autres immeubles de la cité. Quelques décennies plus tôt, le père Glaucus avait marqué les entrées de ces structures souterraines à l'encre lumineuse : ENTREPÔT, TRIBUNAL, CENTRE DE COMMUNICATIONS, DÔME DE L'HÉGÉMONIE, HÔTEL et ainsi de suite. J'en explorai quelques-unes. Il y avait des traces de passages plus récents du prêtre. À ma quatrième exploration, je tombai sur une profonde caverne où les tablettes de combustible pour les lanternes étaient stockées. Elles servaient à la fois de source de chaleur et de lumière. Elles étaient aussi la raison principale des visites régulières que lui rendaient les Chitchatuks.

— Les spectres leur fournissent tout sauf ça, nous avait expliqué le vieux prêtre. Les tablettes leur donnent le peu de lumière et de chaleur dont ils ont besoin. Nous faisons une espèce de troc mutuellement profitable. Ils m'apportent de la viande et des peaux, et je leur fournis la lumière, la chaleur et la conversation à volonté. Je pense qu'ils ont apprécié ma compagnie, au début, parce que ma horde comptait un effectif égal au plus parfait des nombres premiers : le chiffre un ! Au début, je tenais secret l'emplacement des tablettes, mais j'ai vite compris qu'ils ne me voleraient jamais, même si leur survie était en jeu, même si la vie de leurs propres enfants en dépendait.

Il n'y avait pas grand-chose d'autre à voir dans la cité enchâssée. L'obscurité, à ces profondeurs, était totale, et ma lampe avait peine à la dissiper localement. Si j'avais eu, à un moment, l'espoir de découvrir un moyen — un chalumeau géant, peut-être, ou un tunnelier à fusion — d'arriver aisément à la rivière et à la deuxième arche, cet espoir fut très vite anéanti. La cité, à l'exception des quatre étages occupés par le père Glaucus, avec ses meubles, ses livres, sa lumière, ses vivres, sa chaleur et sa conversation, était aussi froide et morte que le neuvième cercle de l'enfer.

Le quatrième jour, juste avant le repas de midi, je rejoignis mes deux compagnons dans le bureau du vieux prêtre avec qui ils étaient en train de bavarder. J'avais déjà examiné les volumes de la bibliothèque. Il y avait là des traités de philosophie et de théologie, des textes sur les mystères et l'astronomie, des études d'ethnologie, avec plusieurs tomes sur la nouvelle anthropologie, des romans d'aventure, des guides de menuiserie, des ouvrages de médecine et des manuels de zoologie.

— Ma plus grande tristesse, lorsque j'ai perdu la vue, il y a trente ans, nous avait dit le père Glaucus en nous montrant fièrement sa bibliothèque, a été de ne plus pouvoir lire mes chers livres. Je suis un Prospero frustré. Vous ne pouvez pas imaginer le temps qu'il m'a fallu pour monter ces trois mille volumes de la bibliothèque située cinquante étages plus bas !

L'après-midi, pendant que j'explorais et que A. Bettik allait lire dans un coin, Énée faisait la lecture au vieux prêtre. À un moment, en entrant sans frapper dans la salle, je vis couler des larmes sur les joues du missionnaire.

Ce jour-là, le prêtre nous raconta ce qu'il savait sur Teilhard, le jésuite de l'origine et non l'antipape évincé par Jules VI.

— Il était brancardier pendant la Première Guerre mondiale, nous expliqua-t-il. Il aurait pu être aumônier et rester à l'arrière, mais il préféra être brancardier. On lui décerna des médailles pour son courage, et même la Légion d'honneur.

A. Bettik, à ce moment-là, se racla poliment la gorge avant de demander :

— Excusez-moi, mon père, mais puis-je présumer à juste titre que cette Première Guerre mondiale dont vous parlez était un conflit préhégirien limité à l'Ancienne Terre ?

Le prêtre à la barbe blanche sourit.

— Vous le pouvez, vous le pouvez, mon cher ami. Début

du XXᵉ siècle. Ce fut un terrible conflit. Terrible. Et Teilhard s'y trouva plongé jusqu'au cou. Sa haine de la guerre ne devait plus le quitter jusqu'à ses derniers jours.

Le père Glaucus s'était fabriqué, depuis très longtemps, un fauteuil à bascule, dans lequel il se balançait présentement devant un feu de tablettes combustibles qui brûlait lentement dans un foyer rudimentaire. Les braises dorées projetaient de longues ombres et dégageaient plus de chaleur que nous n'en avions ressenti depuis que nous avions passé le portail distrans.

— Teilhard était un géologue et un paléontologiste, reprit le vieillard. Ce fut en Chine — une vieille nation-État de l'Ancienne Terre, mes amis —, dans les années 1930, qu'il conçut ses théories sur l'évolution en tant que processus incomplet mais obéissant à une finalité. Il voyait l'univers comme une tentative divine de fondre le Christ de l'Évolution, le Personnel et l'Universel en une seule et unique entité consciente. Dans chaque étape de l'évolution, Teilhard de Chardin voyait un signe d'espoir, et même les phénomènes d'extinction de masse étaient une cause de réjouissance. La cosmogenèse — c'est le mot qu'il utilise — survient lorsque l'homme devient le centre de l'univers, et la néogenèse définit l'évolution continue de son esprit vers l'hominisation et l'ultrahominisation, qui sont les différents stades de l'accession de l'*Homo sapiens* à une humanité véritable.

— Pardonnez-moi, mon père, m'entendis-je dire, vaguement conscient de l'incongruité de cette discussion abstraite au milieu d'une cité glacée, sous une atmosphère gelée, alors que nous étions encerclés par le froid et les spectres mangeurs d'hommes... Mais l'hérésie de Teilhard ne consistait-elle pas à soutenir que l'homme était capable de se transformer en Dieu ?

Le prêtre aveugle secoua la tête sans pour autant cesser d'afficher un sourire bienveillant.

— De son vivant, mon fils, Teilhard n'a jamais été sanctionné pour hérésie. En 1962, le Saint-Office — qui était entièrement différent du nôtre, croyez-moi — a publié un *monitum*...

— Un quoi ? demanda Énée, assise sur le tapis devant le feu.

— Un *monitum* est une mise en garde contre l'acceptation acritique des idées qu'il exprime. Or, Teilhard n'a jamais écrit que l'homme allait devenir Dieu. Il a seulement soutenu que la conscience totale de l'univers faisait partie d'un processus d'évolution vers un moment — qu'il appelait le point Oméga — où toute la création, humanité comprise, ne ferait plus qu'un avec la divinité.

— Teilhard aurait-il inclus le TechnoCentre dans cette évolution ? demanda Énée à voix basse, les mains nouées autour de ses genoux.

Le prêtre aveugle cessa momentanément de se balancer et passa les doigts d'une main dans sa barbe pour la lisser.

— Les spécialistes de Teilhard discutent de cette question depuis des siècles, ma chère. Sans en être un, j'ai la quasi-certitude qu'il aurait inclus le TechnoCentre dans sa vision optimiste.

— Mais le Centre descend des machines, objecta A. Bettik. Et sa conception de l'Intelligence Ultime est radicalement différente de celle du christianisme. C'est celle d'un esprit froid et détaché, doté d'une puissance de prédiction capable d'absorber toutes les variables.

Le père Glaucus était en train de hocher la tête.

— Mais un esprit pensant, mon fils, dont les progéniteurs du début, pleinement conscients, ont été créés à partir d'ADN vivant.

— Créés à partir d'ADN pour jouer le rôle de simples *calculateurs* ! m'exclamai-je, consterné qu'on puisse encore laisser le bénéfice du doute à des machines du Centre quand il s'agissait d'âme.

— Et notre ADN, dans quel but croyez-vous qu'il ait été créé ? Qu'était-il censé faire durant les premières centaines de millions d'années ? Manger ? Tuer ? Procréer ? Étions-nous moins ignobles, à nos débuts, que les IA préhégiriennes à base de silicium et d'ADN ? Comme Teilhard l'aurait sans doute dit, c'est la *conscience* que Dieu a créée quand il a voulu accélérer le processus de connaissance de soi de l'univers visant à lui donner la pleine compréhension de Sa volonté.

— Le TechnoCentre a voulu se servir de l'humanité dans

son projet de création d'une IU, murmurai-je. Et il a cherché à nous détruire.

— Mais il ne l'a pas fait.

— Ce n'est pas faute d'avoir essayé.

— L'humanité a évolué, tant bien que mal, continua le vieux prêtre, sans tenir compte de ses prédécesseurs ou d'elle-même. L'évolution a produit l'homme. Et celui-ci, au bout d'un long et laborieux processus, est en train de produire l'humanité.

— Par empathie, murmura Énée.

Le père Glaucus tourna ses yeux aveugles dans sa direction.

— Précisément, ma chère. Mais nous ne sommes pas les seuls avatars de l'humanité. Dès le moment où nos machines de calcul ont atteint le stade de la conscience de soi, elles ont commencé à faire partie du grand dessein. Elles ont beau résister, elles ont beau vouloir réaliser leurs propres fins personnelles complexes, l'univers continue de tisser sa trame.

— À vous entendre, l'univers, avec ses processus, ressemble à une machine, répliquai-je. Une machine programmée, inéluctable, impossible à arrêter.

Le vieillard secoua lentement la tête.

— Non, non... Surtout pas une machine, et surtout pas inéluctable. Si la venue du Christ nous a enseigné quelque chose, c'est bien que rien n'est inéluctable. L'issue est toujours soumise au doute. La décision d'aller vers la lumière ou les ténèbres nous appartient toujours. Elle appartient à nous comme à toutes les entités conscientes.

— Mais Teilhard pensait que l'empathie et la conscience finiraient par l'emporter ? demanda Énée.

Le père Glaucus agita une main osseuse en direction de la bibliothèque derrière elle.

— Il doit y avoir un volume... sur le troisième rayon à partir du haut... Il y avait un signet bleu à l'intérieur la dernière fois que je l'ai consulté, il y a quarante-trois ans environ. Vous le voyez ?

— *Journaux, carnets de notes et correspondance de Teilhard de Chardin*, lut Énée.

— C'est bien cela, oui. Ouvrez-le à l'endroit du signet. Voyez-vous le passage que j'ai annoté ? C'est l'une des dernières choses que mes pauvres yeux ont vues avant que les ténèbres se referment...

— L'entrée datée du 12 décembre 1919 ?

— Oui. Lisez-la, je vous prie.

Elle rapprocha le volume de la lumière du foyer et lut.

— *Remarquez bien ceci : aux diverses constructions humaines, je n'attribue aucune valeur définitive et absolue. Je crois qu'elles disparaîtront, refondues dans un tout nouveau inimaginable. Mais j'admets qu'elles ont un rôle provisoire essentiel, qu'elles sont des phases irremplaçables, inévitables, par où nous devons passer (nous ou la race) au cours de notre métamorphose. Je n'aime pas en elles leur forme particulière, mais leur fonction, qui est de construire mystérieusement, d'abord du divinisable, — et puis, par la grâce du Christ se posant sur notre effort, du divin.*

Il y eut quelques instants d'un silence uniquement rompu par le léger sifflement des tablettes de combustible dans le foyer et par le craquement des dizaines de milliers de tonnes de glace qui nous dominaient et nous entouraient. Finalement, le père Glaucus déclara à voix basse :

— C'est cet espoir de Teilhard qui fut considéré comme une hérésie par notre pape. Ma croyance en cet espoir fut mon plus grand péché. Et cela — il fit un geste en direction de la façade de verre où se pressaient la glace et les ténèbres —, c'est mon châtiment.

Aucun de nous ne parla durant un bon moment. Le père Glaucus émit un petit rire et posa ses deux mains osseuses sur ses genoux.

— Mais ma mère m'a appris qu'il ne peut y avoir ni châtiment ni douleur là où il y a bonne chère, bons amis et bonne conversation, reprit-il. Ce dont nous sommes amplement pourvus à l'heure actuelle. H. Bettik ! Je vous appelle ainsi parce que votre autre titre ne vous fait guère honneur, en vous mettant à l'écart de l'humanité sous une fausse catégorie faussement inventée. H. Bettik !

— Oui, H. Glaucus ?

— Pourriez-vous rendre au vieillard que je suis le service d'aller dans la cuisine chercher le café qui doit être prêt ? Je m'occupe du ragoût et du pain qui sont en train de réchauffer. H. Endymion ?

— Oui, père Glaucus ?

— Voulez-vous descendre dans la cave à vin nous choisir la meilleure bouteille que vous y trouverez ?

Je souris, sachant que le vieux prêtre ne me voyait pas.

— Et combien d'étages aurai-je à descendre pour trouver la cave, père Glaucus ? Pas les cinquante-neuf, j'espère ?

Il secoua la tête en montrant ses dents blanches à travers sa barbe.

— Je bois du vin à chaque repas, mon fils, et je serais en meilleure forme physique si j'en descendais chaque fois cinquante-neuf. Non, je suis trop paresseux pour cela. Je garde mon vin dans le placard qui se trouve à l'étage au-dessous, près du palier.

— J'y vais, déclarai-je.

— Je m'occupe de mettre la table, murmura Énée. Et demain, c'est moi qui ferai la cuisine.

Nous nous séparâmes pour accomplir nos tâches.

45

Le *Raphaël* entre en dégyration dans le système de Sol Draconi Septem. Contrairement aux explications reçues par le père capitaine de Soya et par les autres personnes qui voyagent à bord de vaisseaux archanges, le système de propulsion n'est pas une simple modification du vieux réacteur Hawking qui a défié la barrière de la lumière avant l'Hégire. Le propulseur du *Raphaël* est une sorte d'imposteur. Quand il atteint des vitesses préquantiques, il envoie un signal dans un médium autrefois appelé l'Espace qui Lie. Une source d'énergie extérieure déclenche alors un dispositif à distance qui crée une disruption dans un plan secondaire du médium, déchirant la texture spatio-temporelle. Cette disruption est immédiatement fatale à l'équipage humain, qui meurt dans la douleur. Les cellules éclatent, les os sont pulvérisés, les synapses s'enrayent, les boyaux se vident, les organes se liquéfient. Mais ces détails sont oubliés à jamais. Le souvenir des dernières millisecondes d'horreur et de mort est effacé durant la reconstruction et la résurrection opérées par le cruciforme.

À présent, le *Raphaël* entame sa trajectoire de freinage à l'approche de Sol Draconi Septem tandis que sa très réelle tuyère à fusion ralentit le vaisseau jusqu'à deux *g* de poussée. Dans leurs couchettes d'accélération de la crèche de résurrection de bord, le père capitaine de Soya, le sergent Gregorius et le caporal Kee gisent morts, leurs corps déchiquetés pulvérisés une deuxième fois parce que le vaisseau économise automatiquement son énergie en s'abstenant d'initialiser ses champs internes jusqu'à ce que la résurrection soit en cours. Outre les trois humains, il y a un autre visage à bord. Radamanthe Némès a soulevé le couvercle de sa crèche de résurrection et reste sur sa couchette, son corps compact déformé mais non endommagé par la terrible décélération. Conformément au programme standard, les supports de vie de la cabine centrale sont désactivés. Il n'y a pas d'oxygène, la pression atmosphérique est trop basse pour qu'un humain puisse y survivre sans combinaison spatiale, et la température est de moins trente degrés Celsius. Némès est indifférente à tout cela. Dans son survêtement rouge, elle demeure allongée sur la couchette et surveille les moniteurs en posant de temps à autre une question au vaisseau, qui lui répond par le circuit à fibres.

Six heures plus tard, avant que le champ de confinement interne s'active et que les corps soient réparés dans leurs sarcophages complexes, pendant que la cabine est encore sous vide virtuel, Némès se lève. Ses épaules fendent une gravité de deux cents *g* sans qu'elle sourcille. Elle va jusqu'à la cabine de navigation avec sa table des cartes. Elle affiche une carte de Sol Draconi Septem et trouve rapidement l'ancien parcours du Téthys. Elle ordonne au vaisseau de superposer une vue à grande distance et passe les doigts sur l'image holo des rainures de glace, des dunes de sastrouguis et des crevasses gelées. Le haut d'un immeuble perce le glacier atmosphérique. Elle vérifie les coordonnées sur la carte. L'endroit se trouve à trente kilomètres de la rivière recouverte.

Au bout de onze heures de freinage, le *Raphaël* se met en orbite autour de la sphère blanche brillante de Sol Draconi

Septem. Les champs internes se sont depuis longtemps activés. Les équipements de vie sont totalement opérationnels, mais Radamanthe Némès n'en tient pas plus compte que de la gravité ou du vide. Avant de quitter le vaisseau, elle jette un coup d'œil aux moniteurs de la crèche de résurrection. Elle a deux jours devant elle avant que de Soya et ses hommes commencent à remuer sur leurs couchettes.

Elle s'installe dans le vaisseau de descente et établit une liaison par fibre entre son poignet et la console. Puis elle ordonne la séparation et guide le vaisseau dans l'atmosphère à travers le terminateur sans consulter aucun des instruments de bord. Dix-huit minutes plus tard, le vaisseau de descente se pose à la surface de la planète, à moins de deux cents mètres de la tour partiellement enfouie dans les glaces.

Le soleil brille sur le glacier en terrasses, mais le ciel est d'un noir mat. Aucune étoile n'est visible. Bien que l'atmosphère locale soit négligeable, les systèmes thermiques massifs de la planète, d'un pôle à l'autre, créent des « vents » incessants qui charrient des cristaux de glace à quatre cents kilomètres à l'heure. Ignorant les combinaisons spatiales et atmosphériques pendues dans le sas, Radamanthe Némès commande l'ouverture de l'iris. Sans attendre que l'échelle se déploie, elle fait un saut de trois mètres pour se rétablir à la surface sous une gravité de 1,7 g. Des aiguilles de glace la frappent à la vitesse des projectiles d'un pistolet à fléchettes.

Elle active une source interne qui dresse un champ biomorphe à 0,8 millimètre de sa peau. Aux yeux d'un observateur extérieur, cette femme trapue aux cheveux noirs coupés court et aux yeux d'un noir mat se transforme soudain en une sculpture de vif-argent miroitant à forme humaine qui court sur la glace à la vitesse de trente kilomètres à l'heure, s'arrête devant l'immeuble, ne trouve pas d'entrée et fracasse de son poing nu un panneau de plastacier. Elle entre par la déchirure, marche souplement sur la glace jusqu'à la cage d'ascenseur et en éventre la porte branlante. Il y a longtemps que les cabines d'ascenseur se sont écrasées tout en bas.

Elle s'avance dans la cage d'ascenseur et s'y laisse tomber. C'est une chute vertigineuse dans le noir à la vitesse de 33,15 mètres par seconde. Quand elle voit de la lumière, elle agrippe au passage une poutrelle d'acier pour s'arrêter. Elle a déjà atteint la vitesse terminale de plus de cinq cents kilomètres à l'heure et décélère à zéro en moins de trois centièmes de seconde.

Némès quitte l'ascenseur pour s'avancer dans la pièce. Elle enregistre au passage la présence des meubles, des lanternes et des rayonnages pleins de livres. Le vieillard est dans la cuisine. Il lève la tête quand il entend son pas rapide.

— Raul ? demande-t-il. Énée ?

— Tout juste, fait Radamanthe Némès en insérant deux doigts sous le col du vieux prêtre pour le soulever du sol. Où est la fille ? demande-t-elle à voix basse. Où sont-ils tous ?

Chose surprenante, le prêtre aveugle ne hurle pas de douleur. Ses vieilles dents jaunies sont serrées, et ses yeux aveugles fixent le plafond, mais il se contente de répondre :

— Je ne sais pas.

Némès hoche la tête et le laisse retomber par terre. Puis elle s'assoit sur sa poitrine, pose l'index sur son œil et injecte un microfilament chercheur dans son cerveau. Le chercheur trouve son chemin vers un point spécifique du cortex.

— Allons, mon père, murmure-t-elle. Essayez encore. Où est la fille ? Qui est avec elle ? Où se trouvent-ils ?

Les réponses commencent à filtrer dans le microfilament sous la forme de rafales codées d'énergie neurale agonisante.

46

Nos journées en compagnie du père Glaucus demeurent mémorables par les conversations, le confort et le répit qu'elles nous apportèrent après tant de jours de fuite précipitée. Ce sont surtout les conversations qui me restent dans la tête.

Peu avant le retour des Chitchatuks, j'eus l'occasion d'apprendre l'une des raisons pour lesquelles A. Bettik avait tenu à m'accompagner dans mon voyage.

— Avez-vous des frères et sœurs, H. Bettik ? lui demanda le père Glaucus, qui refusait toujours de s'adresser à l'androïde par son titre habituel.

À mon grand étonnement, ce dernier répondit par l'affirmative. Mais comment était-ce possible ? Les androïdes étaient conçus, biofabriqués et assemblés à partir de composants génétiques produits dans des cuves, comme des organes destinés à la transplantation. C'était du moins ce que j'avais toujours cru.

— À l'époque de ma biofabrication, nous expliqua-t-il, les androïdes étaient clonés par colonies de cinq, comprenant généralement quatre mâles et une femelle.

— Des quintuplés, murmura le père Glaucus dans son fauteuil à bascule. Vous avez donc trois frères et une sœur.

— C'est exact, fit l'homme à la peau bleue.

— Mais vous n'avez quand même pas...

Je m'interrompis pour me frotter le menton. Je m'étais rasés — cela me semblait plus civilisé —, et le contact de ma peau lisse avait quelque chose de déroutant.

— Vous n'avez pas grandi ensemble, je suppose, repris-je. Les androïdes étaient...

— Biofabriqués à l'état adulte ? demanda A. Bettik avec le même petit sourire. Pas du tout. Mais notre processus de croissance était fortement accéléré. Il nous fallait environ huit années standard pour arriver à maturité. Il y avait cependant une période de jeune âge et d'enfance, et c'est l'une des raisons pour lesquelles les coûts de biofabrication étaient jugés assez prohibitifs.

— Comment s'appellent vos frères et votre sœur ? demanda le père Glaucus.

A. Bettik referma le livre qu'il était en train de feuilleter.

— La tradition voulait que l'on nomme les membres de chaque quinte dans l'ordre alphabétique, expliqua-t-il. Les autres s'appelaient Antibe, Corresson, Darria et Evvik.

— Votre sœur s'appelait Darria ? demanda Énée.

— Oui.

— Comment s'est passée votre enfance ?

— Elle fut principalement consacrée à l'éducation et à l'entraînement ainsi qu'à la définition des paramètres de service.

Énée était couchée sur le tapis, le menton dans les mains.

— Vous alliez à l'école ? Vous jouiez ?

— Notre éducation se faisait à la biofabrique. Mais le gros de nos connaissances nous a été transmis par ADN, déclara l'homme chauve en regardant Énée. Et si, par « jouer », vous entendez passer du temps à me détendre en compagnie de mes frères et de ma sœur, la réponse est oui.

— Que sont devenus les autres ? demanda Énée.

A. Bettik secoua lentement la tête.

— À l'origine, nous devions servir ensemble. Mais nous avons été séparés peu après notre premier emploi. J'ai été racheté par le royaume de Monaco-en-Exil et expédié sur Asquith. On nous avait expliqué, à l'époque, que chacun de nous était appelé à servir dans une région différente du Retz ou des Confins.

— Et vous n'avez plus jamais entendu parler des autres ?

— Non. Il y avait un grand nombre de travailleurs androïdes affectés aux chantiers de la Cité des Poètes à l'époque du transfert de la colonie du roi William XXIII sur ce monde, et la plupart avaient servi sur Asquith avant moi, mais personne n'a vu mes frères ou ma sœur pendant leur transport.

— À l'époque du Retz, il devait pourtant être facile d'explorer les autres mondes par distrans ou par l'infosphère, murmurai-je.

— C'est exact, fit A. Bettik, mais n'oubliez pas que non seulement la loi, mais aussi leurs propres inhibiteurs ADN interdisaient aux androïdes de se déplacer par distrans ou d'accéder directement à l'infosphère. Et la biofabrication ou la possession d'androïdes furent interdites dans toute l'Hégémonie peu après ma création.

— On vous a donc utilisés dans les Confins. Sur des mondes lointains comme Hypérion.

— Exactement, H. Endymion.

Je pris une inspiration profonde.

— C'est pour cette raison que vous avez voulu entreprendre ce voyage ? demandai-je. Pour essayer de retrouver vos frères ou votre sœur ?

Il sourit.

— J'aurais une chance infime de retrouver l'un de mes frères clonés, H. Endymion. Ce serait non seulement une coïncidence improbable, compte tenu qu'il n'est pas rationnel d'espérer qu'ils aient pu échapper comme moi à la destruction massive des androïdes qui a suivi la Chute, mais...

Il écarta les mains comme pour expliquer la notion de déraisonnable.

Ce dernier soir avant le retour de la horde, j'entendis Énée discuter pour la première fois de sa théorie sur l'amour. Cela commença lorsqu'elle voulut nous poser des questions sur les *Cantos* de Martin Silenus.

— Très bien, fit-elle. Vous dites que ce livre a été mis à l'Index sur tous les mondes administrés par la Pax. Mais de nombreux territoires étaient encore libres quand il a été publié. Quel accueil a-t-il reçu ? Cela correspondait-il aux attentes de mon oncle ?

— Je me souviens d'avoir discuté des *Cantos* au séminaire, nous dit le père Glaucus en gloussant. Nous savions qu'il était interdit, mais cela ne faisait que donner un peu plus de piquant à sa lecture. Nous avions de la réticence à lire Virgile, mais nous nous arrachions le seul recueil écorné en notre possession de ces vers de mirliton.

— C'étaient vraiment des vers de mirliton ? demanda Énée. J'ai toujours considéré mon oncle Martin comme un grand poète, mais c'est seulement parce qu'il l'affirmait lui-même. Ma mère le traitait d'emmerdeur.

— Les poètes sont souvent les deux à la fois, déclara le père Glaucus avec un nouveau gloussement. En fait, je crois que c'est le cas le plus fréquent. Si mes souvenirs sont exacts, la plupart des critiques ont très mal accueilli les *Cantos* dans les rares cercles littéraires qui existaient encore avant d'être absorbés par l'Église. Certains le prirent au sérieux... mais en tant que poète et non en tant que chroniqueur des événements qui se déroulèrent sur Hypérion juste avant la Chute. La plupart se gaussèrent de l'apothéose d'amour qui marque la fin du second volume...

— Je m'en souviens, murmurai-je. Le personnage de Sol — le vieil érudit dont la fille prenait de l'âge à rebours — découvre que l'amour est la réponse à ce qu'il appelait le « dilemme d'Abraham ».

— Je me souviens d'un critique hargneux qui avait écrit un article sur ce poème dans notre capitale, fit le père Glaucus en riant. Il citait un graffiti vu sur le mur d'une vieille cité en ruine de l'Ancienne Terre avant l'Hégire. « Si la réponse est l'amour, quelle était la question ? »

Énée se tourna vers moi comme pour quêter une explication.

— Dans les *Cantos*, déclarai-je, le personnage de l'érudit semble découvrir que la chose que le centre des IA appelait l'Espace qui Lie est l'amour. Cet amour représente une force de base de l'univers, au même titre que la gravité et l'électromagnétisme, ou encore les interactions fortes et faibles. Dans le poème, Sol s'aperçoit que l'Intelligence Ultime du Centre ne sera jamais capable de comprendre que l'empathie est inséparable de cette source, de ce qu'on appelle l'amour. Le vieux poète décrit l'amour comme une « impossibilité subquantique transportant les informations de photon à photon ».

— Teilhard aurait été d'accord, estima le père Glaucus, mais il aurait sans doute formulé différemment la chose.

— Quoi qu'il en soit, déclarai-je, la réaction quasi universelle au poème, d'après Grandam, fut de dire qu'il était affaibli par trop de sentimentalité.

Énée secoua la tête.

— L'oncle Martin avait raison, dit-elle. L'amour est l'une des forces de base de l'univers. Je sais que Sol Weintraub était réellement persuadé d'avoir découvert cette vérité. C'est ce qu'il a dit à maman avant de disparaître avec sa fille à l'intérieur du Sphinx, pour aller à la rencontre de l'avenir de l'enfant.

Le prêtre aveugle cessa de se balancer et se pencha en avant, les coudes appuyés sur ses genoux osseux. Sa soutane rembourrée aurait pu avoir l'air comique sur quelqu'un de moins digne que lui.

— Est-ce plus compliqué que de dire que Dieu est amour ? demanda-t-il.

— Oui ! s'exclama Énée.

Elle se tenait à présent devant la cheminée. Elle avait l'air beaucoup plus âgée, comme si elle avait grandi et mûri durant les mois que nous avions passés ensemble.

— Les Grecs, quand ils voyaient la gravité à l'œuvre, l'expliquaient comme l'un des quatre éléments — la Terre — en train de « se précipiter pour retrouver sa famille ». Ce que Sol Weintraub a entrevu, lui, c'était un fragment de la *physique* de l'amour... L'endroit où il réside, la manière dont il fonctionne, la manière dont on peut le comprendre et le canaliser. La différence entre « Dieu est amour » et ce que Sol Weintraub a vu — ce que mon oncle Martin a voulu décrire —, c'est la différence entre l'explication de la gravitation telle que la concevaient les Grecs et les équations d'Isaac Newton. La première représente un stade intermédiaire habile tandis que la seconde considère la *chose* elle-même.

Le père Glaucus secoua la tête.

— Vous semblez faire de tout cela quelque chose de quantifiable et de mécanique, ma chère.

— Pas du tout, riposta Énée d'une voix étonnamment ferme. De même que Teilhard savait, comme vous venez de l'expliquer, que la notion d'univers évoluant vers une conscience plus large ne pouvait être quelque chose de purement mécanique, et que ces forces n'étaient pas uniquement objectives, comme la science l'a toujours supposé, mais qu'elles découlaient de la passion absolue du divin, de même la compréhension de la partie amour de l'Espace qui Lie ne saurait être mécanique. D'une certaine manière, il s'agit de l'essence même de l'humanité.

Je réprimai mon envie de rire.

— Tu insinues qu'il faudrait un nouveau Newton pour expliquer la physique de l'amour ? Pour nous fournir ses lois de la thermodynamique et ses règles de l'entropie ? Pour écrire les équations de l'amour ?

— Oui ! fit Énée, les yeux brillants.

Le père Glaucus était toujours penché en avant, ses deux mains agrippant fermement ses genoux.

— Êtes-vous cette personne, jeune Énée d'Hypérion ?

Elle se détourna vivement et s'éloigna de la lumière du foyer pour se rapprocher des ténèbres et de la glace qui nous enserraient derrière les panneaux de verre intelligent. Puis elle revint lentement vers le cercle de chaleur où nous étions. Elle avait la tête courbée, et ses cils étaient baignés de larmes. Quand elle parla, ce fut d'une voix douce, presque tremblante.

— Je crois bien, oui. Ce n'est pas que je le désire, mais je suis cette personne. Ou je pourrais l'être... Si je survis.

Cette réponse fit naître un frisson qui se propagea du haut en bas de ma colonne vertébrale. Je regrettais que nous ayons lancé cette conversation.

— Voulez-vous nous le dire maintenant ? demanda le père Glaucus.

Sa voix était simplement implorante, comme celle d'un enfant.

Énée releva la tête, puis la secoua négativement.

— Je ne peux pas. Je ne suis pas prête. Désolée, mon père.

Le prêtre aveugle se laissa aller en arrière. Il avait l'air soudain beaucoup plus vieux.

— Ce n'est pas grave, mon enfant, dit-il. Je vous ai rencontrée. C'est déjà quelque chose.

Énée s'avança vers le vieil homme dans son fauteuil à bascule et se blottit silencieusement contre lui durant une longue minute.

Cuchiat et son groupe furent de retour le lendemain matin avant notre réveil. Durant la période que nous avions passée en leur compagnie, nous nous étions presque habitués à leur rythme, qui consistait à ne dormir que quelques heures d'affilée entre d'interminables marches à travers les galeries obscures et glacées. Mais chez le père Glaucus, nous avions huit heures de « nuit », durant lesquelles nous diminuions simplement l'éclat des lampes allumées dans les chambres. J'avais remarqué que nous étions beaucoup plus souvent fatigués sous une gravité de 1,7 g.

Les Chitchatuks n'aimaient pas trop pénétrer au cœur de l'immeuble. Ils restèrent donc devant la fenêtre ouverte, qui donnait sur la galerie de glace, et émirent une variation feutrée de leur ululation jusqu'à ce que nous les entendions. Nous nous habillâmes alors en hâte et descendîmes les accueillir.

Ils étaient de nouveau vingt-trois. Le père Glaucus ne leur

demanda pas où ils avaient trouvé leur nouveau membre, une femme, et nous ne devions jamais l'apprendre par la suite. Quand j'entrai dans la pièce, le spectacle qui m'attendait me frappa et demeura gravé par la suite dans ma mémoire. Les Chitchatuks massifs, accroupis dans leur posture habituelle avec leurs épaisses robes de spectres, entouraient le père Glaucus et Cuchiat, qui bavardaient à voix basse. La soutane épaisse du prêtre s'étalait autour de lui sur la glace comme une corolle noire, et les lanternes bourrées de tablettes de combustible faisaient briller les cristaux à l'entrée de la caverne de glace tandis que, derrière les panneaux de verre intelligent, les ténèbres froides pesaient sur nous.

Depuis longtemps, nous avions prié le père Glaucus de se faire notre interprète dans la formulation — ou la reformulation — de notre demande d'aide aux indigènes pour transporter notre radeau en aval, et il choisit ce moment pour interroger les Chitchatuks à ce sujet. Ils lui répondirent tour à tour, mais nous comprîmes que chacun lui disait à peu près la même chose. Ils se déclaraient disposés à faire le voyage.

Ce n'était pas une expédition de tout repos. Cuchiat nous confirma qu'il existait des galeries qui descendaient jusqu'au fleuve au niveau de la deuxième arche, avec environ deux cents mètres de dénivellation par rapport à l'endroit où nous nous trouvions actuellement, et qu'il y avait une étendue d'eau libre à l'endroit où le courant passait sous le portail distrans, mais il y avait un hic.

Il n'existait pas de passage continu entre l'endroit où nous étions et la deuxième arche, qui se trouvait à vingt-huit kilomètres au nord.

— Il y a une question que je voulais poser, déclara Énée. Quelle est l'origine de toutes ces galeries ? Elles sont trop régulières pour être des fissures ou des crevasses naturelles. Est-ce que ce sont les Chitchatuks qui les ont creusées dans le passé ?

Le père barbu regarda l'enfant avec une expression d'incrédulité.

— Vous voulez dire que vous ne le savez pas ?

Il se tourna pour adresser trois syllabes aux Chitchatuks. Leur réaction fut presque explosive. Ils se mirent à parler tous ensemble, avec des phrases entrecoupées d'aboiements que nous avions appris à interpréter comme des rires.

— J'espère ne pas vous avoir offensée, ma chère, murmura le vieux prêtre.

Il souriait, son regard aveugle tourné dans la direction d'Énée.

— Cela fait tellement partie de notre existence quotidienne, reprit-il, que nous avons du mal, le Peuple Indivisible et moi, à imaginer que quelqu'un puisse s'être déplacé à travers les glaces sans savoir une chose pareille.

— Le Peuple Indivisible ? demanda A. Bettik.

— Les Chitchatuks. Le mot signifie « indivisible », ou peut-être, plus littéralement, « impossible à rendre plus parfait ».

Énée était en train de sourire.

— Je ne me sens pas offensée, dit-elle. J'aimerais seulement savoir le fin mot de l'histoire. Qui a creusé les galeries ?

— Les spectres, suggérai-je avant que le vieux prêtre eût ouvert la bouche.

Il tourna son sourire dans ma direction.

— Précisément, mon cher Raul. Précisément.

Énée fronça les sourcils.

— Je sais qu'ils ont des griffes formidables, mais même leurs adultes ne peuvent pas creuser de si longs boyaux dans une glace si compacte. C'est tout à fait...

Je secouai la tête.

— Je ne crois pas que nous ayons eu l'occasion de rencontrer un adulte.

— Exactement, murmura le vieil homme en hochant la tête comme il faisait souvent. Raul a raison, ma chère. Les Chitchatuks chassent les jeunes les plus petits chaque fois qu'ils le peuvent, et les jeunes les plus gros chassent les Chitchatuks quand ils en ont l'occasion. Mais les uns et les autres ne sont que des formes larvaires de la créature, au stade où elle doit parcourir la surface en cherchant à se nourrir. Au bout de trois révolutions orbitales de Sol Draconi Septem...

— C'est-à-dire vingt-neuf années standard, murmura A. Bettik.

— Tout à fait, tout à fait, approuva le vieillard en hochant la tête. Au bout de trois années locales, ou vingt-neuf standard, le spectre immature — le « petit », bien que ce terme s'applique plutôt à des mammifères — subit une métamorphose et devient un vrai spectre, capable de tarauder la glace à la vitesse approximative de vingt kilomètres à l'heure. Il mesure alors environ quinze mètres de long et... euh... vous allez peut-être en rencontrer au cours de votre expédition vers le nord.

Je me raclai la gorge.

— Je croyais que Cuchiat et Chiaku venaient de nous expliquer qu'il n'y a pas de galeries reliant ce secteur aux tunnels du distrans, à vingt-huit kilomètres au nord.

— Ah ! c'est vrai, fit le père Glaucus.

Il reprit sa conversation avec les Chitchatuks dans leur langage cliquetant. Lorsque Cuchiat lui répondit, le père aveugle traduisit :

— Cela représente approximativement vingt-cinq kilomètres en surface, c'est-à-dire une distance beaucoup plus grande que le Peuple Indivisible n'aime en parcourir d'un trait. Et Aichacut me fait gentiment remarquer que ce secteur grouille de spectres — aussi bien jeunes qu'adultes — que le Peuple Indivisible alimente depuis des siècles en crânes dont ils se font des colliers. Il me signale aussi que nous sommes dans le mois où les tempêtes d'été font rage à la surface. Mais pour vous, mes amis, les Chitchatuks sont prêts à entreprendre le voyage.

Je secouai la tête.

— Je ne comprends pas. Il n'y a pas d'air respirable à la surface, n'est-ce pas ? Je veux dire que...

— Ils ont tout le matériel nécessaire pour s'engager dans l'aventure, mon fils.

Aichacut lança vivement une série de syllabes sonores. Cuchiat ajouta un commentaire plus tempéré.

— Ils sont prêts à partir quand vous voudrez, mes amis. Cuchiat me dit qu'il faudra deux périodes de sommeil et trois de marche pour arriver à votre radeau. Ensuite, vous vous dirigerez vers le nord jusqu'à ce que les boyaux prennent fin.

Le vieux prêtre se tut et détourna un long moment la tête.

— Qu'y a-t-il ? demanda Énée, inquiète.

Le père Glaucus nous fit de nouveau face avec un sourire forcé aux lèvres. Il passa ses longs doigts osseux dans sa barbe.

— Vous allez me manquer, dit-il. Il y a si longtemps que... Ah ! je dois devenir sénile. Venez, nous allons vous aider à préparer vos affaires. Vous allez d'abord prendre un solide petit déjeuner, et nous agrémenterons vos provisions à l'aide de quelques petites choses que je dois avoir dans mes réserves.

Les adieux ne furent pas faciles. La seule pensée de ce vieillard, tout seul au milieu des ténèbres glacées, tenant à distance une armée de spectres et un glacier planétaire avec rien d'autre que quelques lampes allumées me causait une douleur dans la poitrine. Énée pleura. Lorsque A. Bettik s'avança pour lui serrer la main, le père Glaucus étreignit fortement l'androïde en lui disant :

— Votre heure viendra bientôt, H. Bettik. Je le sens. Je le sens très profondément.

L'androïde ne répondit pas. Plus tard, cependant, tandis que nous suivons les Chitchatuks dans les profondeurs du glacier, je vis que l'homme bleu se retournait vers la haute silhouette qui se découpait dans la lumière pour la regarder une dernière fois avant la courbe de la galerie qui nous fit perdre de vue la lumière, l'immeuble et son occupant.

Il nous fallut effectivement trois périodes de marche et deux de sommeil pour atteindre l'endroit où la galerie se transformait en glissière débouchant dans la crevasse surplombant l'endroit où nous avions laissé le radeau. Je ne voyais pas comment nous allions pouvoir transporter les troncs dans le dédale des galeries de glace, mais les Chitchatuks, cette fois-ci, ne perdirent pas une seule seconde à admirer le radeau gelé. Ils se mirent aussitôt au travail, et les troncs furent désassemblés en un tournemain.

À sa première visite, le groupe avait longuement admiré notre hache. Je leur montrai comment on s'en servait en prenant plusieurs troncs, l'un après l'autre, pour les raccourcir en segments d'un mètre cinquante de long. Avec ma torche laser qui commençait à faiblir, A. Bettik et Énée firent la même chose de l'autre côté de notre chaîne d'assemblage improvisée pendant que les Chitchatuks raclaient la glace qui menaçait de faire couler le radeau, défaisaient ou tranchaient les nœuds et amenaient les troncs à l'endroit où nous les débitions pour les entasser sur la glace. Lorsque tout fut fini, le foyer de pierre, les lanternes supplémentaires et la glace demeurèrent seuls sur la petite plate-forme tandis que le bois s'entassait le long des parois de la galerie comme si nous avions fait des provisions pour la cheminée en vue de l'année à venir.

Cette pensée m'amusa au début, mais je me rendis compte qu'une telle source de combustible devait représenter une réelle richesse aux yeux des Chitchatuks. Il y avait là assez de lumière et de chaleur en puissance pour faire fuir les spectres pendant un bon moment. Je voyais maintenant notre radeau désassemblé d'une manière différente. Si nous n'arrivions pas à franchir le second portail...

Énée servait à présent d'interprète. Elle annonça à Cuchiat que nous allions leur laisser la hache, le foyer de pierre et différents équipements. Les visages, derrière leur rideau de dents de spectre, parurent stupéfiés par la nouvelle. Ils s'assemblèrent autour de nous pour nous donner de grandes claques dans le dos, à nous couper le souffle. Même Aichacut, malgré son mauvais caractère, nous manifesta avec rudesse une certaine affection.

Chaque membre du groupe attacha sur son dos trois ou quatre rondins. A. Bettik, Énée et moi nous les imitâmes dans la mesure de nos possibilités. La charge pesait aussi lourd que du béton sous la gravité de cette planète. Puis nous commençâmes la lente ascension en direction de la surface, du vide, des tempêtes et des spectres.

47

Il faut moins d'une minute à la sonde neurale de Radamanthe Némès pour achever son exploration du cerveau du père Glaucus. En une combinaison d'images visuelles, de langage et de données chimio-synaptiques brutes, Némès a un tableau aussi complet de la visite d'Énée à la cité des glaces qu'on peut en obtenir en dehors d'un désassemblage neurologique complet. Elle retire le microfilament et se donne quelques secondes pour étudier les informations recueillies.

Énée, son compagnon humain Raul et l'androïde sont partis il y a trois jours standard et demi, mais ils ont dû passer au moins l'une de ces journées à démanteler leur radeau. Le second portail distrans se trouve à près de trente kilomètres au nord, et les Chitchatuks ont accepté de les conduire à la surface, où les conditions sont dangereuses et la progression lente. Némès comprend qu'il y a de fortes chances pour que la fillette n'ait pas survécu à l'expédition. Elle a lu dans l'esprit du vieux prêtre par quels moyens rudimentaires le Peuple Indivisible s'efforce d'affronter les conditions qui règnent à la surface.

Elle esquisse un petit sourire. Elle n'a pas l'intention de laisser quoi que ce soit au hasard.

Le père Glaucus gémit tout doucement.

Un genou sur la poitrine du prêtre, Némès s'interrompt une seconde. La sonde neurale n'a pas fait grand mal. Avec un médipac un peu élaboré, elle pourrait aisément guérir toute trace du passage du filament entre l'œil et le cerveau du vieil homme. Mais il était déjà aveugle quand elle est arrivée, de toute manière.

Elle évalue la situation. La rencontre d'un prêtre de la Pax sur cette planète désolée ne faisait pas partie de l'équation initiale. Tandis que le père Glaucus commence à remuer, ses mains osseuses devant son visage, elle établit un bilan. Laisser le prêtre en vie ne pose pas beaucoup de problèmes. Ce n'est qu'un missionnaire oublié en exil, destiné à mourir ici. D'un autre côté, ne pas le laisser vivre ne comporte aucun risque du tout. L'équation est on ne peut plus simple.

— Qui... êtes-vous ? gémit le prêtre tandis que Némès le soulève comme une plume.

Elle le porte dans ses bras de la cuisine à la salle à manger, puis dans la bibliothèque aux murs couverts de rayonnages, où brûle un agréable feu de tablettes combustibles. Elle passe par le couloir pour gagner le palier de l'immeuble, où brûlent, même là, des lanternes destinées à décourager les spectres.

— Qui êtes-vous ? répète le vieux prêtre en gigotant comme un enfant de deux ans dans les bras d'un adulte. Pourquoi faites-vous tout ça ? demande-t-il tandis que Némès s'arrête devant la cage d'ascenseur, ouvre la double porte de plastacier d'un coup de pied et le tient un dernier instant à bout de bras.

Un violent courant d'air glacé descend de la surface sur une distance de deux cents mètres. Cela fait un bruit déchirant, comme si la planète gémissait. À la dernière seconde, le père Glaucus se rend compte exactement de ce qui va se passer.

— Seigneur Dieu ! Doux Jésus ! murmure-t-il entre ses dents tremblantes. Saint Teilhard !

Némès le laisse tomber dans la cage d'ascenseur et fait volte-face, à peine surprise de n'entendre aucun cri se répercuter derrière elle. Elle prend l'escalier gelé qui mène à la surface, gravissant les marches par quatre ou cinq sous la gravité écrasante. Arrivée en haut, il faut qu'elle se creuse un chemin à travers la cascade de glace d'atmosphère gelée qui a glissé de cinq ou six étages. Debout sur la terrasse de l'immeuble, sous le ciel noir du vide, avec la tempête katabatique qui lui souffle des cristaux de glace à la figure, elle active son champ de déphasage et part au petit trot sur la glace en direction du vaisseau de descente.

Il y a trois jeunes spectres qui tournent autour du vaisseau. En un clin d'œil, Némès identifie les créatures. Non mammifères. La « fourrure » blanche, en réalité, est formée d'écailles tubulaires capables d'emmagasiner l'atmosphère gazeuse et servant à retenir la chaleur corporelle. Les yeux fonctionnent à l'infrarouge, et les poumons ont une capacité redondante qui leur permet de rester douze heures ou plus sans oxygène. Chaque bête fait plus de cinq mètres de long. Les pattes antérieures sont particulièrement puissantes, les pattes postérieures sont faites pour creuser ou éventrer. Elles bougent avec une rapidité étonnante.

Les trois créatures se tournent vers Némès quand elle s'approche. Vues contre le fond noir du ciel, elles ressemblent plus à d'immenses belettes ou à des iguanes qu'à n'importe quoi d'autre. Leurs corps élancés se déplacent à une vitesse aveuglante.

Némès ignorerait bien ces spectres, mais s'ils attaquaient le vaisseau cela pourrait causer des complications au décollage. Elle passe en mode accéléré. Les spectres semblent se figer en pleine action. Les cristaux de glace demeurent en suspens contre le ciel noir.

Elle travaille efficacement, en se servant uniquement de sa main droite et de la lame, coupante comme du diamant, de son avant-bras déphasé. Elle dépèce les trois animaux. Ce faisant, deux choses la surprennent à un certain degré : chaque spectre possède trois gros cœurs à cinq cavités, alors qu'un seul semble leur suffire pour continuer à se battre. Chaque bête porte un collier de petits crânes. Quand elle a fini son travail et repasse en mode normal, au moment même où les trois spectres s'écroulent sur la glace comme d'immenses sacs remplis de déchets organiques, Némès s'accorde quelques instants pour examiner les colliers. Les crânes, de petite taille, sont bien humains, et appartenaient probablement à des enfants. Intéressant.

Elle monte à bord du vaisseau et fait route vers le nord, en utilisant les propulseurs à réaction, car les moignons d'ailes n'ont pas de support de sustentation dans ce vide quasi absolu. Ses radars de profondeur sondent la glace jusqu'à ce que le fleuve soit visible. Au-dessus du niveau de l'eau, il y a plusieurs centaines de kilomètres de galeries. Les spectres ont été très actifs dans le secteur. Sur l'écran radar s'affiche l'arche de métal du portail distrans, comme une lumière trouant un épais brouillard. L'instrument n'est pas aussi efficace quand il s'agit de repérer des êtres vivants qui se déplacent sous la glace. Différents échos montrent la trace de spectres adultes en train de creuser leur tunnel dans le glacier atmosphérique, mais ils se trouvent à plusieurs kilomètres au nord et à l'est.

Elle pose le vaisseau juste en amont du portail et explore la surface ridée de sastrouguis à la recherche d'une entrée de boyau. Dès qu'elle en trouve une, elle s'avance sur le glacier au petit trot et laisse tomber son bouclier biomorphe dès que la pression monte au-dessus de 0,2 kg/cm^2 et que la température est supérieure à -30.

Le boyau est déroutant, mais elle s'oriente par rapport à la grande masse de métal du portail, à trois cents mètres sous elle, et il ne lui faut pas plus d'une heure pour arriver au niveau du fleuve. L'obscurité, ici, est si totale qu'il n'est pas question d'utiliser les infrarouges ou un amplificateur de lumière, et elle n'a pas apporté de lampe, mais elle ouvre la bouche, et un rayon de lumière jaune intense illumine le tunnel et la brume de glace devant elle.

Elle les entend arriver bien avant que la faible lueur des braises soit visible dans la galerie descendante. Elle éteint sa propre lumière, se tapit au milieu du tunnel et attend. Quand ils apparaissent au tournant, ils ressemblent plus à un troupeau de spectres minuscules qu'à un groupe d'êtres humains, mais elle les reconnaît d'après les souvenirs captés dans la mémoire du père Glaucus. C'est la horde de Chitchatuks de Cuchiat. Ils s'arrêtent, surpris à la vue de cette femme seule, sans fourrures ni isolation extérieure, debout au milieu d'un tunnel de glace.

Cuchiat s'avance et parle rapidement.

— Le Peuple Indivisible salue la guerrière-chasseresse qui a choisi de voyager à la lueur de sa seule indivisibilité presque parfaite. Si l'étrangère a besoin de chaleur, nourriture, armes ou amitié, qu'elle parle, car notre horde aime et respecte ceux qui marchent debout et suivent la voie des premiers.

Dans la langue des Chitchatuks, qu'elle tient du vieux prêtre, Radamanthe Némès répond :

— Je suis à la recherche de mes amis Énée, Raul et l'homme bleu. Sont-ils déjà passés par l'arche de métal ?

Les vingt-trois Chitchatuks échangent des commentaires sur la connaissance de leur langage manifestée par cette étrange femme. Ils en concluent qu'elle doit être une amie ou parente de Glaucus, car elle s'exprime exactement dans le même dialecte que le vieux prêtre. Mais un soupçon demeure dans l'esprit de Cuchiat lorsqu'il répond :

— Ils sont passés sous la glace et ont disparu à travers l'arche après nous avoir souhaité la prospérité et distribué des présents. Nous souhaitons également la prospérité et offrons des présents à l'étrangère à l'indivisibilité presque parfaite, qui souhaite peut-être voyager sur la rivière magique à la suite de ses amis ?

— Pas tout de suite, fait Radamanthe Némès avec son sourire figé.

Cette rencontre la place devant le même dilemme que face au vieux prêtre. Elle fait un pas en avant. Les vingt-trois Chitchatuks poussent une exclamation de ravissement enfantin lorsqu'elle se déphase en une masse tourbillonnante de vif-argent. Elle sait que la lueur de leurs braises, reflétée par mille facettes de glace, doit maintenant être renvoyée par sa propre surface. Elle passe en mode accéléré et massacre les vingt-trois Chitchatuks, hommes et femmes, sans perdre une seule seconde de mouvement ou d'effort.

Revenant en mode normal, elle se penche sur le corps le plus proche et lance une sonde neurale au coin de l'œil du mort. La structure neurale du cerveau est en train de se désintégrer rapidement en raison du manque de sang et d'oxygène, créant les vagues habituelles d'hallucinations et de créativité désordonnée communes à l'extinction de ce genre de réseaux, qu'ils soient humains ou IA. Mais au milieu des synaptiques et rétrospectives images de naissance propres au passage de vie à trépas, émergeant d'un long tunnel à la chaleur et à la lumière, elle saisit la représentation faiblissante de l'enfant, de l'homme et de l'androïde en train de pousser à l'eau le radeau rudimentaire reconstitué pour passer sous la voûte basse de glace de l'arche gelée.

— Zut ! s'exclame Radamanthe Némès.

Elle abandonne les cadavres à l'endroit où ils sont tombés les uns sur les autres dans la galerie sans lumière, puis s'élance au trot pour parcourir le dernier kilomètre qui la sépare du fleuve.

Il y a peu d'eau libre à cet endroit, et le portail distrans n'est qu'une boucle de métal émergeant des glaces. Un brouillard froid l'entoure tandis qu'elle s'avance sur la plate-forme gelée où des empreintes creusées par la chaleur indiquent l'endroit où les Chitchatuks se sont assemblés pour dire adieu à leurs amis.

Némès voudrait interroger le distrans, mais il faut, pour l'atteindre, qu'elle creuse à travers plusieurs mètres de glace ou qu'elle grimpe sur la voûte de la partie émergée du portail, une vingtaine de mètres plus haut. Elle déphase uniquement ses mains et ses pieds et commence à grimper, en creusant des appuis profonds à mesure qu'elle progresse.

Suspendue la tête en bas sur la courbe de l'arche, elle pose la main sur un panneau et attend que le métal gelé se rétracte, comme une peau morte qui se retire d'une plaie. Elle lance alors des microfilaments et une sonde à fibre optique qui entrent en contact avec le module d'interface pour la faire communiquer avec le cœur du distrans. Un murmure affectant directement son nerf auditif lui apprend que les Trois Secteurs de la Conscience sont en train de l'examiner et de discuter des événements.

Durant les siècles de l'Hégémonie humaine, tout le monde pensait qu'il y avait des centaines de milliers, peut-être des millions de portails distrans du TechnoCentre, allant de la plus petite porte individuelle aux portails géants du Téthys ou à ceux, encore plus énormes, situés dans l'espace. Mais tout le monde se trompait. Il n'existe qu'un seul distrans. Et il est partout à la fois.

Par l'entremise du module d'interface, Radamanthe Némès interroge le cœur pulsant, tiède et vivant du distrans à travers son camouflage de métal, son électronique et son bouclier de fusion. Durant des siècles, les humains qui se déplaçaient par sauts distrans dans tout le Retz — plus d'un milliard de sauts à chaque seconde, au plus haut du trafic, selon les estimations d'un analyste — avaient servi les Ultimistes, ces éléments du TechnoCentre dont l'existence était vouée à créer une IA de type encore plus avancé, l'Intelligence Ultime, dont la conscience finirait par absorber la galaxie et peut-être l'univers tout entier. Chaque fois qu'un humain utilisait le distrans ou les infosphères connectées au mégatrans, à la grande époque du Retz, il ajoutait, par ses synapses et son ADN, à la puissance de traitement du réseau neural transretzien que le Centre avait constitué. Ce dernier ne se souciait nullement du besoin viscéral que l'humanité éprouvait à se déplacer, à voyager instantanément sans dépenser la moindre énergie. Le réseau distrans était l'appât idéal pour mettre à profit les milliards de cerveaux organiques primitifs constituant la race humaine.

Aujourd'hui, débusqué par Meina Gladstone et ses damnés pèlerins d'Hypérion de sa cachette dans les insterstices de l'espace-temps, attaqué dans ses derniers retranchements par le bâton de la mort qu'il a lui-même aidé les humains à fabriquer, le TechnoCentre est privé de toutes ses connexions mégatrans par des puissances qui résident au-delà des cercles connus de la mégasphère, et toutes les facettes de l'unique et omniprésent portail distrans sont devenues mortes et inutilisables.

Toutes sauf celle-ci, qui vient de fonctionner. Le module d'interface rapporte à Némès ce que les Secteurs et elle savaient déjà. La facette vient d'être activée par Quelque chose d'Autre, venu de Quelque part Ailleurs.

Le portail a gardé dans sa mémoire-bulle de neutrinos modulés la trace de ses points de connexion dans l'espace-temps réel. Et Némès a accès à cette mémoire.

Énée et ses amis se sont distransportés sur Qom-Riyad. Némès fait face à un nouveau dilemme. Elle peut retourner avec le vaisseau de descente jusqu'au *Raphaël* et gagner le système de Qom-Riyad en quelques minutes. Mais elle devra pour cela interrompre le cycle de résurrection de De Soya et des autres, et fournir une explication plausible pour cette modification de leurs plans. En outre, Qom-Riyad est un système que la Pax a mis officiellement en quarantaine. Il figure sur la liste des secteurs tombés aux mains des Extros, et fait partie de l'un des premiers projets de Justice et Paix. Comme dans le cas d'Hébron, ni la Pax ni ses conseillers ne peuvent permettre à de Soya et à ses hommes de contempler la vérité que représente la planète. Enfin, Némès n'ignore pas que le Téthys ne coule que sur quelques kilomètres, à travers un désert de rocaille rouge de l'hémisphère Sud, où il traverse la Grande Mosquée de Mechhed. Si elle laisse s'accomplir le cycle de résurrection, de Soya et les deux autres ne seront pas opérationnels durant trois jours standard, ce qui laissera à Énée et à son radeau de mécréants le temps de franchir toute la section locale du Téthys. Une fois de plus, la solution semble consister à éliminer de Soya et les autres pour continuer toute seule. Mais ses instructions sont d'éviter d'avoir recours à une telle extrémité, sauf en cas d'absolue nécessité. La participation de De Soya à la capture finale de Celle qui Enseigne, Énée la Menace, a été enregistrée dans de trop nombreuses simulations et figure dans trop de Recherches Prévisionnelles de Secteurs pour être ignorée sans danger. Le tissu de l'espace-temps ressemble beaucoup à l'une des délicates et complexes tapisseries du Vatican, se dit-elle, et celle qui tire inconsidérément sur un fil risque de voir l'ouvrage entier se désagréger sous ses doigts.

Elle se donne plusieurs secondes de réflexion, puis infiltre un filament de réseau neural au plus profond des synapses du module d'interface. Tous les itinéraires d'activation du distrans, passés et présents, sont là. Le souvenir d'Énée et de ses complices est une configuration provisoire dans la mémoire-bulle, mais Némès retrouve sans peine les prolongements futurs et passés. Il n'y a que deux autres possibilités en aval dans l'avenir prévisible. Après Qom-Riyad, le Quelque chose d'Autre a structuré les portails de manière à ce qu'ils ne s'ouvrent que sur le Bosquet de Dieu, et ensuite...

Elle étouffe une exclamation et retire son microfilament avant que la révélation de la dernière destination ne la brûle. C'est celle-là, de toute évidence, qu'a choisie Énée. Ou, plus exactement, c'est celle-là qu'a choisie le Quelque chose d'Autre qui lui ouvre le portail. Et cet endroit est inaccessible, aussi bien à la Pax qu'aux Trois Secteurs.

Mais la synchronisation est possible. Radamanthe Némès a maintenant la possibilité de laisser vivre de Soya et les autres tout en arrivant avant Énée dans le système du Bosquet de Dieu. Elle a déjà songé à une explication plausible. En comptant deux jours pour la traversée de Qom-Riyad et un jour de navigation de plus sur le Bosquet de Dieu, elle aura encore le temps d'intercepter le radeau et d'accomplir le nécessaire avant la résurrection de De Soya. Il lui restera même une heure ou deux pour faire un peu de ménage, de sorte que, lorsqu'elle se posera sur le Bosquet de Dieu avec le prêtre-capitaine et les gardes suisses, il n'y aura plus aucune trace visible, et tout indiquera que l'enfant et ses complices ont continué leur chemin sur le fleuve à travers le portail distrans.

Elle retire sa sonde, repart au trot à la surface, regagne le *Raphaël* avec le vaisseau de descente et efface soigneusement dans l'ordinateur de bord toute trace de son réveil et de son utilisation du vaisseau. Elle implante un faux message dans la mémoire de l'ordinateur, puis se glisse dans la crèche de résurrection pour s'endormir. Quand ils étaient dans le système de Pacem, elle a déconnecté la crèche du système de résurrection et recâblé les moniteurs pour qu'ils simulent leur activité habituelle. Allongée dans le sarcophage bourdonnant, elle ferme les yeux. Ses passages répétés en mode accéléré et l'utilisation intensive du déphasage l'ont fatiguée. Elle est heureuse du répit qui s'offre à elle en attendant que de Soya et les deux autres ressuscitent.

Avec un sourire, elle se souvient soudain d'un détail. Elle active un gant en mode déphasage et touche un endroit sur sa poitrine, entre ses seins, pour y rougir la peau et la remodeler de manière à simuler la présence d'un cruciforme. Elle ne porte pas le parasite, naturellement, mais ses compagnons de bord pourraient la voir nue par inadvertance, et elle n'a nullement l'intention de tout gâcher à cause d'un stupide détail.

Le *Raphaël* poursuit sa course en orbite autour du monde glacé de Sol Draconi Septem tandis que trois de ses membres gisent dans leur sarcophage de crèche et que les moniteurs enregistrent leur long processus de retour de la mort. La quatrième passagère dort tranquillement, d'un sommeil sans rêves.

48

Nous nous laissions flotter lentement à travers la planète-désert, clignant des yeux sous la lumière crue du soleil de type G2, buvant l'eau des bulles eau-air en boyau de spectre que nous avions apportées avec nous.

Les deux derniers jours sur Sol Draconi Septem n'étaient plus pour moi qu'un rêve qui s'estompait rapidement. Cuchiat et son groupe s'étaient arrêtés lorsque nous étions arrivés à une cinquantaine de mètres de la surface. Depuis un certain temps, nous avions remarqué que l'air se raréfiait de plus en plus dans les galeries. Et là, au détour d'un corridor de glace aux parois déchiquetées, nous nous préparâmes pour notre expédition.

À notre grand étonnement, les Chitchatuks commencèrent par se déshabiller entièrement. Nous détournâmes pudiquement les yeux, non sans avoir préalablement remarqué à quel point ils avaient des corps athlétiques et bien constitués, les femmes aussi bien que les hommes, comme si, adeptes du body-building sous un g, ils avaient été ensuite aplatis en spécimens compactés par une gravité supérieure.

Cutchiat et la guerrière Chatchia vinrent ensuite nous aider à nous déshabiller et à nous préparer pour la surface tandis que Chiaku et les autres sortaient des équipements de leurs paquetages en peau de spectre. Nous fîmes exactement ce qu'ils nous disaient. Durant les quelques secondes où nous restâmes nus, les pieds sur les fourrures de spectres que nous avions ôtées, pour ne pas être en contact avec la glace, le froid nous mordit de manière cruelle. Les Chitchatuks nous firent revêtir une fine membrane — nous apprîmes plus tard qu'il s'agissait d'une peau intérieure des spectres — qui avait été taillée et cousue de manière à s'adapter aux bras, aux jambes et à la tête d'un être humain, mais de bien plus petite taille que nous. En fait, la membrane était plus que collante. Elle me serrait si fort que je devais ressembler à un chapelet de boulets de canon bourrés à l'intérieur d'un boyau de saucisse. A. Bettik n'avait pas meilleure mine que moi. Je me rendis compte, au bout d'un moment, que ce devait être, pour les Chitchatuks, l'équivalent d'une combinaison pressurisée, ou même, peut-être, des combinaisons-peaux jadis utilisées dans l'espace par les militaires de l'Hégémonie. Les membranes laissaient passer la transpiration et régularisaient les échanges thermiques tout en empêchant les poumons d'éclater, la peau de s'ecchymoser et le sang de bouillonner sous l'effet du vide. Elles descendaient bas sur le front et remontaient sur le menton comme une cagoule, en ne laissant à découvert que le nez, les yeux et la bouche.

Cuchiat et Chatchia sortirent des masques à membrane de leurs paquetages. Les autres Chitchatuks avaient déjà mis les leurs. Visiblement, il s'agissait d'objets soigneusement assemblés. Le masque proprement dit était fait de la même peau intérieure que la combinaison, avec quelques rembourrages en peau de spectre cousus aux endroits sensibles. Les visières consistaient en cornée d'œil de spectre offrant le même accès partiel aux infrarouges que les visières de nos vêtements extérieurs. L'embout du masque était prolongé par une longueur spiralée d'intestin de spectre dont Cuchiat cousit soigneusement l'extrémité à l'une des poches d'eau.

Mais ce n'était pas juste une poche d'eau, constatai-je tandis que les Chitchatuks commençaient à respirer à travers leurs masques. Le brasero à tablettes combustibles fondait la glace non seulement en eau, mais aussi en gaz atmosphérique. Et ils parvenaient à filtrer, d'une manière ou d'une autre, le mélange atmosphérique de manière à disposer de quantités suffisantes d'air respirable. J'essayai d'inhaler à travers le masque. Mes yeux se mirent à larmoyer à cause des autres composants. Je crus déceler un soupçon de méthane et peut-être même d'ammoniac, mais c'était respirable. Cependant, je ne pensais pas qu'il y eût plus de deux heures d'autonomie dans le sac.

Une fois revêtus de nos combinaisons anti-g, nous pûmes remettre nos fourrures. Cuchiat enfonça les têtes de spectres le plus bas possible, en resserrant le rideau de dents de manière que seules les cornées qui nous servaient de visière dépassent du casque rudimentaire ainsi formé. Pour compléter notre costume, on nous donna à chacun une paire de bottes en fourrure de spectre, que nous laçâmes presque jusqu'aux genoux. La fourrure extérieure fut ensuite cousue avec dextérité par Chiaku, à l'aide d'une grosse aiguille en os. La poche à eau et la poche à air étaient accrochées sous nos robes à des sangles, à hauteur d'un rabat qui pouvait être décousu très vite lorsqu'il fallait refaire le plein de l'un des deux sacs. Chichticu, notre gardien des braises, était continuellement occupé, même quand nous marchions, à fondre l'atmosphère en eau et en air, et il distribuait les poches de rechange selon un ordre très précis, de Cuchiat, le premier, jusqu'à moi, le dernier. Je comprenais finalement la hiérarchie de la horde. Je comprenais aussi pourquoi, lorsqu'un danger menaçait à la surface, le groupe faisait cercle autour de Chichticu, le gardien du feu. Ce n'était pas à cause de l'importance symbolique ou religieuse de sa charge, c'était parce que sa vigilance et ses soins constants nous permettaient de survivre.

Il y eut une adjonction finale à notre garde-robe lorsque nous émergeâmes de la caverne pour affronter les glaces de la surface et les vents tourbillonnants. Chiaku et les autres allèrent chercher dans une cache située près de l'entrée du boyau une série de longs patins noirs, effilés comme des lames de rasoir dans leur partie inférieure, plats et larges sur le dessus, où les semelles de nos bottes s'adaptaient parfaitement. Une fois de plus, on utilisa des lanières de cuir de spectre pour les fixer solidement. Il s'agissait, en fait, d'un compromis efficace entre le patin et le ski de fond. Je m'élançai maladroitement sur la glace et parcourus une dizaine de mètres avant de m'aviser, horrifié, que j'étais en train de skier sur des griffes de spectres.

J'avoue que, sous une gravité de 1,7 g, j'avais très peur de tomber. Chaque chute équivaudrait à recevoir sur mon dos un poids supplémentaire d'un septième de Raul Endymion. Mais nous apprîmes rapidement la technique, et nous étions, de toute manière, suffisamment protégés par l'épaisseur de nos vêtements pour ne pas courir trop de risques de nous casser quelque chose. Je finis cependant par utiliser l'un des rondins du radeau comme bâton de ski rudimentaire pour m'équilibrer lorsque la surface était trop irrégulière et me propulser comme un radeau monoplace.

Je regrette beaucoup, je dois l'avouer ici, que nous n'ayons pu prendre d'images holo de cette expédition. Avec nos peaux de spectres, notre attirail anti-g, nos poches d'air en boyau de spectre, nos tuyaux d'air, nos javelots en os, mon fusil à plasma, nos paquetages et nos skis en forme de griffe, nous devions ressembler à des astronautes de l'époque paléolithique de l'Ancienne Terre.

Mais tout fonctionnait à merveille. Nous avancions beaucoup plus vite à travers la neige et les sastruguis de cristaux de glace que dans les galeries. Lorsque le vent soufflait du sud, ce qui ne se produisit que durant une petite partie de notre marche, nous pouvions écarter les bras pour déployer nos amples fourrures, et nous étions propulsés comme des voiliers sur la glace.

Cette expédition à la surface de l'atmosphère gelée de Sol Draconi Septem avait une beauté rude mais mémorable. Le ciel avait le noir du vide spatial à la surface d'un satellite lorsque le soleil était levé ; mais un instant après son coucher, des milliers d'étoiles semblaient naître en une soudaine explosion. Nos combinaisons et nos fourrures se comportaient bien dans la journée, mais il était évident que même les Chitchatuks ne pourraient pas survivre longtemps aux basses températures de la nuit. Par bonheur, nous progressions assez rapidement à la surface, et il n'y avait qu'une période nocturne de six heures à affronter. Les Chitchatuks avaient calculé notre départ de manière à bénéficier d'un maximum de jour solaire.

Il n'y avait aucune montagne à la surface, aucune élévation de terrain autre que quelques crêtes ou rides de glace. Cependant, au bout de quelques heures d'ensoleillement, un objet brillant apparut au loin sur la glace dans la direction du sud, et je me rendis bientôt compte qu'il s'agissait du sommet émergé du gratte-ciel du père Glaucus. Pour le reste, la glace s'étendait, plate, à perte de vue, au point que je me demandais comment faisaient les Chitchatuks pour s'orienter. Je m'aperçus alors que Cuchiat regardait souvent le soleil puis l'ombre de son corps au sol.

Nous allions toujours droit vers le nord. Les Chitchatuks avaient adopté leur formation défensive, avec au centre le gardien des braises et le chaman qui s'occupait des poches d'eau et d'air. Les guerriers flanquaient la petite troupe, leurs lances prêtes. Chiaku, qui avait visiblement le commandement en second, formait l'arrière-garde et semblait presque skier à l'envers tant il se montrait vigilant. Chaque Chitchatuk était encordé aux autres par une longueur de lanière de spectre. On nous avait également attachés à la taille lorsqu'on nous avait habillés, et je ne commençai à comprendre l'utilité de cette mesure que lorsque Cuchiat s'arrêta brusquement et obliqua vers l'est pour éviter une série de crevasses que je n'aurais jamais remarquées. Je regardai l'une d'elles en passant à côté. Ses profondeurs semblaient se perdre dans des ténèbres insondables. J'essayai malgré moi d'imaginer une chute dans cet abîme. Mais un peu plus tard dans l'après-midi, l'un de ceux qui ouvraient la marche disparut dans une soudaine et silencieuse envolée de cristaux de glace, pour reparaître un instant plus tard, pendant que Chiaku et Cuchiat étaient en train de préparer des cordes pour le hisser. Ayant arrêté lui-même sa chute, le guerrier avait retiré les griffes de spectre qui lui servaient de patins et les utilisait maintenant pour remonter en s'accrochant à la paroi verticale comme un spécialiste de l'escalade. J'apprenais un peu plus à chaque instant qu'il ne fallait jamais sous-estimer les Chitchatuks.

Nous ne rencontrâmes aucun spectre le premier jour. Tandis que le soleil déclinait, nous nous aperçûmes, malgré l'état d'épuisement dans lequel nous nous trouvions, que Cuchiat et les autres avaient cessé de skier vers le nord et décrivaient de larges cercles sur la glace, en se penchant souvent comme s'ils cherchaient quelque chose. Et pendant tout ce temps, les vents coupants nous soufflaient des cristaux de glace au visage. Si nous avions eu nos combinaisons de surface, je suis sûr que les visières auraient été rayées et endommagées. Mais les robes de spectres et les cornées ne souffraient aucunement.

Finalement, Aichacut agita les bras au loin. Il était parti en éclaireur vers l'ouest, et nous ne disposions d'aucun autre moyen de communiquer à travers le vide et nos masques. Nous prîmes la direction qu'il indiquait, et arrivâmes à un endroit qui ne semblait guère différent du reste de la plaine de glace ondulée. Cuchiat nous fit signe de reculer, sortit la hache que nous lui avions offerte et qu'il portait sur le dos, attachée à son paquetage, puis se mit à attaquer la glace. Quand la couche de surface se brisa, nous pûmes constater qu'il ne s'agissait pas d'une nouvelle crevasse, mais bien de l'entrée étroite d'une caverne de glace. Quatre guerriers, la lance au poing, s'avancèrent avec Chichticu et sa lanterne de braises. Cuchiat en tête, ils entrèrent dans la caverne pendant que le reste du groupe attendait en cercle défensif.

Quelques instants plus tard, la tête de Cuchiat émergea, et il nous fit signe de le rejoindre. Il avait toujours la hache à la main, et j'imaginai son sourire derrière sa visière de dents et son masque à membrane. Notre cadeau avait beaucoup de prix pour lui.

Nous passâmes la nuit dans l'antre des spectres. J'aidai

Chiaku à colmater l'entrée avec de la neige et de la glace. Nous refermâmes aussi la galerie d'accès sur une longueur d'un mètre avec des blocs et des cristaux de glace, puis nous allâmes regarder Chichticu, qui commençait à faire fondre des blocs de glace afin de remplir la caverne d'air respirable. Nous passâmes la nuit blottis les uns contre les autres, les vingt-trois Chitchatuks du Peuple Indivisible et les trois Voyageurs Indivisibles, avec nos fourrures et nos membranes, mais sans nos masques. Nous respirions mutuellement nos odeurs corporelles, et nous en étions ravis. Cette chaleur humaine fut la seule chose qui nous maintint en vie durant cette terrible nuit où, à l'extérieur, les tempêtes katabatiques et de Coriolis faisaient voler les cristaux de glace à une vitesse approchant celle du son... dans la mesure où le son pouvait se propager dans cette atmosphère presque vide.

J'oubliais un autre détail concernant notre dernière nuit avec les Chitchatuks. Les parois de l'antre des spectres étaient entièrement tapissées de crânes et d'ossements humains, incrustés dans la paroi circulaire de glace avec une minutie quasiment artistique.

Nous ne rencontrâmes aucun spectre, ni bébé ni adulte, au cours de la journée de voyage du lendemain. Peu avant le coucher du soleil, nous retirâmes et cachâmes soigneusement nos patins avant d'entrer dans les galeries de glace à l'approche de la deuxième arche. Quand nous fûmes à une profondeur suffisante pour pouvoir respirer de nouveau l'atmosphère captive, nous retirâmes nos masques et nos membranes de pressurisation, que nous rendîmes à Chatchia non sans une certaine réticence. C'était comme si nous lui remettions nos badges d'appartenance au Peuple Indivisible.

Cuchiat nous adressa un bref discours. Il parlait trop vite pour que je puisse le suivre, mais Énée traduisit.

— Nous avons eu de la chance..., dit-elle. Quelque chose sur l'improbabilité de voyager à la surface sans rencontrer un seul spectre... Mais il ajoute que celui qui a de la chance un jour doit s'attendre à de la malchance le lendemain.

— Dis-lui que j'espère qu'il se trompe, répliquai-je.

La vue de l'eau libre, avec ses brumes et sa voûte de

glace, me causa presque un choc. Malgré notre état d'épuisement, nous nous mîmes aussitôt au travail. Il n'était pas facile d'assembler les rondins avec nos mitaines, mais les Chitchatuks nous aidèrent, et ils étaient rapides et adroits. En deux heures, tout fut fini. La nouvelle version du radeau était plus courte et moins maniable, elle n'avait ni mât de misaine ni foyer de pierre, mais la godille fonctionnait, et les perches, bien que plus courtes et d'aspect bizarre quand nous en eûmes attaché les morceaux, feraient sans doute l'affaire.

La séparation fut plus triste que je ne l'aurais jamais imaginé. Tous étreignirent chacun de nous au moins deux fois. Des coulées de glace se formèrent sur les longs cils d'Énée, et je dois admettre qu'une violente émotion me serrait la gorge.

Nous nous laissâmes flotter au milieu du courant. C'était pour nous un répit étrange mais bien gagné que de voyager sans rien faire. J'avais encore dans mes muscles et dans ma tête le mouvement régulier des patins glissant sur la glace. Le portail distrans se rapprochait rapidement, et nous dûmes baisser la tête pour franchir les derniers mètres où la voûte se resserrait. Puis, soudain, nous fûmes... ailleurs.

Le soleil se levait. Le fleuve, ici, était large et paisible, avec un courant très faible mais régulier. Les rives étaient constituées de roche rouge striée en forme de gradins naturels. Le désert était fait de rocaille rouge parsemée de petits buissons jaunes. Les collines lointaines et l'arche étaient rouges. Et le soleil, énorme, en train de se lever sur notre gauche, était lui aussi de la même couleur. La température dépassait déjà de cent degrés celle qui régnait dans la caverne de glace. Nous étions obligés de nous protéger les yeux, et nous avions ôté nos fourrures de spectres, qui formaient à présent un moelleux espace de repos à l'arrière du radeau raccourci. La glace des rondins avait fondu aux premières lueurs du soleil levant.

Nous décidâmes que nous étions sur Qom-Riyad avant même d'avoir consulté le persoc ou le guide du Téthys. C'était cette couleur rouge qui nous renseignait. Qom-Riyad était célèbre pour ses arches naturelles de grès rouge et ses colonnes de roche rouge érodée se dressant contre un ciel rose. Les délicates arches de pierre rendaient de plus en plus insignifiant le portail distrans qui s'éloignait derrière nous. Le fleuve coulait dans des gorges enjambées par ces arches, puis s'étalait dans une large vallée où les vents chauds apportaient des brins d'armoise jaune et soulevaient une poussière qui s'incrustait dans les longs « poils » tubulaires des fourrures de spectres et pénétrait jusque dans nos bouches et nos yeux. Lorsque midi arriva, nous traversions une vallée un peu plus fertile, où des canaux d'irrigation partaient à angle droit du fleuve et où de courts palmiers jaunes alternant avec des callistemons bordaient les rives. Peu après, des bâtiments bas furent en vue, puis un village entier de petites maisons roses ou ocre. Mais il n'y avait personne autour.

— Ça me rappelle Hébron, murmura Énée.

— C'est encore trop tôt pour le dire, répliquai-je. Ils sont peut-être tous au travail quelque part.

L'après-midi torride avança cependant sans aucun changement. Qom-Riyad, d'après notre petit guide, avait une journée de vingt-quatre heures. Et, bien que les canaux, les exploitations agricoles et les villages fussent de plus en plus nombreux et denses, il n'y avait toujours pas le moindre humain ou animal en vue. Nous accostâmes par deux fois, la première pour tirer un peu d'eau à un puits artésien, et la seconde pour explorer un village où nous avions cru entendre des bruits de marteau au bord de l'eau. Mais ce n'était qu'un volet cassé qui battait au vent du désert.

Soudain, Énée se plia en deux avec un cri de douleur. Je m'accroupis aussitôt, balayant la rue déserte de mon pistolet à plasma tandis que A. Bettik courait à ses côtés. Mais il n'y avait personne dans la rue, et pas le moindre mouvement aux fenêtres.

— Ce n'est rien, haleta Énée tandis que l'androïde l'aidait à s'asseoir. Juste une douleur passagère...

Je la rejoignis rapidement. Je me sentais idiot d'avoir eu le réflexe de sortir mon pistolet d'abord. Je le remis dans son étui et m'accroupis pour lui prendre la main. Elle pleurait.

— Qu'est-ce qui se passe, ma grande ? demandai-je.

— Je... ne sais pas, répondit-elle d'une voix entrecoupée de sanglots. Quelque chose de terrible est... Je ne sais pas.

Nous l'installâmes à l'arrière du radeau.

— S'il te plaît, murmura-t-elle en claquant des dents malgré la chaleur. Ne restons pas là... Allons-nous-en le plus vite possible.

A. Bettik dressa la microtente, qui occupait à présent la presque totalité du radeau. Nous traînâmes les peaux de spectres à l'ombre et déposâmes la fillette dessus. Puis nous lui donnâmes à boire.

— C'est à cause de ce village ? lui demandai-je. Il s'est passé quelque chose qui...

— Non, fit Énée entre deux sanglots, luttant visiblement contre les terribles vagues d'émotion qui l'assaillaient. Non... C'est quelque chose de terrible... sur ce monde, mais aussi... derrière nous.

— Derrière nous ?

Je passai la tête à l'extérieur pour scruter le fleuve en amont, mais on ne voyait rien d'autre que la vallée, le large cours du fleuve et le village en train de s'éloigner avec ses palmiers agités par le vent.

— Vous voulez dire derrière nous sur le monde de glace ? demanda A. Bettik d'une voix douce.

— Oui, réussit à murmurer Énée en se pliant de nouveau en deux. Ça fait mal...

Je posai la main sur son front puis sur son ventre. Elle avait la peau brûlante, et ce n'était pas juste l'effet de la température extérieure élevée. Nous sortîmes un médipac de nos paquetages, et je collai une pastille de diagnostic sur sa peau. Elle avait une bonne fièvre. La douleur atteignait 6,3 au dolorimètre. Elle avait des crampes musculaires, et son électro-encéphalogramme présentait des anomalies. Le médipac recommandait de lui faire boire beaucoup d'eau, de lui administrer de l'ibuprofen et de consulter un médecin.

— Nous arrivons en vue d'une cité, me dit l'androïde tandis que le courant nous faisait contourner un escarpement.

Je sortis de la tente pour regarder. Les tours, dômes et minarets roses étaient encore très loin — une quinzaine de kilomètres, au jugé —, et le courant était toujours lent.

— Restez avec elle, dis-je à l'androïde.

Je pris une perche et allai pousser à tribord. Le radeau allégé accéléra bientôt son mouvement vers l'aval.

Après avoir consulté notre petit guide aux pages en accordéon à la suite d'expositions répétées à l'humidité, nous conclûmes que la cité devait être Mechhed, la capitale du continent Sud, abritant la Grande Mosquée dont nous apercevions maintenant très distinctement les minarets tandis que le courant nous conduisait au milieu des quartiers urbains, des zones industrielles puis jusqu'au cœur de la cité proprement dite. Énée dormait par à-coups. La température était encore montée, et tous les voyants du médipac clignotaient en rouge pour réclamer l'intervention d'un médecin.

Mechhed restait aussi énigmatiquement vide que l'avait été La Nouvelle-Jérusalem.

— Il me semble me souvenir d'une rumeur disant que le système de Qom-Riyad est tombé aux mains des Extros à peu près à l'époque où ils se sont emparés du Sac de Charbon, déclarai-je.

A. Bettik avait entendu la même rumeur lorsque le vieux poète et lui épiaient les conversations de la Pax sur les ondes radio à Endymion.

Nous amarrâmes le radeau à un ponton, et je pris Énée dans mes bras pour la porter dans l'ombre des rues de la cité. Nous étions dans la même situation qu'à Hébron, à cette exception près que c'était moi, à présent, qui étais valide, et elle qui était inconsciente. Je me promis mentalement d'éviter désormais, autant que possible, les mondes désertiques.

Les rues étaient moins nettes que celles de La Nouvelle-Jérusalem. Il y avait partout des véhicules abandonnés en travers de la chaussée ou sur les trottoirs. Le vent faisait voler toutes sortes de détritus. Les portes et fenêtres ouvertes laissaient entrer le sable rouge, et d'étranges petits tapis jonchaient les rues et les pelouses à l'abandon. Je m'arrêtai pour en examiner une série, pensant qu'il s'agissait peut-être de tapis hawking, mais ce n'étaient que de vieilles carpettes, toutes orientées dans la même direction.

— Des tapis de prière, m'expliqua A. Bettik tandis que nous retournions dans l'ombre de la rue.

Aucun des bâtiments de la cité ne dépassait les minarets, situés dans des zones vertes plantées d'essences tropicales.

— La population de Qom-Riyad était presque entièrement de religion islamique, poursuivit-il. On dit que la Pax n'a jamais réussi à convertir qui que ce soit, malgré ses promesses de résurrection. La planète a refusé le statut de protectorat.

Je tournai à l'angle d'une rue, toujours à la recherche d'un hôpital ou d'un signe quelconque qui pût nous guider vers un établissement de soins. Le front brûlant d'Énée reposait contre mon cou. Sa respiration était rapide et superficielle.

— Je pense que cet endroit était décrit dans les *Cantos*, déclarai-je.

L'enfant ne semblait pas peser plus lourd qu'une plume. A. Bettik hocha la tête en disant :

— H. Silenus a parlé de la victoire du colonel Kassad contre le soi-disant Nouveau Prophète il y a environ trois cents ans.

— Les chiites ont repris le pouvoir après la chute du Retz, je crois.

Nous explorâmes une nouvelle rue adjacente. Je cherchais des yeux un croissant rouge plutôt que la croix rouge universelle désignant les établissements hospitaliers.

— C'est exact, me répondit l'androïde. Ils étaient violemment opposés à la Pax. Et il n'est pas impossible qu'ils aient réservé un accueil chaleureux aux Extros lorsque la Pax a abandonné le secteur.

Je balayai du regard les rues désertes.

— Si c'est le cas, je n'ai pas l'impression que les Extros aient apprécié leur enthousiasme. C'est comme sur Hébron. Où est passée la population, d'après vous ? Est-il possible qu'ils aient pris en otages tous les habitants d'une planète ?

— Regardez là-bas, un caducée, m'interrompit A. Bettik.

Le symbole multimillénaire d'un bâton ailé entouré de deux serpents dépassait à la fenêtre d'un haut immeuble. Lorsque nous entrâmes, le hall était dévasté et jonché de détritus. Cela ressemblait davantage à un immeuble administratif qu'à un hôpital. A. Bettik s'avança vers un panneau électronique où défilaient des caractères arabes. Une voix mécanique débitait aussi des informations sur un ton monocorde.

— Vous savez lire l'arabe ? demandai-je.

— Oui. Je comprends aussi une partie de ce que dit la machine. C'est du farsi. Il y a une clinique privée au neuvième étage. Je suppose qu'elle comporte un centre de diagnostic automatique, et peut-être une machine autochirurgicale.

Je me dirigeai vers l'escalier avec Énée dans les bras, mais A. Bettik essaya l'ascenseur. La paroi de verre se mit à vibrer, et une cabine de lévitation s'arrêta bientôt à notre étage.

— C'est incroyable qu'il y ait encore du courant, déclarai-je.

L'ascenseur nous conduisit au neuvième. Énée ouvrit les yeux et se mit à gémir tandis que nous traversions un corridor aux parois carrelées débouchant sur une terrasse à ciel ouvert où des palmiers jaune et vert bruissaient au vent. Nous entrâmes dans une vaste salle vitrée où s'alignaient des lits d'autochirurgie reliés à un équipement de diagnostic centralisé. Nous choisîmes le lit le plus proche de la fenêtre. Après avoir déshabillé l'enfant, nous la couchâmes dans des draps propres. Je remplaçai la pastille de diagnostic par des filaments, et nous attendîmes le verdict de la machine. La voix synthétique nous donnait ses instructions en arabe et en farsi, de même que l'écran du moniteur, mais il y avait une option pour l'anglais du Retz, et nous la sélectionnâmes.

L'autochirurgien rendit un diagnostic d'épuisement et de déshydratation associés à un tracé électro-encéphalographique inhabituel pouvant résulter d'un sérieux traumatisme crânien. A. Bettik et moi nous échangeâmes un regard intrigué. Énée n'avait reçu aucun coup sur le crâne.

Nous autorisâmes un traitement contre l'épuisement et la déshydratation. Puis nous reculâmes tandis que des immobilisateurs en mousse lovée sortaient des panneaux latéraux du lit et que des pseudo-doigts cherchaient la veine d'Énée pour lui injecter un sédatif et du sérum physiologique.

Quelques minutes plus tard, l'enfant dormait paisiblement. Le panneau de diagnostic parla en arabe, et A. Bettik me donna la traduction de ce qu'il disait avant que j'aie eu le temps d'aller lire le moniteur.

— Il dit que la malade doit se reposer et qu'elle ira mieux demain matin.

Je fis glisser le fusil à plasma que j'avais toujours à l'épaule. Nos paquetages poussiéreux étaient posés sur l'une des chaises réservées aux visiteurs. J'allai me poster devant une fenêtre en disant :

— J'ai envie d'aller faire un tour dans les rues avant la tombée du soir, pour m'assurer que nous sommes bien seuls.

Croisant les bras, A. Bettik contempla le disque énorme du soleil qui allait bientôt effleurer le sommet des immeubles situés de l'autre côté de la rue.

— Je crois que la chose ne fait aucun doute, me dit-il. Ça a mis un peu plus longtemps ici, c'est tout.

— Qu'est-ce qui a mis plus longtemps ?

— Ce qui a fait disparaître la population. Sur Hébron, nous n'avons pas vu le moindre signe de panique ou de combat. Ici, les gens ont eu le temps de descendre de leur véhicule. Mais l'indice le plus sûr, ce sont les tapis de prière.

Je remarquai, pour la première fois, qu'il y avait de fines rides dans la peau bleue du front de l'androïde ainsi qu'aux coins de ses yeux et de sa bouche.

— L'indice le plus sûr de quoi ? demandai-je.

— Ils savaient que quelque chose était en train de leur arriver, et ils ont passé leurs dernières minutes à prier.

Je posai le fusil à plasma à côté de la chaise et défis le rabat de mon étui à pistolet.

— Je vais tout de même jeter un coup d'œil, déclarai-je. Surveillez-la, pour le cas où elle se réveillerait, d'accord ?

Je sortis les deux unités com de mon paquetage, en donnai une à l'androïde et fixai l'autre à mon revers avec le micro perle.

— Restez sur la fréquence générale, lui dis-je. Je vous appellerai de temps en temps. Tenez-moi au courant s'il se passe quelque chose.

A. Bettik se tenait au chevet d'Énée. Il posa une large main sur le front de la fillette en disant :

— Je serai là quand elle se réveillera, H. Endymion.

Il est étrange que je me souvienne avec tant de clarté de ma tournée dans la cité abandonnée ce soir-là. Un panneau numérique, sur la façade d'un établissement bancaire, indiquait une température de quarante degrés Celsius, mais le vent sec venu du désert rouge séchait immédiatement la transpiration, et les tons rouges et roses du soleil couchant avaient sur moi un effet apaisant. Si je me souviens aussi bien de cette soirée, c'est peut-être parce que ce fut la dernière de notre voyage avant que les choses changent de manière définitive.

Mechhed était un étrange mélange de cité moderne et de bazar des *Mille et Une Nuits*, cette merveilleuse série de contes que Grandam me racontait quand nous étions ensemble sous le ciel étoilé d'Hypérion. Cet endroit exhalait des senteurs musquées romantiques. À un coin de rue, il y avait un kiosque à journaux et un distributeur automatique de billets. Dès qu'on avait fait quelques pas, on tombait sur des étalages au milieu de la chaussée, avec des auvents à rayures de toutes les couleurs et des montagnes de fruits en train de pourrir dans leurs bacs. J'imaginais le vacarme et l'agitation qui devaient régner ici en temps normal. Les chameaux, chevaux ou autres bêtes de somme préhégiriennes renâclant et piaffant, les chiens aboyant, les marchands criant, les acheteurs marchandant, les femmes voilées en burqa de dentelle et tchador noir glissant silencieusement sur le trottoir tandis que, de chaque côté de la rue, les voitures baroques et inefficaces passaient dans un bruit de ferraille en crachant leur monoxyde de carbone ou leurs acétones ou je ne sais quelle autre saloperie que les anciens moteurs à combustion interne déversaient dans l'atmosphère.

Je fus brusquement tiré de ma rêverie par une voix masculine chantante dont l'appel résonnait dans les canons de pierre et d'acier de la cité. Cela semblait venir d'un parc situé deux ou trois rues plus loin sur ma gauche. Je courus dans cette direction, la main sur la crosse de mon pistolet à l'étui ouvert.

— Vous entendez ? demandai-je dans la perle du micro tout en courant.

— Oui, fit la voix de l'androïde dans mon écouteur. La porte de la terrasse est ouverte, on l'entend très clairement.

— On dirait de l'arabe. Vous pouvez traduire ?

J'étais légèrement essoufflé lorsque je débouchai sur l'espace vert au milieu duquel se dressait une mosquée qui dominait tout le quartier. Quelques minutes plus tôt, en dépassant une ruelle adjacente, j'avais aperçu la façade de l'un des minarets, sur laquelle les derniers rayons du couchant peignaient des reflets rouges. Mais à présent, la tour de pierre était d'un gris terne, et seuls les plus hauts filaments de cirrus captaient un peu de lumière.

— Oui, me dit l'androïde. C'est l'appel du muezzin à la prière du soir.

Je sortis les jumelles de l'étui passé à ma ceinture et scrutai les minarets. La voix semblait sortir de haut-parleurs fixés sur les balcons qui faisaient le tour de chaque minaret. Aucun mouvement n'était visible. Soudain, l'appel chantant cessa, et l'on entendit les oiseaux pépier dans les arbres du parc.

— Ce doit être un enregistrement, me dit A. Bettik.

— Je vais vérifier.

Je rangeai les jumelles et suivis une allée de gravier qui traversait la pelouse plantée de palmiers jaunes conduisant à la mosquée dont j'apercevais déjà l'intérieur, jonché de centaines de petits tapis. Des arcades ouvragées de pierre rainurée reposaient sur d'élégantes colonnes. Dans le mur du fond s'ouvrait une somptueuse alcôve voûtée de forme semi-circulaire. Sur la droite de cette alcôve, il y avait un escalier protégé par une rampe de pierre amoureusement ouvragée et menant à une plate-forme de pierre surmontée d'un dais. Avant d'entrer dans la mosquée, je décrivis les lieux à l'androïde.

— L'alcôve s'appelle un mihrab, me dit-il. C'est l'endroit réservé au chef de prière, l'imam. Le balcon sur la droite est le minbar, ou pupitre. Est-ce que vous voyez quelqu'un ?

— Non.

Les tapis de prière et les marches de pierre étaient recouverts d'une pellicule de poussière rouge.

— Dans ce cas, il ne fait aucun doute qu'il s'agissait d'un enregistrement.

J'avais envie d'entrer dans le grand hall de la mosquée, mais je ne désirais pas profaner un lieu sacré. J'avais déjà ressenti le même genre de chose, enfant, dans la cathédrale catholique de la Pointe du Bec, et aussi adulte, quand un copain de la Garde Civile avait voulu me faire entrer dans l'un des derniers temples zen gnostiques d'Hypérion. Je savais déjà, quand j'étais jeune, que je me sentirais toujours déplacé dans un lieu saint. Je n'en avais aucun à moi, et je ne me sentirais jamais à l'aise dans celui des autres. Je décidai de ne pas entrer dans celui-ci.

Je retournai dans les rues un peu plus sombres et plus fraîches et découvris une avenue bordée de palmiers qui traversait un quartier agréable de la ville. Des charrettes à bras contenant des choses à manger ou des jouets à vendre étaient abandonnées au bord du trottoir. Je m'arrêtai devant celle d'un marchand de beignets et me penchai pour renifler la pâte. Elle était rance, mais seulement depuis quelques jours et non des semaines ou des mois.

L'avenue conduisait jusqu'au fleuve. Je pris l'esplanade qui le longeait sur la gauche pour retrouver la rue où était l'établissement de soins. De temps à autre, j'appelais A. Bettik. Énée dormait toujours profondément.

Les étoiles étaient voilées par la poussière en suspens dans l'air tandis que la nuit tombait sur la cité. Seuls quelques bâtiments étaient éclairés. L'événement qui avait fait disparaître la population avait dû avoir lieu en plein jour. Mais de vieux réverbères éclairaient l'esplanade, et ils fonctionnaient au gaz. S'il n'y avait pas eu l'un de ces réverbères au bout de la rue donnant sur le quai où nous avions laissé notre radeau, je serais probablement remonté vers l'hôpital sans le voir. Mais la lumière portait à plus d'une centaine de mètres, et je le vis tout de suite.

Il y avait quelqu'un sur le radeau. C'était une très haute silhouette immobile, qui semblait vêtue d'un costume argenté. La lumière du réverbère la faisait briller à la manière d'une combinaison spatiale chromée.

Je demandai à l'androïde de redoubler de vigilance, car il y avait un intrus dans la ville. Puis je sortis mon pistolet de son étui et pris mes jumelles. Je n'eus pas plus tôt achevé la mise au point que la silhouette argentée tourna la tête dans ma direction.

Le père capitaine de Soya ouvre les yeux dans l'environnement confortable et familier de la crèche du *Raphaël*. Après les premiers instants d'inévitable désorientation confuse, il se lève et s'avance, tout nu, vers la console de commandement.

Tout est normal. Ils sont en orbite autour de Sol Draconi Septem. La planète est une sphère d'un blanc éblouissant à travers la baie transparente de la cabine de commandement. La poussée de freinage est optimale, et les trois autres crèches ne vont pas tarder à réveiller leurs précieux occupants humains. Le champ de confinement interne est réglé sur *g* zéro jusqu'à ce qu'ils aient tous retrouvé leurs forces et une température interne normale, dans une atmosphère propice. Pour le moment, le vaisseau est en orbite stationnaire. Le prêtre-capitaine donne le premier ordre de sa nouvelle existence. Il commande au vaisseau de préparer du café pour tout le monde dans la cabine de navigation. En général, sa première pensée, à la résurrection, est pour la sphère à café, dans sa niche murale au-dessus de la table des cartes, en train de se remplir de liquide noir brûlant.

Il s'aperçoit alors qu'un voyant de l'ordinateur de bord annonce un message urgent. C'est curieux, car aucun message n'a été reçu pendant qu'il était encore conscient dans le système de Pacem, et il est peu probable qu'on ait pu les joindre dans cet ex-système colonial lointain. La Pax n'est pas présente dans les parages de Sol Draconi. Tout au plus certains vaisseaux-torches utilisent-ils les trois géantes gazeuses du système pour se ravitailler en hydrogène. Il interroge rapidement l'ordinateur, qui confirme qu'aucun vaisseau ne les a contactés durant les trois jours de freinage et d'insertion orbitale. Il s'assure également qu'il n'y a actuellement aucune mission religieuse sur le sol de la planète, et que le dernier contact avec des missionnaires remonte à plus de cinquante années standard dans le passé.

Il met le message en lecture. Il émane de l'autorité papale, par l'intermédiaire de la flotte de la Pax. D'après les codes affichés, il est arrivé quelques centièmes de seconde à peine avant le saut quantique du *Raphaël* dans l'espace de Pacem. C'est un texte de message, très bref.

SA SAINTETÉ ANNULE VOTRE MISSION SUR SOL DRACONI SEPTEM. NOUVELLE DESTINATION : BOSQUET DE DIEU. REJOIGNEZ IMMÉDIATEMENT LE NOUVEAU SYSTÈME. SIGNÉ LOURDUSAMY ET MARUSYN. FIN DE MESSAGE.

De Soya soupire. Ce voyage, leur mort et leur résurrection, tout cela n'a servi à rien. Durant un bon moment, le prêtre-capitaine ne bouge pas, il reste nu sur sa couchette de commandement en contemplant le limbe d'une blancheur aveuglante de la planète de glace qui remplit la baie d'observation courbe au-dessus de lui. Puis il pousse un nouveau soupir et marche lentement jusqu'à la douche, en s'arrêtant dans la cabine de navigation pour se servir du café. Il tend machinalement la main vers la sphère tout en programmant la cabine de douche : jet en aiguilles, aussi chaud qu'il pourra le supporter. Il prend mentalement note de la nécessité de trouver quelque part des peignoirs de bain. L'espace vestiaire de bord n'est plus exclusivement masculin.

Soudain, il se fige, extrêmement contrarié. Sa main ne s'est pas refermée sur la sphère à café. Quelqu'un l'a déplacée à l'intérieur de sa niche.

Leur nouvelle recrue, la caporale Radamanthe Némès, est la dernière à quitter sa crèche. Les trois hommes détournent les yeux quand elle se lève et se propulse d'un coup de talon vers le vestiaire et la douche, mais il y a suffisamment de surfaces réfléchissantes dans la cabine de commandement exiguë du *Raphaël* pour qu'ils aient un aperçu du corps musclé de la petite femme à la peau pâle, avec le cruciforme livide entre ses deux seins menus.

La caporale Némès les rejoint pour communier avec eux. Elle a l'air toute désorientée et vulnérable tandis qu'ils sirotent silencieusement leur café et font monter le champ de confinement interne jusqu'à un sixième de *g*.

— C'est votre première résurrection ? demande De Soya d'une voix douce.

Elle hoche la tête. Elle a les cheveux très noirs et coupés court, avec une frange qui retombe souplement sur son front pâle.

— J'aimerais bien vous dire qu'on finit par s'y habituer, fait le prêtre-capitaine, mais la vérité est que chaque réveil est aussi pénible et déroutant que le premier.

Elle boit une gorgée de café. Elle paraît hésitante sous la microgravité ambiante. Son uniforme noir et rouge rend son teint encore plus pâle par contraste.

— Est-ce que nous n'allons pas faire route immédiatement vers le Bosquet de Dieu ? demande-t-elle d'une voix timide.

— Très bientôt, lui dit le père capitaine de Soya. J'ai programmé le *Raphaël* pour qu'il quitte son orbite dans quinze minutes. Nous accélérerons sous deux gravités jusqu'au point de translation le plus proche, ce qui nous laissera quelques heures pour récupérer avant de retourner dans la crèche.

La caporale Némès semble frissonner à l'idée de devoir subir une nouvelle résurrection. Comme si elle avait hâte de changer de conversation, elle regarde le limbe aveuglant de la planète qui remplit la baie d'observation et les écrans de contrôle.

— Comment peut-on voyager sur un fleuve quand tout est gelé ? demande-t-elle.

— Sous la surface, j'imagine, fait le sergent Gregorius, qui observe Némès attentivement depuis un bon moment. C'est toute l'atmosphère de la planète qui est gelée depuis la Chute. Le Téthys doit couler en dessous.

Elle hausse un épais sourcil noir surpris.

— Et le Bosquet de Dieu, ça ressemble à quoi ? demande-t-elle.

— Vous ne le savez pas ? s'étonne Gregorius. Je croyais que toute la Pax en avait entendu parler.

Elle secoue la tête.

— J'ai grandi sur Espérance. On y fait surtout de la pêche et de l'élevage. Et on ne s'intéresse pas beaucoup aux autres mondes, ni même à la Pax, et encore moins aux vieilles histoires du Retz. On a trop de mal à tirer une maigre subsistance de la terre et de la mer.

— Le Bosquet de Dieu est un vieux monde templier, explique le père capitaine de Soya en remettant la sphère à café dans sa niche au-dessus de la table des cartes. Il a été presque entièrement ravagé par les flammes durant l'invasion extro qui a précédé la Chute. C'était une planète splendide en son temps.

— C'est vrai, fait le sergent Gregorius en hochant la tête. La Fraternité des Templiers du Muir était une sorte de secte qui vouait un culte à la nature. Ils avaient transformé le Bosquet de Dieu en une vaste forêt planétaire. Les arbres y étaient plus beaux et plus hauts que les séquoias de l'Ancienne Terre. Les Templiers qui l'occupaient étaient au nombre de vingt millions. Ils vivaient dans des cités et des plates-formes parmi ces superbes arbres. Mais quand la guerre est arrivée, ils ont choisi le mauvais camp.

La caporale Némès lève la tête.

— Vous voulez dire qu'ils se sont rangés du côté des Extros ?

Cette idée semble la choquer.

— Exactement, ma petite, fait Gregorius. C'est peut-être parce qu'ils avaient des arbres capables de voyager dans l'espace à cette époque.

Elle éclate de rire. Cela se traduit par un bruit bref et cristallin.

— Il parle sérieusement, lui dit le caporal Kee. Les Templiers utilisaient des ergs — des capteurs d'énergie d'Aldébaran — pour encapsuler les arbres dans un champ de confinement de neuvième catégorie fournissant au système un moyen de propulsion. Ils avaient même réussi à installer des réacteurs Hawking pour les déplacements interstellaires.

— Des arbres volants ! s'exclame la caporale Némès, qui laisse de nouveau entendre son rire saccadé.

— Certains ont pris la fuite avec ces arbres lorsque les Extros, en récompense de leur allégeance, ont lancé un essaim à l'attaque de la planète, continue Gregorius. Mais la plupart ont péri dans les flammes avec le reste de la forêt. On dit qu'il ne restait plus que des cendres, et que les nuages de fumée ont créé un effet d'hiver nucléaire.

— Hiver nucléaire ? répète Némès.

De Soya regarde la jeune femme avec attention. Il se demande pourquoi ils ont choisi une personne si naïve pour détenir le disque papal dans certaines circonstances. L'ingénuité fait-elle partie de son tempérament de tueuse occasionnelle ?

— Caporale, murmure-t-il, vous venez de dire que vous aviez grandi sur Espérance. Vous êtes-vous engagée dans la Garde Civile locale ?

Elle secoue la tête.

— Je suis entrée directement dans l'armée de la Pax, père capitaine. Il y avait une terrible disette. Les recruteurs nous faisaient miroiter des voyages interstellaires. Vous savez ce que c'est...

— Où avez-vous servi ? demande Gregorius.

— J'ai juste fait mes classes sur Freeholm.

Le sergent se penche en avant, appuyé sur ses coudes. La gravité d'un sixième de *g* leur permet de s'asseoir plus facilement.

— Quelle brigade ?

— La vingt-troisième. Sixième régiment.

— Celui des Aigles Criards, déclare le caporal Kee. J'avais une copine qui a été transférée là-bas. Vous étiez sous les ordres du commandant Coleman ?

Némès secoue de nouveau la tête.

— C'était la commandante Deering qui était à la tête du régiment pendant mon séjour là-bas. Mais je n'y suis restée que dix mois locaux... euh... environ huit mois et demi standard, je pense. J'ai reçu une formation de combattante d'élite. Ensuite, quand ils ont demandé des volontaires pour la Première Légion...

Elle laisse mourir sa voix, comme s'il s'agissait d'informations secrètes. Gregorius, pendant ce temps, se gratte le menton.

— C'est curieux que je n'aie jamais entendu parler de ce corps. Rien ne reste longtemps secret, dans l'armée. Combien de temps dites-vous que vous avez servi dans cette... légion ?

Némès regarde le géant droit dans les yeux.

— Deux années standard, sergent. Et le secret a été bien gardé... jusqu'à présent. La plus grande partie de notre entraînement a eu lieu sur Lee 3 et dans l'Anneau de Lambert.

— Lambert... Vous avez donc eu votre part d'entraînement sous basse gravité et sous *g*-zéro.

— Plus que ma part, reconnaît la caporale Radamanthe Némès avec un sourire froid. Dans l'Anneau de Lambert, nous avons subi un entraînement intensif de cinq mois, limité au secteur de l'Amas Pèlerin Troyen.

Le père capitaine de Soya a l'impression que cette conversation est en train de dégénérer en interrogatoire. Il ne veut pas que leur nouvelle recrue se sente assaillie de questions, mais il partage la curiosité de Gregorius et de Kee. De plus, il a le pressentiment que quelque chose cloche dans tout ça.

— Cette légion, elle est prévue pour fonctionner un peu comme les *marines* ? demande-t-il. Dans des affrontements vaisseau contre vaisseau ?

Elle secoue encore la tête.

— Non, père capitaine. Il ne s'agit pas juste de tactique de combat de vaisseau à vaisseau. Les légions sont formées pour porter la guerre dans le camp ennemi.

— Ce qui signifie quoi au juste ? demande De Soya d'une voix douce. Depuis que je sers dans la Flotte, nous avons toujours mené quatre-vingt-dix pour cent de nos batailles dans l'espace ennemi.

— Je sais, fait Némès avec son petit sourire. Mais votre stratégie consistait à frapper et à s'en aller. Alors que les légions occuperont le terrain.

— Le terrain ? Mais la majeure partie du territoire extro est faite de vide spatial ! s'exclame Kee. À part quelques astéroïdes, ils n'ont que des forêts orbitales, en plein espace.

— Exactement, fait Némès sans cesser de sourire. Les légions les combattront sur leur propre terrain... Dans le vide spatial, en l'occurrence.

Gregorius croise le regard de De Soya, qui semble lui dire : « Ça suffit comme ça avec les questions. » Mais le sergent, obstiné, secoue la tête en murmurant :

— En tout cas, je ne vois pas ce que vos fameuses légions pourraient faire que les gardes suisses n'ont pas encore accompli — et très bien — depuis seize siècles.

De Soya se laisse flotter sur ses pieds.

— Accélération dans deux minutes, annonce-t-il. Gagnons nos couchettes. Nous parlerons du Bosquet de Dieu et de notre mission là-bas pendant le voyage jusqu'au point de translation.

Il avait fallu au *Raphaël* près de onze heures de décélération, sous deux cents gravités, pour amortir sa vitesse quasi luminique avant l'entrée dans l'atmosphère du système. Mais l'ordinateur a repéré un point de translation adéquat pour le Bosquet de Dieu, situé à trente-cinq millions de kilomètres à peine de Sol Draconi Septem. En accélérant tranquillement à un *g*, ils peuvent atteindre ce point en vingt-quatre heures. Cependant, de Soya a programmé le vaisseau pour qu'il s'arrache au puits gravifique de la planète sous une accélération constante de deux *g* durant six heures avant d'utiliser une partie de son énergie à activer les champs internes pendant la dernière heure du voyage sous cent *g*.

Lorsque les champs s'activent enfin, l'équipage procède à une dernière vérification de sa mission sur le Bosquet de Dieu. Trois jours pour ressusciter, puis déploiement immédiat au sol sous le commandement du sergent Gregorius. Inspection du tronçon de cinquante-huit kilomètres du Téthys entre deux portails, et préparation finale en vue de la capture d'Énée et de son groupe.

— Après tout ce que nous avons fait, pourquoi le Saint-Père commence-t-il seulement maintenant à nous fournir des indications de recherche ? demande le caporal Kee tandis qu'ils gagnent leurs crèches.

— Il a eu une révélation, explique de Soya. Tout le monde est prêt ? On y va. Je m'occupe des écrans.

Les toutes dernières minutes avant la translation, ils ont pris l'habitude de refermer leur sarcophage de crèche. Seul le père capitaine continue de surveiller les opérations.

Il profite du peu de temps dont il dispose pour repasser les données concernant leur entrée avortée dans l'espace d'Hébron et leur fuite. Il les a déjà consultées avant leur départ de Pacem, mais il revoit en accéléré les images et les statistiques. Tout est là, et tout semble en ordre : les vues en orbite pendant qu'il était dans la crèche avec ses deux hommes, la cité en train de brûler, le paysage éventré de cratères, les villages dévastés d'où montent des filets de fumée qui se perdent dans l'atmosphère de la planète-désert, La Nouvelle-Jérusalem en ruine, la radioactivité... Puis il y a l'acquisition radar par trois croiseurs d'un essaim. Le *Raphaël* interrompt alors automatiquement le cycle de résurrection et prend la fuite. Il s'arrache au système sous deux cent quatre-vingts gravités, le maximum dont est capable, avec sa cargaison de cadavres, son propulseur à fusion amélioré. Les Extros, de leur côté, sont obligés de consacrer une grande partie de leur énergie, s'ils ne veulent pas mourir, à mettre en place des champs de confinement. Pas de résurrection pour les païens. Et ils ne peuvent pas dépasser huit *g* dans cette poursuite.

Les caméras ont tout enregistré. On voit la longue traînée verte des propulseurs à fusion des Extros, leurs tentatives de les anéantir à distance, à près d'une UA ! Le *Raphaël* n'a aucun mal à neutraliser les rayons d'énergie à cette distance. La translation dans le système de Mare Infinitus se fait sans problème. C'était le point quantique le plus proche.

Tout cela se tient. Les moniteurs sont convaincants. Et pourtant... de Soya n'y croit pas.

Le père capitaine ignore au juste les raisons de son scepticisme. Un enregistrement visuel ne signifie rien, naturellement. Depuis plus de mille ans que l'ère numérique existe, les images les plus convaincantes peuvent être truquées par n'importe quel enfant disposant d'un ordinateur chez lui. Mais pour falsifier les archives du vaisseau, il faudrait un immense effort, une vraie conspiration technologique. Pourquoi ne fait-il pas confiance aux mémoires du *Raphaël* ?

Il ne dispose plus que de quelques minutes avant la translation, mais il repasse quand même les images de leur récente descente dans le système de Sol Draconi Septem. Il jette un coup d'œil par-dessus son épaule en direction des trois sarcophages hermétiquement fermés, silencieux, avec leurs voyants verts allumés. Gregorius, Kee et Némès sont toujours conscients. Ils attendent la translation et la mort. De Soya sait que le sergent occupe toujours ses dernières minutes à prier. Kee lit généralement un livre sur son moniteur de sarcophage. Quant à la femme, de Soya n'a aucune idée de ce qu'elle doit être en train de faire dans son cercueil douillet.

Il se rend compte qu'il est en train de devenir paranoïaque. *Ma sphère à café a été déplacée. Le manche n'était pas du bon côté.* Durant ses heures de veille, il a essayé de se souvenir si quelqu'un était entré dans le vestiaire et avait pu toucher à la sphère dans le système de Pacem. Mais non. Personne ne s'est servi de l'espace toilette pendant l'ascension du puits gravifique. Cette femme, Némès, est montée à bord avant les autres, mais de Soya a utilisé la sphère et l'a remise en place après l'avoir vue regagner sa crèche. Il en est absolument certain. Il a été le dernier à prendre place dans son sarcophage, comme d'habitude. L'accélération ou la décélération peuvent réduire en miettes des sphères non prévues pour ces terribles gravités, mais le vecteur de décélération suivi par le *Raphaël* était linéaire, dans l'axe de son déplacement antérieur, et il est impossible que la sphère ait pu se déplacer latéralement. La niche est étudiée pour maintenir en place les objets qu'elle contient.

Le père capitaine de Soya appartient à une longue tradition millénaire de marins et de cosmonautes maniaques pour qui « une place pour chaque chose et chaque chose à sa place » constitue une règle vitale. C'est un homme de l'espace. Deux décennies ou presque de service à bord de frégates, croiseurs et vaisseaux-torches lui ont appris que tout objet non remis exactement à sa place lui volera littéralement dans la figure dès que le vaisseau passera sous *g* zéro. Plus important encore, il a cette obsession qu'ont eue de tout temps les marins d'être capables de tout retrouver sous leur main en n'importe quelle circonstance, qu'il fasse nuit ou qu'il fasse tempête. Il reconnaît que le mauvais alignement d'une poignée de cafetière n'est pas un point crucial, mais... tout de même. Chaque homme à bord a l'habitude d'utiliser l'un des sièges-alvéoles autour de la table de navigation à cinq places, qui fait également office de table commune pour les repas dans le module de commandement exigu. Quand ils s'en servent pour tracer un itinéraire ou consulter des cartes planétaires, chacun d'eux — y compris Rettig, quand il était encore de ce monde — s'assoit ou se laisse flotter automatiquement à sa place. C'est un réflexe qui fait partie de la nature humaine. Les spationautes ont toujours des habitudes bien établies et des comportements prévisibles.

Mais quelqu'un — ou quelqu'une — a déplacé le manche de la cafetière, peut-être d'un coup de genou, sous *g* zéro, en assurant son équilibre. C'est peut-être paranoïaque, mais c'est un fait.

En outre, il y a les informations troublantes chuchotées par le sergent Gregorius durant les quelques minutes qui se sont écoulées entre son réveil dans la crèche de résurrection et celui de la caporale Némès.

— J'ai un ami dans les gardes suisses du Vatican, père capitaine. J'ai bu un coup avec lui la veille de notre départ. Il nous connaissait tous les trois, avec Kee et Rettig. Et il m'a juré qu'il a vu transporter le lancier Rettig inconscient sur une civière devant l'hôpital de Vatican pour le faire entrer dans une ambulance.

— Impossible, a répliqué de Soya. Le lancier Rettig est décédé des suites de complications à la résurrection. Son corps a été largué dans l'espace de Mare Infinitus.

— Je sais, a grogné Gregorius. Mais mon copain était à peu près certain qu'il s'agissait de Rettig. Il était sans connaissance dans l'ambulance, avec tout un attirail médical et un masque à oxygène, mais c'était bien lui.

— Tout cela n'a aucun sens, a conclu alors de Soya.

Il s'est toujours méfié des théories sur les conspirations. Son expérience personnelle l'a convaincu qu'un secret partagé par plus de deux personnes demeure rarement un secret pendant très longtemps.

— Et pourquoi la Pax et l'Église nous auraient-elles menti sur lui ? a-t-il demandé alors. Où croyez-vous qu'il se trouve en ce moment, si vous dites qu'il était vivant sur Pacem ?

Gregorius a haussé les épaules.

— Peut-être bien que ce n'était pas lui, père capitaine. C'est ce que je me suis dit. Mais l'ambulance...

— Quoi, l'ambulance ? a répliqué de Soya, plus brusque qu'il ne l'aurait voulu.

— Elle a pris la route du château Saint-Ange, père capitaine, où se trouve le QG du Saint-Office.

Pure parano.

Les relevés concernant les onze heures de décélération sont normaux. Freinage sous gravité élevée, cycle de résurrection habituel de trois jours, leur assurant le maximum de chances de récupération sans problème. Il regarde les chiffres de l'insertion orbitale et passe la vidéo qui montre la lente rotation de Sol Draconi Septem. Ces jours perdus le font toujours rêver, durant lesquels le *Raphaël* exécute tout seul les tâches de routine pendant que les crèches s'occupent de la résurrection de l'équipage. Il essaie d'imaginer le silence surnaturel qui doit régner alors à bord du vaisseau.

— Translation dans trois minutes, annonce la voix synthétique du *Raphaël*. Tous les membres de l'équipage doivent gagner immédiatement leurs postes de résurrection.

Ignorant l'avertissement, de Soya affiche les données concernant les deux jours et demi où le vaisseau est resté en orbite autour de Sol Draconi Septem avant leur résurrection. Il n'est pas tout à fait sûr de ce qu'il cherche... Il ne voit aucune trace d'utilisation du vaisseau de descente ni d'activation précoce des supports de vie. Les moniteurs des crèches ont enregistré un cycle régulier, avec les premiers signes de réveil à la fin du troisième jour. Tous les paramètres sont normaux, mais... Une seconde !

— Translation dans deux minutes, annonce la voix impersonnelle du vaisseau.

Là, le premier jour, juste après la mise en orbite géostationnaire standard... et là encore, quatre heures plus tard environ... Tout est normal, à l'exception des chiffres concernant quatre mises à feu mineures des réacteurs. Pour se placer sur une orbite parfaitement stationnaire et s'y maintenir, un vaisseau comme le *Raphaël* doit s'imprimer plusieurs dizaines de petites poussées comme celles-ci. La plupart de ces réglages fins sont obtenus, de Soya le sait, par la mise à feu des gros ensembles de réacteurs situés en poupe, près de la tuyère à fusion, et sur la bôme du carter de commande, à la proue du vaisseau courrier lourdement configuré. Or, ces brèves poussées ont été exactement identiques. D'abord une double mise à feu pour stabiliser le vaisseau durant une rotation sur son axe destinée à orienter le carter de commande du côté opposé à la planète — procédure normale, en mode rôtissoire, pour répartir uniformément la chaleur solaire sur toute la surface de la coque sans utiliser les refroidisseurs de champ —, mais seulement durant huit minutes la première fois... et aussi la seconde ! Immédiatement après cette rotation viennent les deux petites impulsions. Deux fois deux, avec la double giclée finale, celle qui est censée accompagner la mise à feu qui doit remettre par rotation le vaisseau dans la position où ses caméras du carter de commande sont pointées vers la surface de la planète. Seulement, quatre heures et huit minutes plus tard, la même séquence se reproduit exactement. Il y a trente-huit autres séquences de poussées stabilisatrices enregistrées, et aucune de ces poussées n'implique la rotation simultanée de tous les modules empilés du vaisseau, mais ces deux intermèdes à quatre giclées ont immédiatement attiré l'œil exercé de De Soya.

— Translation dans une minute, avertit le *Raphaël*.

Il perçoit le bruit des énormes générateurs de champ qui se préparent à passer en mode de propulsion Hawking améliorée, ce qui causera sa mort dans cinquante-six secondes. Mais il n'en tient pas compte. Son fauteuil de commandement s'occupera automatiquement de mettre son corps dans la crèche après la translation s'il n'y va pas maintenant. Le vaisseau est conçu ainsi. Ce n'est pas très propre, mais nécessaire.

Le père capitaine Federico de Soya commande des vaisseaux-torches depuis de nombreuses années. Il a effectué plus d'une douzaine de sauts avec des vaisseaux archanges. Il reconnaît la signature de cette séquence double poussée, rotation, double poussée sur le moniteur de contrôle. Même si toute une séquence a été effacée de la mémoire du vaisseau, la manœuvre est évidente. La rotation est destinée à orienter le vaisseau de descente, fixé du côté opposé à celui du carter de commande, dans la direction de l'atmosphère planétaire. Et la deuxième double giclée, celle qui demeure en mémoire dans l'ordinateur, a pour but de stabiliser l'empilement lorsque le vaisseau a repris sa position normale, ses caméras de nouveau braquées sur la planète.

Rien de tout cela n'est aussi évident qu'il le paraît, car l'empilement tout entier est animé d'un lent mouvement de rotation, en mode rôtissoire, pendant toute la durée de l'opération, et de brèves mises à feu occasionnelles des réacteurs alignent la pile afin d'obtenir un meilleur réchauffement ou un meilleur refroidissement, selon les besoins. Pour de Soya, cependant, la signature est très claire. Il tape des instructions pour afficher de nouveau les autres paramètres. Signes de déploiement du vaisseau de descente : négatif. Manœuvre de rotation pour déploiement du vaisseau de descente : négatif. Indicateurs de présence constante du vaisseau de descente : positif. Activation des systèmes de vie avant la résurrection générale : négatif. Images vidéo du vaisseau de descente plongeant vers l'atmosphère : négatif. Les enregistrements montrent l'engin à son poste, inoccupé.

Les seules anomalies, ce sont ces deux séquences de poussées de huit minutes chacune, à quatre heures d'intervalle. Huit minutes de rotation du côté opposé à celui de la surface, cela suffit à un vaisseau de descente pour disparaître dans l'atmosphère hors de vue de la caméra enregistreuse. Et aussi pour revenir et accoster. Les caméras de bôme et le radar auraient enregistré l'événement, à moins d'avoir reçu l'ordre de l'ignorer avant la séparation du vaisseau de descente. Ce qui aurait évité d'avoir à altérer les enregistrements après coup.

Si quelqu'un a ordonné à l'ordinateur de bord de détruire toutes les traces de déploiement du vaisseau de descente, les capacités IA du *Raphaël* ont pu modifier les enregistrements de cette manière, sans se rendre compte que les deux séquences des réacteurs auxiliaires trahiraient l'opération. En fait, pour la déceler, il ne fallait rien de moins qu'un commandant de vaisseau-torche avec douze ans de carrière derrière lui. Si de Soya disposait d'une heure ou plus pour afficher les paramètres concernant l'utilisation de l'hydrogène et pour les comparer à ceux de l'état des réservoirs du vaisseau de descente, puis avec ceux des besoins du collecteur Bussard d'hydrogène durant la décélération, il aurait la preuve tangible que les manœuvres de rotation et le déploiement du vaisseau de descente se sont bien passées comme il pense. Mais il ne dispose pas d'une heure.

— Translation dans trente secondes.

Il n'a plus le temps d'arriver dans son sarcophage. Il a juste celui de lancer une séquence spéciale d'instructions pour une manœuvre du vaisseau, d'entrer son code prioritaire, de confirmer la commande, de modifier les paramètres du moniteur et de recommencer deux fois l'opération. Il vient à peine d'entendre la confirmation de sa validation, à la troisième insertion de son code prioritaire, lorsque le saut quantique de l'archange en C+ survient.

La translation le déchire littéralement en lambeaux dans les limites de son fauteuil-couchette. Il meurt avec un sourire farouche aux lèvres.

50

— Raul !

C'était au moins une heure avant le lever du soleil sur Qom Riyad. A. Bettik et moi nous étions assis dans la chambre où dormait Énée. Je m'étais momentanément assoupi. L'androïde était réveillé — il ne semblait jamais dormir —, mais ce fut moi qui bondis le premier au chevet de la fillette. La lueur des témoins du biomoniteur, à la tête de son lit, était la seule chose qui éclairait la pièce. Au-dehors, la tempête de sable faisait rage depuis des heures.

— Raul...

Les moniteurs disaient que la fièvre était tombée. La douleur avait disparu. Seul demeurait l'électro-encéphalogramme erratique.

— Je suis là, ma grande.

Je lui pris la main. Ses doigts n'étaient plus brûlants.

— Tu as vu le gritche ?

La question me prit par surprise, mais je me dis, un instant plus tard, que ce n'était pas forcément de la prescience ou de la télépathie. J'avais parlé à la radio avec A. Bettik de ce que j'avais vu. Il avait dû laisser branchés les haut-parleurs de son communicateur, et Énée devait être assez consciente pour enregistrer ce qu'elle entendait.

— Je l'ai vu, répondis-je. Ne t'en fais pas. Il n'est pas ici.

— Mais tu l'as vu.

— Oui.

Elle me prit la main dans les siennes et se redressa sur le lit. Je vis briller ses yeux noirs dans la pénombre.

— Où, Raul ? Où l'as-tu vu ?

— Sur le radeau.

De ma main libre, je la repoussai gentiment contre son oreiller. La taie et sa chemise de nuit étaient trempées de sueur.

— Ne t'inquiète pas, ma grande, lui dis-je pour la rassurer. Il était juste là, sans rien faire. Il ne m'a pas suivi quand je suis parti.

— Il a tourné la tête, Raul ? Il t'a regardé ?

— Euh... oui, mais...

Je m'interrompis. Elle s'était mise à gémir doucement, la tête ballant d'avant en arrière contre l'oreiller.

— Énée... ma petite fille... tout va bien, je t'assure...

— Rien ne va, Raul. Mon Dieu... Tout est de ma faute... Je lui avais demandé de venir avec moi, le dernier soir... Tu savais que je lui avais demandé ? Il a refusé...

— Qui a refusé ? Le gritche ?

A. Bettik s'approcha derrière moi. À l'extérieur, le sable rouge crépitait contre la fenêtre et la porte coulissante.

— Non, non, haleta Énée, les joues luisantes de larmes ou de transpiration. Le père Glaucus, reprit-elle d'une voix si faible que le vent la couvrait presque. Le dernier soir... Je lui ai demandé de nous accompagner. Je n'aurais pas dû, Raul... Ça ne faisait pas partie de mes... rêves... Mais je lui ai demandé, et c'est ma faute, j'aurais dû insister...

— Ne t'inquiète pas, répétai-je. Je suis sûr que le père Glaucus va très bien.

— Non, Raul, gémit-elle. Il est mort. La chose qui nous poursuit l'a tué avec tous les Chitchatuks.

Je regardai de nouveau le moniteur. La température était toujours bonne, malgré son délire. Je me tournai vers l'androïde, mais il était en train d'observer silencieusement l'enfant.

— Tu veux parler du gritche ? demandai-je. C'est lui qui les a tués ?

— Non, non, pas lui, murmura-t-elle.

Puis elle colla son poignet contre ses lèvres.

— Du moins, je ne pense pas que ce soit lui, reprit-elle au bout de quelques secondes. Non, j'en suis sûre. Ce n'était pas le gritche.

Soudain, elle me prit la main, qu'elle serra très fort dans les siennes.

— Raul, est-ce que tu m'aimes ?

Je ne pus que regarder dans le vague un instant sans répondre. Puis je balbutiai, sans retirer ma main :

— Bien sûr que je t'aime, ma petite Énée. C'est-à-dire...

Elle parut alors me voir pour la première fois depuis qu'elle s'était réveillée en murmurant mon nom.

— Arrête, me dit-elle en riant doucement. Excuse-moi... Je me suis un peu décollée dans le temps. Bien sûr que tu ne m'aimes pas comme ça. J'oubliais quand nous étions... Qui nous étions l'un pour l'autre en ce moment.

Elle se laissa alors aller en arrière contre son oreiller et poussa un profond soupir.

— Mon Dieu ! C'est la veille du Bosquet de Dieu... Notre dernière nuit de voyage...

Je ne savais pas encore si je pouvais attribuer un sens à tout ce qu'elle disait. J'attendis en silence.

— H. Énée, demanda l'androïde, est-ce que notre prochaine destination sur le fleuve est le Bosquet de Dieu ?

— Je crois, oui, déclara-t-elle d'une voix qui ressemblait davantage à celle de l'enfant que je connaissais. Mais je n'en suis pas sûre. Tout est brouillé... (Elle se redressa de nouveau.) Ce n'est pas le gritche qui nous poursuit, vous savez. Et ce n'est pas non plus la Pax.

— Bien sûr que c'est la Pax, murmurai-je pour essayer de la ramener à la réalité. Ils nous suivent depuis...

Mais elle était en train de secouer obstinément la tête avec ses cheveux mouillés.

— Non, insista-t-elle. Si la Pax en a après nous, c'est parce que le Centre lui dit que nous sommes dangereux.

— Le Centre ? m'étonnai-je. Mais il est... Depuis la Chute, il...

— Il est bien vivant, et plus dangereux que jamais. Lorsque Gladstone et les autres ont détruit le système distrans qui fournissait au Centre son réseau neural, il a battu en retraite, mais il n'est jamais allé bien loin. Tu n'as pas encore compris, Raul ?

— Non, répliquai-je. Je n'ai pas du tout compris. Où était-il, s'il n'était pas loin ?

— La Pax, me dit-elle simplement. Mon père — ou plutôt sa personnalité enregistrée dans la boucle de Schrön de maman — m'a expliqué tout ça avant ma naissance. Le Centre a attendu que l'Église commence à se revitaliser sous Paul Duré — le pape Teilhard Iᵉʳ. Duré était un brave homme, Raul. Ma mère et mon oncle Martin le connaissaient. Il portait sur lui deux cruciformes. Le sien et celui du père Lénar Hoyt. Mais Hoyt était... faible.

Je lui tapotai gentiment le poignet.

— Qu'est-ce que tout cela a à voir avec...

— *Écoute bien !* me dit-elle en retirant son bras. Il peut se passer n'importe quoi demain sur le Bosquet de Dieu. Je peux mourir. Nous pouvons tous mourir. L'avenir n'est jamais écrit d'avance. Seulement esquissé au crayon. Si je meurs et si tu survis, je veux que tu expliques à mon oncle Martin, ou à qui voudra t'écouter...

— Tu ne vas pas mourir, Énée.

— Écoute ! me supplia l'enfant, les yeux de nouveau pleins de larmes.

Je hochai la tête et l'écoutai. Même le hurlement du vent sembla se calmer un peu.

— Teilhard fut assassiné la neuvième année de son pontificat. Mon père l'avait prédit. J'ignore s'il s'agissait d'agents du Centre — ils utilisent des cybrides — ou de simples querelles politiques vaticanaises. Mais lorsque Lénar Hoyt fut ressuscité à partir de leurs cruciformes communs, le Centre passa à l'action. C'est lui qui a fourni la technologie permettant au cruciforme de ressusciter les humains sans la débilité et l'asexualité des Bikuras sur Hypérion.

— Mais comment ? répliquai-je. Comment les IA du Techno-Centre ont-elles pu apprivoiser le symbiote du cruciforme ?

Je trouvai la réponse avant même qu'elle ouvre la bouche pour me répondre.

— C'est eux qui l'ont produit. Non pas le TechnoCentre actuel, mais l'IU qu'il est appelé à créer dans le futur. Elle a envoyé les parasites dans le passé sur Hypérion, comme elle l'a fait avec les Tombeaux du Temps. Et elle les a testés sur cette tribu perdue des Bikuras, où les imperfections se sont révélées.

— Et quelles imperfections ! m'exclamai-je. La destruction des organes reproducteurs et de l'intelligence, pas moins !

— Oui, fit Énée en me prenant de nouveau la main. Le Centre a pu corriger ces défauts grâce à sa technologie avancée. Une technologie dont il a fait cadeau au nouveau pape, Lénar Hoyt, ou Jules VI.

Je commençais à y voir un peu plus clair.

— Un marché faustien, murmurai-je.

— *Le* marché faustien ! Tout ce que l'Église avait à faire pour gagner l'univers, c'était vendre son âme.

— Et c'est ainsi que le Protectorat de la Pax a vu le jour, murmura A. Bettik d'une voix douce. Le pouvoir politique à travers le canon d'un parasite.

— C'est le TechnoCentre qui nous poursuit... qui me poursuit, reprit Énée. Je représente une menace pour lui, et pas seulement pour l'Église.

Je secouai lentement la tête.

— En quoi peux-tu les menacer ? Tu n'es qu'une enfant...

— Une enfant qui a été en contact avant sa naissance avec une personnalité cybride renégate, ne l'oublie pas, Raul. Mon père était lâché, pas seulement dans l'infosphère ou la mégasphère, mais dans la métasphère. Lâché dans le vaste psychocerberréseau dont même le Centre était absolument terrifié...

— Des lions, des tigres et des ours, murmura A. Bettik.

— Précisément, fit Énée. Quand la personnalité de mon père est entrée dans la mégasphère du Centre, elle a demandé à l'IA Ummon de quoi le Centre avait peur. La réponse fut qu'il ne s'étendait pas plus loin dans la métasphère parce qu'elle était remplie de lions, de tigres et d'ours.

— Je n'y comprends plus rien, murmurai-je. Je suis complètement perdu.

Elle se pencha en avant tout en accentuant sa pression sur ma main. Je sentis son haleine sur ma joue. Elle était tiède et suave.

— Tu as pourtant lu les *Cantos* de mon oncle Martin, Raul. Qu'est-il arrivé à la Terre ?

— L'Ancienne Terre ? demandai-je stupidement. Dans

les *Cantos*, l'IA Ummon disait que les trois tendances du TechnoCentre étaient en guerre... Nous en avons déjà discuté.

— Rafraîchis-moi la mémoire.

— Ummon a dit à la personnalité Keats — ton père — que les Volages cherchaient à détruire l'humanité alors que les Stables — sa tendance — voulaient la sauver. Ils ont donc organisé une fausse destruction de la planète par un trou noir et l'ont mise en sécurité dans le Nuage de Magellan ou dans l'amas d'Hercule, l'un ou l'autre. Quant aux Ultimistes, la troisième tendance, ils se fichaient pas mal de ce qui pouvait arriver à l'Ancienne Terre ou à l'humanité du moment que leur projet d'Intelligence Ultime aboutissait.

Elle attendit que je continue.

— En ce qui concerne l'Église, repris-je d'une voix un peu hésitante, elle partage la croyance générale selon laquelle l'Ancienne Terre aurait été engloutie par le trou noir et serait morte à l'époque indiquée.

— Et toi, à quelle version crois-tu, Raul ?

Je pris une profonde inspiration.

— Je n'en sais rien, répondis-je. J'aimerais bien que l'Ancienne Terre existe encore, je suppose, mais ça ne me paraît pas si important que ça, tout compte fait.

— Et s'il y avait une troisième possibilité ?

Les portes vitrées se mirent soudain à trembler bruyamment. Je posai la main sur la crosse de mon pistolet à plasma, en m'attendant plus ou moins à voir surgir le gritche. Mais ce n'était que le vent du désert qui redoublait de violence.

— Une troisième possibilité ? répétai-je.

— Ummon a menti. L'IA a menti à mon père. Aucun élément du Centre n'a déplacé la Terre. Ni les Stables, ni les Volages, ni les Ultimistes.

— Ce qui signifie qu'elle a été détruite.

— Non. Mon père n'a pas compris tout de suite. Ce n'est que plus tard qu'il a saisi. La Terre a bien été transportée dans le Nuage de Magellan, mais pas par des éléments du Centre. Ils ne disposaient ni de la technologie ni des ressources en énergie ni du degré nécessaire de contrôle de l'Espace qui Lie. Le Centre ne peut même pas se transporter lui-même dans le Nuage de Magellan. C'est trop loin. C'est incroyablement loin.

— C'est qui, alors ? demandai-je. Qui a volé l'Ancienne Terre ?

Elle se laissa aller en arrière contre l'oreiller.

— Je ne sais pas. Je ne crois pas que le Centre le sache non plus. Mais ils n'ont pas envie de savoir, au demeurant. Ils sont terrifiés à l'idée de ce que nous allons peut-être découvrir.

A. Bettik s'avança en disant :

— Ce n'est pas le Centre qui a activé les portails distrans sur notre passage ?

— Non.

— Est-ce que nous allons découvrir qui c'est ? demandai-je.

— Si nous survivons, oui. Seulement si nous survivons, Raul, murmura-t-elle en fermant ses yeux, qui étaient fatigués mais non fiévreux. Ils seront là demain à nous attendre, poursuivit-elle. Et je ne veux pas parler du prêtre-capitaine et de ses hommes, mais de quelqu'un... ou *quelque chose* qui est envoyé par le Centre pour nous faire du mal.

— Cette chose dont tu disais qu'elle a tué le père Glaucus, Cuchiat et les autres ? demandai-je.

— Oui.

— C'est une vision que tu as eue, quelque chose comme ça ? Pour le père Glaucus ?

— Pas vraiment une vision, me dit-elle d'une voix faible. Plutôt un souvenir du futur. Un souvenir certain.

Je me tournai vers la tempête de sable, qui semblait maintenant diminuer d'intensité.

— Nous pouvons rester ici, déclarai-je. Nous pouvons prendre un glisseur ou un VEM qui fonctionne, gagner l'hémisphère Nord et nous cacher à Ali ou dans une autre cité mentionnée dans le petit guide. Nous ne sommes pas obligés de jouer leur jeu ni de franchir ce portail distrans demain.

— Tu te trompes, me dit Énée. Nous y sommes obligés.

Je voulus protester, mais les mots ne sortirent pas de ma gorge serrée. Au bout d'un moment, je demandai :

— Et le gritche, dans tout ça, quel rôle joue-t-il ?

— Je l'ignore, me dit-elle. Tout dépend de qui l'envoie,

cette fois-ci. Ou il agit peut-être pour son propre compte, je ne sais pas.

— Pour son propre compte ? Je croyais que ce n'était qu'une machine.

— Oh ! non. Ce n'est pas qu'une machine !

Je me frottai la joue.

— Je ne comprends pas. Est-il possible que ce soit un ami ?

— Un ami, impossible.

Elle se redressa et passa sa petite main sur ma joue, à l'endroit où je venais moi-même de me la frotter.

— Désolée, Raul, me dit-elle. Je ne cherche pas à être évasive, crois-moi. C'est juste que je ne sais pas. Il n'y a rien d'écrit. Tout est fluide. Et quand j'ai la vision de quelque chose qui bouge, c'est comme si je contemplais un magnifique tableau peint sur du sable une seconde avant que le vent vienne tout balayer.

Le dernier sursaut de tempête, à l'extérieur, secoua les fenêtres comme pour illustrer sa comparaison. Elle me sourit.

— Excuse-moi d'avoir décollé du temps, tout à l'heure, me dit-elle.

— Décollé du temps ?

— Cette question que je t'ai posée... quand je t'ai demandé si tu m'aimais... J'avais oublié à quel moment et à quel endroit nous sommes.

Au bout de quelques secondes, je murmurai :

— Ne t'en fais pas, ma petite fille. Je t'aime, et si quelqu'un veut te faire du mal, demain, il faudra qu'il me passe d'abord sur le corps, que ce soit l'Église ou le Centre ou n'importe quoi d'autre.

— J'essaierai également de prévenir une telle éventualité, H. Énée, déclara A. Bettik.

Elle sourit et prit nos deux mains dans les siennes.

— Le Bûcheron de Fer-Blanc et l'Épouvantail, murmura-t-elle. Je ne mérite pas de si bons amis.

Ce fut mon tour de sourire. Grandam m'avait raconté cette très vieille histoire [1].

---

1. *Le Magicien d'Oz*, de Frank Baum. (*N.d.T.*)

— Je ne vois pas le Lion Poltron, déclarai-je.

Le sourire d'Énée s'effaça.

— C'est moi, dit-elle d'une voix tranquille. C'est moi la poltronne.

Aucun de nous ne dormit davantage cette nuit-là. Nous préparâmes nos affaires et descendîmes au radeau dès que les premières lueurs de l'aube teintèrent les collines en rouge derrière la cité.

51

En raison de la vitesse relativement basse à laquelle le *Raphaël* arrive au point de translation dans le système de Sol Draconi, elle a moins de décélération à absorber pour descendre dans l'espace du Bosquet de Dieu. Tout se passe de manière feutrée, à un peu moins de vingt-cinq gravités, et ne dure pas plus de trois heures. Bien installée dans sa crèche de résurrection capitonnée, Radamanthe Némès attend tranquillement que ce soit fini.

Quand le vaisseau amorce son orbite autour de la planète, elle ouvre le couvercle du sarcophage et va dans la cabine vestiaire pour s'habiller. Avant de quitter l'espace de commandement pour se laisser glisser dans le tube du vaisseau de descente, elle jette un coup d'œil aux moniteurs de crèche et entre en liaison directe avec l'ordinateur du vaisseau. Les trois autres sarcophages fonctionnent normalement. Ils sont programmés pour la période de résurrection habituelle de trois jours. Lorsque de Soya et ses hommes se réveilleront, elle sait que le problème aura été résolu. Avec son microfilament, elle charge dans l'ordinateur les mêmes directives d'effacement et les mêmes instructions prioritaires que celles qu'elle a déjà utilisées dans le système de Sol Draconi. Le système de bord accuse réception du programme de rotation du vaisseau de descente et se prépare aussitôt à l'oublier.

Avant de se propulser dans le sas du vaisseau, elle tape la combinaison de son casier de vestiaire personnel. À côté de quelques vêtements de rechange et de souvenirs personnels factices — des holos de « famille » et un paquet de fausses lettres d'un frère imaginaire —, la seule chose qu'il y a dans ce casier est une ceinture standard avec des poches. Quelqu'un qui aurait la curiosité de regarder dans ces poches n'y trouverait qu'un petit ordinateur de la taille d'une carte à jouer, d'un modèle courant qu'on peut se procurer dans n'importe quel drugstore pour neuf ou dix florins, une bobine de fil, trois flacons de pilules et un paquet de tampons hygiéniques. Elle passe la ceinture autour de sa taille et entre dans le vaisseau de descente.

Même en orbite, à trente mille kilomètres d'altitude, le Bosquet de Dieu, quand il est visible à travers l'épaisse couche de nuages de son atmosphère, offre un aspect complètement ravagé. Au lieu d'être divisée en continents et océans distincts, la planète a tectoniquement évolué en une masse continentale unique parsemée de longs « lochs » d'eau saumâtre qui ratissent le paysage comme des marques de griffes sur le tapis vert d'un billard. Outre ces lochs et d'innombrables petits lacs de forme allongée qui suivent les lignes de faille à travers tout le continent vert, il y a aujourd'hui des milliers de lacérations brunes aux endroits où l'invasion extro — ou du moins ce que les humains croient toujours être l'invasion extro — a arrosé ce territoire paisible de ses missiles, il y a près de trois cents ans.

Tandis que le vaisseau descend, secoué, dans l'atmosphère et dans les couches ionisées, déchirant l'air d'un triple bang hypersonique, Némès observe la surface qui monte à elle à travers les masses de nuages en mouvement. La plupart des forêts de séquoias recombinants de deux cents mètres de haut qui avaient attiré, à l'origine, la Fraternité du Muir sur ce monde ont disparu, carbonisées dans l'incendie planétaire qui a amené l'hiver nucléaire. De larges secteurs des hémisphères Sud et Nord sont encore tout blancs sous l'effet des chutes de neige et de la glaciation, qui commence seulement à s'estomper à mesure que la couverture nuageuse s'écarte sur une bande d'un millier de kilomètres de part et d'autre de l'équateur. Et c'est précisément cette zone équatoriale en train de se reconstituer qui est la destination de Némès.

Elle prend le contrôle manuel du vaisseau de descente,

dans l'ordinateur duquel elle insère son filament de connexion. Elle commence à étudier les cartes planétaires qu'elle a chargées en mémoire à partir des banques de données centrales du *Raphaël*. Voilà... Le Téthys avait un cours de cent soixante kilomètres, principalement d'ouest en est, contournant les racines de l'Arbre-monde du Bosquet pour passer devant le Musée du Muir. Elle constate que la majeure partie de la visite organisée du Téthys se situait sur un immense arc semi-circulaire où le fleuve faisait ses méandres autour d'une petite partie de la circonférence nord de l'Arbre-monde. Les Templiers se considéraient comme la conscience écologique de l'Hégémonie. Ils donnaient toujours leur opinion, sans qu'on leur demande rien, sur toutes les entreprises de terraformation du Retz ou des Confins. Et l'Arbre-monde était le symbole de leur arrogance. En fait, cet arbre était quelque chose d'unique dans l'univers exploré, avec son tronc d'un diamètre supérieur à quatre-vingts kilomètres et son branchage qui s'étendait sur plus de cinq cents kilomètres autour de lui, l'équivalent de la base du légendaire Olympus Mons de Mars. C'est, en outre, le seul organisme vivant qui a poussé ses ramifications si haut dans l'atmosphère, aux confins de l'espace.

Il a disparu, aujourd'hui, naturellement, saccagé et calciné par la flotte extro qui a dévasté toute la planète juste avant la Chute. À la place du glorieux arbre vivant, il ne reste plus que la Souche du Monde, un tertre de cendres et de carbone qui ressemble aux restes d'un vieux volcan bouclier. Les Templiers ont disparu, morts ou en fuite sur leurs vaisseaux-arbres propulsés par des ergs le jour de l'attaque. Le Bosquet de Dieu, depuis plus de deux siècles et demi, est complètement abandonné. Radamanthe Némès n'ignore pas que la Pax aurait depuis longtemps recolonisé la planète si le Centre ne lui avait pas ordonné de renoncer à cette entreprise. Les IA ont leurs propres projets à long terme en ce qui concerne le Bosquet de Dieu, et cela n'a rien à voir avec la présence de missionnaires ou de quelconques colonies humaines.

Némès trouve sans peine le portail distrans en amont. Il semble minuscule à côté des versants cendreux de la Souche du Monde, au sud. Elle se met en vol stationnaire au-dessus de lui. Des repousses tapissent le bord du fleuve et les pentes calcinées érodées par le temps. Ce sont de simples broussailles en comparaison de l'ancienne forêt, mais il y a tout de même des arbres qui atteignent vingt mètres de haut, et elle aperçoit des sous-bois touffus là où la lumière du soleil pénètre au fond des ravins. Ce n'est pas l'endroit rêvé pour une embuscade. Elle pose le vaisseau de descente sur la rive nord et s'avance à pied en direction de l'arche.

Elle retire un panneau d'accès sous lequel se trouve un module d'interface. Elle décolle la peau humaine qui recouvre son poignet et son bras droits. Elle la met soigneusement de côté pour le retour au *Raphaël* et se connecte directement dans le module pour accéder aux données. Ce portail n'a pas été activé depuis la Chute. Le groupe d'Énée n'est pas encore passé par ici.

Elle retourne au vaisseau de descente et survole la rivière en aval, à la recherche de l'endroit parfait. Il ne faut pas qu'ils puissent s'échapper par voie de terre, et il doit y avoir suffisamment de végétation pour la dissimuler avec son attirail mais pas assez pour permettre à Énée et ses compagnons d'y trouver refuge. Il faut aussi qu'elle puisse nettoyer facilement les lieux lorsque la boucherie sera finie. Elle préférerait, pour cela, une surface rocheuse, un endroit qu'elle puisse laver avec de l'eau avant de regagner le *Raphaël*.

Elle découvre l'endroit idéal à une quinzaine de kilomètres à peine en aval. Le Téthys, ici, pénètre dans des gorges et se transforme en une série de rapides créés par les bombardements des Extros et par la série d'avalanches qui leur ont succédé. De nouveaux arbres ont poussé sur le versant cendreux à l'entrée de la zone des rapides et le long des étroits torrents qui les alimentent. Les gorges proprement dites sont bordées de gros éboulis et de larges plaques de lave noire qui ont glissé jusqu'en bas pendant les bombardements extros et formé des terrasses en se refroidissant. Le terrain est trop accidenté pour qu'un portage du radeau soit possible, et s'ils choisissent de franchir les rapides ils seront tellement absorbés par leur tâche qu'ils n'auront pas le temps de surveiller les rives.

Elle pose le vaisseau de descente à un kilomètre de là au sud, sort du casier AEV un sac à prélèvements scellé sous vide, le glisse derrière sa ceinture, camoufle le vaisseau à l'aide de branchages et part au trot en direction du fleuve.

Elle prend la bobine de fil dans sa ceinture, en dégage l'extrémité et sort plusieurs centaines de mètres de microfilament invisible qu'elle tend plusieurs fois au-dessus des rapides comme des fils d'araignée indétectables. Puis elle étale une bave transparente à base de polycarbonates, à la consistance de sève naturelle, sur la face tournée vers la rive des saillies où elle ancre le fil, à la fois pour se donner une référence visuelle et pour empêcher le monofilament de mordre dans les rochers et les arbres là où il entre en contact avec eux. Même si quelqu'un remonte le fleuve à pied en passant par les plaques de lave et les gros blocs, la bave aura l'apparence d'une traînée de sève ou de lichen. Même le *Raphaël* serait entamé en une douzaine d'endroits si quelqu'un essayait de le faire voler maintenant au-dessus du fleuve.

Quand le piège est en place, Némès se déplace vers l'amont sur le seul terrain plat qui borde le fleuve. Elle ouvre un flacon de pilules et éparpille au sol et dans les arbres plusieurs centaines de mines miniatures. Ces micro-explosifs en polymère caméléon prennent aussitôt la couleur et la texture du terrain où ils sont tombés. Chaque mine est capable de repérer sa cible qui court ou qui marche et de se diriger vers elle par petits bonds avant d'exploser. La charge creuse s'oriente d'elle-même de manière à pénétrer dans la cible. Les mines sont activées par la proximité d'un battement de pouls, d'exhalations de dioxyde de carbone ou de chaleur corporelle, de même que par la pression d'un pas dans un rayon de dix mètres.

Némès étudie le terrain alentour. Ce secteur plat est le seul situé à proximité des rapides où une personne à pied peut essayer de se réfugier. Avec les mines implantées partout, aucune créature vivante se déplaçant à pied n'a la moindre chance de survivre. Elle retourne au petit trot jusqu'à l'éboulis et active les capteurs des mines au moyen d'une pulsation codée.

Pour empêcher qui que ce soit de remonter le fleuve à la nage, elle ouvre quelques-uns de ses étuis de tampons et jette dans l'eau plusieurs poignées de petits œufs de perce-oreilles à coquille en céramique. Ils ressemblent, au fond de l'eau, à des galets ordinaires. Quand une ou plusieurs créatures vivantes passent au-dessus d'eux une première fois, ils s'activent et il ne se passe rien. Mais si l'une des créatures essaie de revenir en arrière, les perce-oreilles, de la taille d'un moustique, sortent de leur coquille de céramique et fendent l'eau ou l'air pour vriller le crâne de leur objectif et exploser en une masse de minuscules filaments après avoir établi le contact avec le tissu cérébral.

Perchée sur un rocher à une dizaine de mètres au-dessus des rapides, Radamanthe Némès s'allonge sur le dos pour attendre. Les deux seuls objets qui restent dans sa ceinture sont la carte-ordinateur et le sac à prélèvements.

L'« ordinateur » est le gadget le plus évolué dont elle se soit munie pour cette expédition de chasse. Les entités qui l'ont créé spécialement pour elle l'ont surnommé le « piège à Sphinx », d'après le tombeau du même nom sur Hypérion, que les mêmes IA ont également conçu. Il est capable de produire une bulle de cinq mètres de diamètre contenant un champ antientropique ou hyperentropique. L'énergie nécessaire pour créer une telle bulle pourrait alimenter en électricité une planète comme le vecteur Renaissance durant dix ans, mais Némès n'a besoin que d'un déplacement temporel de trois minutes. Elle retourne la carte mince entre ses doigts et se dit qu'on aurait dû l'appeler plutôt le « piège à gritche ».

La petite femme trapue à la main sans peau scrute de nouveau le fleuve en amont. Ils vont arriver d'une seconde à l'autre, à présent. Le portail est à quinze kilomètres d'ici, mais elle saura exactement à quel moment ils le franchiront. Elle est sensible aux distorsions distrans. Elle s'attend à ce que le gritche soit avec eux, et elle est à peu près certaine qu'il la traitera en ennemie. En fait, elle serait terriblement déçue s'il n'était pas là ou s'il ne lui était pas hostile.

Radamanthe Némès prend le dernier article de sa ceinture. Le sac à prélèvements est exactement ce qu'il semble. Une poche à échantillons scellée sous vide pour activité extra-véhiculaire. Elle s'en servira pour rapporter la tête de la fillette au *Raphaël*, où elle la mettra dans le casier secret situé derrière le panneau d'accès à la tuyère de fusion. Ses maîtres exigent une preuve.

Elle esquisse un sourire et change de position, sur la dalle de lave noire, de manière à sentir la douce chaleur du soleil sur son visage. Puis elle se couvre les yeux de son poignet normal et s'autorise un petit somme. Elle n'a plus qu'à attendre.

52

J'avoue que je m'attendais à ce que le gritche soit parti lorsque nous arrivâmes au bout de la rue de Mechhed peu avant l'aube de cette dernière journée fatidique. Mais il était toujours là.

Nous nous figeâmes tous les trois à la vue de l'immense statue chromée haute de trois mètres et hérissée de lames qui occupait notre petit radeau. La chose se tenait exactement à l'endroit où je l'avais vue la veille. J'avais reculé, alors, le fusil pointé, mais je m'avançai prudemment, cette fois-ci, le fusil toujours pointé.

— Du calme, me dit Énée en posant la main sur mon bras.

— Qu'est-ce qu'il veut, bon sang ? demandai-je en faisant glisser la sécurité du fusil et en insérant la première cartouche au plasma dans la chambre.

— Je ne sais pas, murmura-t-elle. Mais tu ne lui feras rien avec cette arme.

Je m'humectai les lèvres et baissai les yeux vers l'enfant. J'avais envie de lui dire qu'un projectile au plasma était capable d'opérer des ravages sur tout ce qui n'était pas protégé par vingt centimètres de blindage moderne.

— En tout cas, on ne peut pas monter sur le radeau pendant qu'il y est, murmurai-je en baissant légèrement mon arme.

Elle exerça une pression plus forte sur mon bras puis le lâcha.

— Il le faut, dit-elle en s'avançant vers le quai.

Je me tournai vers A. Bettik, qui ne semblait pas plus heureux que moi à cette idée. Puis nous rattrapâmes Énée.

De près, le gritche était encore plus terrifiant à voir que de loin. J'ai utilisé le terme de « statue » à son propos un peu plus haut, et il avait effectivement quelque chose de sculptural, si tant est que l'on puisse imaginer une sculpture hérissée de piques chromées, de barbelés, de lames de rasoir, d'épines et de plaques de métal. Il était énorme. Il me dépassait de plus d'un mètre, et je ne suis pas petit. Sa forme était complexe. Il avait des jambes épaisses, aux jointures entourées de bandeaux hérissés d'épines, les pieds plats, avec des lames courbes à la place des orteils et une lame plus longue, en forme de cuiller, à la place du talon, un outil parfait pour éventrer une victime. Plus haut, un ensemble compliqué de coquilles chromées servant de carapace alternait avec des bandes de barbelés acérés. Les bras étaient d'une longueur démesurée par rapport au corps. Ils avaient trop de jointures, et étaient au nombre de quatre, la paire surnuméraire prenant naissance sous la racine de la plus grande. Quatre mains énormes, avec des doigts en forme de lame, pendaient mollement à ses côtés.

Le crâne était presque lisse et étrangement oblong, avec une mâchoire en forme de pelle mécanique incrustée de plusieurs rangées de dents métalliques. Une larme en forme de croissant ornait son front, et une deuxième, plus haut, formait la crête de son crâne blindé. Les yeux étaient grands, enfoncés, d'un rouge mat.

— Tu veux voyager avec... ça ? chuchotai-je.

Nous étions à quatre mètres du bord du quai. Le gritche n'avait pas tourné la tête pour nous regarder, ses yeux semblaient aussi morts que des cataphotes, mais notre instinct nous poussait presque invinciblement à tourner les talons et à fuir au plus vite.

— Il faut monter sur le radeau, murmura la fillette. Il faut partir d'ici tout de suite. C'est notre dernier jour.

Sans quitter vraiment le monstre des yeux, je regardai le ciel et les bâtiments derrière nous. Après la violente tempête de sable de la nuit, on aurait pu s'attendre à ce que le ciel soit tout rose, mais le vent semblait avoir plutôt éclairci l'atmosphère. Les nuages rouges, portés par le dernier vent du désert, se déplaçaient encore rapidement dans le ciel, mais celui-ci était plus bleu que la veille. Et le soleil commençait à effleurer le sommet des immeubles les plus hauts.

— Je suis sûr que nous pourrions trouver un VEM en état de marche, pour voyager avec classe, murmurai-je, le canon de mon fusil levé. Un truc avec un peu moins d'enjoliveurs chromés, peut-être.

La plaisanterie tomba à plat, même à mes propres oreilles. Il m'avait fallu un effort surhumain pour avoir envie de faire de l'humour avec ça.

— Suis-moi, me dit Énée.

Elle descendit dans le radeau par l'échelle de fer du quai. Je la suivis en hâte, le doigt sur la détente de mon fusil braqué sur le cauchemar chromé et l'autre main sur un échelon après l'autre. A. Bettik me suivit sans un mot.

Je n'avais pas fait attention à l'état de délabrement dans lequel était le radeau. Les troncs raccourcis étaient déformés et fendus en plusieurs endroits, l'eau recouvrait tout l'avant et venait lécher les pieds géants du gritche, la tente était remplie de sable rouge à la suite de la tempête de la nuit. Le support de la godille semblait sur le point de craquer, et le matériel que nous avions laissé à bord était en désordre, comme abandonné. Nous rangeâmes nos paquetages sous la tente et demeurâmes immobiles, indécis, fixant des yeux le dos hérissé du monstre, guettant le moindre mouvement de sa part, comme trois petites souris qui traversent sur la pointe des pieds le paillasson du chat endormi.

Le gritche ne se retourna pas. Son dos n'était pas plus rassurant que l'autre côté, mais au moins ses yeux rouges éteints ne nous fixaient pas.

Énée soupira et s'avança vers le monstre. Elle leva une petite main qui effleura sans le toucher le dos barbelé de la créature. Puis elle se tourna vers nous en murmurant :

— Tout va bien. On peut partir.

— Comment est-ce que tout peut aller bien ? chuchotai-je d'une voix farouche.

J'ignore pourquoi je jugeais utile de m'exprimer à voix basse. Mais quelque chose faisait que personne n'osait parler normalement à proximité de cette créature.

— S'il voulait nous tuer aujourd'hui, nous serions déjà morts, nous dit-elle.

Elle se posta à bâbord, le visage encore blême et les épaules tombantes, pour saisir l'une des perches.

— Larguez les amarres, s'il vous plaît, demanda-t-elle à l'androïde. Il faut partir, maintenant.

A. Bettik passa sans hésiter à portée du monstre pour détacher l'amarre de proue, qu'il lova sur son bras. Je fis de même avec l'amarre de poupe, mais d'une seule main, sans lâcher mon fusil.

Le radeau prenait l'eau à cause de la masse de la créature à l'avant. L'eau passait sur les troncs, même à l'arrière, où se trouvait la tente. Plusieurs rondins, à bâbord, s'étaient partiellement détachés.

— Il faudrait faire quelques réparations, déclarai-je en tenant la godille d'une main après avoir déposé le fusil à mes pieds.

— Pas sur ce monde, me dit Énée en poussant sur sa perche pour nous amener au centre du courant. Après le portail.

— Tu sais où nous allons ?

Elle secoua la tête. Ses cheveux n'avaient pas la même souplesse ce matin.

— Tout ce que je sais, dit-elle, c'est que c'est notre dernier jour.

Elle avait déjà dit cela quelques minutes plus tôt, et cela m'avait causé le même élan d'angoisse que maintenant.

— Tu en es sûre, ma grande ?

— Oui.

— Mais tu ne sais pas où nous allons ?

— Pas de manière certaine.

— Ça veut dire quoi, ça ? Tu veux dire que...

Elle eut un sourire pâle.

— Je comprends ce que tu ressens, Raul. Je sais seulement que, si nous survivons aux toutes prochaines heures, nous devrons partir à la recherche du bâtiment que j'ai vu dans mes rêves.

— Et il ressemble à quoi ?

Elle ouvrit la bouche pour dire quelque chose, mais se contenta de rester un moment appuyée à la perche. Le cou-

rant nous emportait maintenant au centre. Les grands bâtiments du cœur de la cité firent bientôt place, sur chaque
rive, à de petits espaces verts bordés d'allées.

— Je le reconnaîtrai quand je le verrai, me dit-elle.

Elle posa la perche sur le pont du radeau et vint à moi en
me tirant la manche pour me dire à voix basse :

— Si je ne... survis pas... et toi oui..., tu répéteras à mon
oncle Martin... exactement ce que je t'ai dit... au sujet des
lions, des tigres et des ours... et des intentions du Centre.

Je la pris par ses frêles épaules.

— Je ne veux pas que tu parles ainsi, murmurai-je. Nous
allons tous nous en tirer. C'est toi qui raconteras tout à ton
oncle.

Elle hocha la tête sans conviction. Puis elle retourna prendre sa perche. Le gritche était toujours immobile, tourné vers
l'avant, les pieds dans l'eau. La lumière du matin faisait
briller ses épines et ses lames de rasoir.

Je m'étais attendu à traverser un nouveau désert en quit-
tant Mechhed, mais je me trompais, une fois de plus. Les
espaces verts et les allées bordant le fleuve devenaient de
plus en plus luxuriants. Il y avait là des épineux bleus et des
essences de l'Ancienne Terre à feuilles caduques parmi une
véritable prolifération de palmiers jaunes ou verts. Nous laissâmes bientôt les derniers bâtiments de la cité derrière nous.
Le fleuve était large et rectiligne. Nous passâmes à travers
une riche forêt encore plus dense. La matinée n'était pas très
avancée, mais la chaleur du soleil était déjà écrasante.

Nous n'avions pas besoin de godiller pour rester au centre
du courant. J'ôtai ma chemise et la rangeai dans mon paquetage. Puis j'allai remplacer Énée, qui tenait toujours la perche à bâbord. Elle était visiblement à bout de forces. Elle
leva vers moi ses yeux noirs, mais sans dire un mot.

A. Bettik avait défait la microtoile de tente pour en
secouer le sable. Il vint s'asseoir à côté de moi tandis que le
fleuve faisait une large courbe dans la forêt tropicale toujours très dense. L'androïde portait la chemise ample et le
short jaune en lambeaux qu'il avait sur Hébron et sur Mare
Infinitus. Son chapeau de paille à bord jaune était à ses
pieds. Nous fûmes surpris de voir Énée aller s'asseoir à

l'avant tout près du gritche immobile tandis que nous nous enfoncions dans la jungle touffue.

— Ce n'est pas naturel, déclarai-je en redressant le radeau que le courant menaçait de déporter sur le côté. Une jungle au milieu du désert ! Il ne peut pas tomber assez d'eau pour l'entretenir !

— Je crois qu'il s'agit d'un très grand jardin tropical planté par les pèlerins religieux chiites, H. Endymion, me dit l'homme bleu. Écoutez !

Je tendis l'oreille. La forêt tropicale bruissait de cris d'oiseaux et de froissements de feuilles agitées par le vent, mais je perçus en même temps les sifflements et les crachotements d'un système d'arrosage intermittent.

— Incroyable ! m'écriai-je. Ils utilisent toute cette eau précieuse pour entretenir un écosystème artificiel ! Il doit s'étendre sur des dizaines de kilomètres !

— Un vrai paradis, fit Énée.

— Qu'est-ce que tu dis, ma grande ? demandai-je en poussant sur la perche pour nous remettre au centre du courant.

— Les musulmans, sur l'Ancienne Terre, étaient principalement des gens du désert, nous dit-elle à voix basse. L'eau et la verdure étaient au centre de leur conception du paradis. Mechhed était un grand centre religieux. Ce jardin devait être destiné à donner aux fidèles un aperçu de ce qui les attendait s'ils suivaient les enseignements d'Allah dans le Coran.

— Une publicité qui devait revenir cher, estimai-je en donnant un coup de perche pour accompagner le radeau dans la nouvelle courbe que le fleuve faisait à gauche. Mais je me demande ce que tous ces gens sont devenus.

— La Pax, dit Énée.

— Hein ? demandai-je, perplexe. Ces mondes... Hébron, Qom-Riyad... Ils étaient sous domination extro quand leur population a disparu.

— C'est ce que dit la Pax.

Je réfléchis sans répondre.

— Qu'est-ce que ces deux planètes ont en commun, d'après toi, Raul ? interrogea-t-elle.

Je répondis aussitôt, cette fois-ci.

— Elles étaient farouchement non chrétiennes. Elles refusaient d'accepter la croix. Aussi bien les juifs que les musulmans.

Elle demeura silencieuse.

— C'est une terrible chose que tu suggères là, murmurai-je, l'estomac soudain noué. L'Église peut se fourvoyer, le pouvoir de la Pax peut lui monter à la tête, mais... (J'essuyai la sueur qui coulait sur mes yeux.) Mon Dieu ! m'écriai-je, répugnant à prononcer le mot qui me venait à l'esprit. Un génocide ?

Elle se tourna alors pour me regarder. Derrière elle, les rayons du soleil se reflétèrent sur les lames du gritche.

— Nous n'avons pas encore de certitude, me dit-elle à voix basse. Mais nous savons qu'il y a des éléments, dans l'Église comme dans la Pax, qui n'hésiteraient pas à aller jusque-là. Souviens-toi, Raul, que le Vatican dépend presque entièrement du Centre pour conserver sa mainmise sur les résurrections et, à travers elles, sur les populations de toutes les planètes.

J'étais en train de secouer la tête.

— Tout de même... Un génocide... Je n'arrive pas à y croire.

Le concept évoquait pour moi des hommes comme Horace Glennon-Height ou Adolf Hitler, et non des personnages ou des institutions que j'avais connus de mon vivant.

— Il se passe en ce moment quelque chose de terrible, me dit Énée. C'est sûrement la raison pour laquelle nous avons été appelés ici... en passant par Hébron et Qom-Riyad.

— Tu l'as déjà laissé entendre plusieurs fois, murmurai-je en poussant sur ma perche. Appelés... mais pas par le Centre. Par qui, alors ?

Je regardai le dos du gritche. Je transpirais abondamment sous le soleil torride. La haute créature n'était que lames froides et épines acérées.

— Je l'ignore, me dit l'enfant.

Elle pivota soudain sur son séant, les avant-bras sur les genoux.

— Voilà le portail, nous dit-elle.

Il se dressait, rouillé et envahi par la végétation grimpante, au milieu de la jungle luxuriante. Si nous étions toujours dans les jardins paradisiaques de Qom-Riyad, ils étaient retournés à l'état sauvage. Au-dessus de la voûte de verdure, le ciel bleu avait toujours des tons rouges là où les nuages de sable étaient charriés par le vent.

Posant ma perche après avoir bien centré le radeau dans le courant, j'allai chercher mon fusil, l'estomac toujours serré à la pensée du génocide. Il se serra encore plus lorsque je vis des images de cavernes de glace, de cascades, de mondes océaniques, et aussi du gritche s'animant soudain tandis que nous franchissions le portail à la rencontre de notre destin.

— Tenez-vous bien, murmurai-je inutilement au moment où nous passions sous l'arche.

Le paysage devant nous devint flou et miroita comme si un rideau de brume s'était soudain abattu sur nous. La lumière changea, la gravité changea et le monde autour de nous changea aussi.

53

Le père capitaine de Soya est réveillé par un hurlement. Il lui faut plusieurs minutes pour se rendre compte que c'est lui qui hurle.

Il ouvre le couvercle du sarcophage et s'assoit au milieu de la crèche. Il y a des voyants rouges et jaunes qui clignotent sur le tableau de surveillance, mais les principaux sont verts. Gémissant de douleur et de confusion, il s'extrait du sarcophage. Son corps flotte au-dessus de la crèche. Ses mains ne trouvent aucun appui. Il s'aperçoit qu'elles sont d'un rouge luisant, comme si sa peau avait été brûlée.

— Sainte mère de Marie... Où suis-je ?

Il pleure. Les larmes forment des nuages humides qui tournent lentement devant ses yeux.

— Où suis-je ? Sous g-zéro... Le *Balthazar* ? Que s'est-il passé ? Bataille spatiale ? Brûlures ?

Non. Il est à bord du *Raphaël*. Lentement, les dendrites meurtries de son cerveau se mettent au travail. Il flotte dans une pénombre éclairée par les instruments. Le *Raphaël*. Normalement, il devrait être en orbite autour du Bosquet de Dieu. Il a réglé, très dangereusement, les cycles de crèche de Gregorius, de Kee et de lui-même sur six heures au lieu des trois jours habituels. *Ils veulent jouer au bon Dieu avec la vie de leurs soldats*, se souvient-il d'avoir pensé. À ce rythme, leurs chances de résurrection satisfaisante sont réduites. De Soya se rappelle le deuxième courrier qui lui a apporté ses ordres sur le *Balthazar*. Le père Gawronski. On dirait que cela s'est passé il y a des dizaines d'années. Sa résurrection a échoué. Le chapelain du *Balthazar*... Comment s'appelait-il, déjà ? Le père Sapieha, oui... Il disait qu'il faudrait des semaines, ou même des mois pour que Gawronski soit ressuscité après cet échec initial. Un processus très lent et très douloureux, accusait-il.

L'esprit du père capitaine de Soya commence à s'éclaircir tandis qu'il flotte au-dessus de sa crèche. Toujours en impesanteur, comme il l'a programmé lui-même. Il se souvient d'avoir pensé qu'il ne serait peut-être pas en état de se déplacer sous une gravité normale. Et il ne l'est pas.

Il se propulse vers le vestiaire pour vérifier dans le miroir l'état dans lequel il se trouve. Tout son corps est d'un rouge luisant, mais il ne ressemble pas à un grand brûlé. Le cruciforme constitue une crête livide au milieu de sa chair à vif.

Il ferme les yeux et met ses sous-vêtements et sa soutane. Le coton rêche lui frotte douloureusement ses chairs à vif, mais il n'y prête pas attention. Le café est monté dans le percolateur, comme il l'a programmé. Il prend sa tasse sur la table de navigation et se propulse dans la cabine centrale d'où il vient.

La crèche du caporal Kee est au vert. Dans quelques secondes, il va ressusciter. Celle de Gregorius clignote dans le rouge et l'ambre. De Soya jure doucement entre ses dents et se rapproche du panneau de surveillance de son sarcophage. Le cycle de résurrection a été interrompu. La résurrection précoce a échoué.

— Bordel de Dieu ! murmure-t-il.

Puis il fait acte de contrition pour avoir invoqué en vain le nom du Seigneur. Il avait besoin de Gregorius.

La résurrection de Kee se passe à peu près bien, mais le caporal est dans un état de confusion mentale avancée, et il souffre beaucoup. De Soya le conduit dans l'espace de toilette et passe un baume sur sa peau à vif. Puis il lui fait boire un peu de jus d'orange. Quelques minutes plus tard, Kee est en état de comprendre.

— Il y avait quelque chose d'anormal, explique de Soya. J'ai dû prendre ce risque pour voir ce que la caporale Némès manigance.

Kee hoche la tête en signe d'approbation. Malgré la température confortable de la cabine, il tremble de tous ses membres.

De Soya retourne avec lui dans la cabine de commandement. Le sarcophage de Gregorius a maintenant tous ses voyants au jaune. Le sergent est de nouveau mort. La crèche de Némès est au vert pour les trois jours normaux du cycle. Les moniteurs indiquent qu'elle est sans vie à l'intérieur et qu'elle reçoit les sacrements secrets de la résurrection. De Soya tape le code d'ouverture.

Des voyants clignotent, et la voix impersonnelle du *Raphaël* se fait entendre.

— Ouverture de la crèche non autorisée durant le cycle de résurrection. Toute tentative de passer outre pourrait se solder par la mort définitive de l'occupant.

De Soya ignore les lumières clignotantes et les signaux sonores. Il tire sur le couvercle. Il est bloqué.

— Donnez-moi ce levier, dit-il à Kee.

Le caporal lui lance la barre d'acier à travers l'espace en impesanteur. De Soya l'insère dans la rainure du couvercle, murmure une prière pour ne pas se tromper et ne pas être parano. Puis il force le couvercle. Une alarme sonore retentit dans tout le vaisseau.

Le sarcophage est vide.

— Où est la caporale Némès ? demande De Soya au vaisseau.

— Tous mes capteurs et instruments indiquent qu'elle est dans sa crèche, répond l'ordinateur du *Raphaël*.

— Je sais, fait de Soya en lâchant le levier, qui vole en impesanteur dans un coin. Venez, dit-il à Kee.

Ils se propulsent l'un derrière l'autre dans le vestiaire. La douche est vide. Il n'y a aucun endroit où se cacher. De

Soya regagne son fauteuil de commandement tandis que le caporal Kee va vérifier le tube de descente.

Le tableau de bord indique qu'ils se trouvent en orbite stationnaire à une altitude de trente mille kilomètres. Par la baie d'observation, de Soya aperçoit d'épais nuages en mouvement, à l'exception d'une large ceinture équatoriale où l'on voit la surface vert et brun de la planète, rayée de longues estafilades. Les instruments indiquent que le vaisseau de descente est à sa place, moteurs éteints. Une demande vocale obtient confirmation du *Raphaël* que le vaisseau se trouve bien là où il doit être et que le sas n'a pas été utilisé depuis la dernière translation.

— Caporal Kee ? appelle de Soya sur l'interphone.

Il faut qu'il se concentre de toutes ses forces pour empêcher ses dents de s'entrechoquer. La douleur est très réelle. Il a l'impression d'avoir tout l'épiderme en feu. Il éprouve une envie formidable de fermer les yeux et de se laisser sombrer dans le sommeil.

— Votre rapport, aboie-t-il.

— Le vaisseau de descente n'est plus là, père capitaine, fait la voix de Kee depuis le couloir d'accès. Tous les voyants sont verts, mais si j'activais le sas je me retrouverais dans le vide spatial. Je vois très bien, par la baie transparente, que le vaisseau n'est plus à sa place.

— Merde, murmure tout bas de Soya. Bon, revenez.

Il étudie les autres instruments en attendant. La double poussée de libération a bien été enregistrée, il y a environ trois heures. De Soya affiche la carte de la région équatoriale du Bosquet de Dieu et lance une recherche au télescope et au radar sur tout le secteur du fleuve à proximité de la Souche du Monde.

— Trouvez le premier portail distrans et montrez-moi tout le tronçon du fleuve entre les deux endroits, commande-t-il. Localisez le transpondeur du vaisseau de descente.

— Mes instruments indiquent que le vaisseau de descente est fixé à sa bôme, répond le vaisseau. Son transpondeur le confirme.

— Très bien, fait de Soya.

Il s'imagine en train de cogner sur des puces de silicium comme si c'étaient des dents.

— Ignorez le signal du vaisseau de descente, ordonne-t-il. Commencez les recherches au télescope et au radar sur la région indiquée. Signalez toute présence vivante et tout artefact. Affichez les résultats sur l'écran principal.

— Affirmatif, répond l'ordinateur.

De Soya voit basculer l'image sur l'écran tandis que commence le zoom télescopique. Un portail distrans se dresse au milieu de l'écran, vu de quelques centaines de mètres d'altitude.

— Suivez le fleuve en aval, commande-t-il.

— Affirmatif.

Le caporal Kee se glisse dans le fauteuil du copilote et se sangle.

— Sans vaisseau de descente, dit-il, nous ne pouvons pas y aller.

— Les armures de combat, fait de Soya à travers les ondes de douleur qui le secouent sur un rythme rapide. Elles sont munies d'un bouclier d'ablation, avec plusieurs centaines de microcouches ablatives colorées, pour le cas où nous aurions à lutter contre un foyer de lumière cohérente, c'est bien cela ?

— C'est exact, fait le caporal Kee, mais...

— J'avais l'intention de vous envoyer en avant, le sergent Gregorius et vous, avec les combinaisons ablatives pour vous protéger durant l'entrée dans l'atmosphère. J'aurais mis le *Raphaël* sur l'orbite la plus basse possible. Vous auriez pu vous servir d'un paquetage auxiliaire à réaction pour vous rétropropulser. Ces combinaisons peuvent faire l'affaire, n'est-ce pas ?

— Peut-être, fait le caporal Kee, mais...

— Dans ce cas, utilisez les répulseurs EM et retrouvez cette... femme. Empêchez-la d'agir. Ensuite, vous prendrez le vaisseau pour revenir.

Le caporal se frotte les yeux.

— Ce serait faisable, père capitaine. Mais j'ai déjà vérifié les combinaisons. Aucune n'est intacte.

— Intacte ? répète stupidement de Soya.

— Quelqu'un a lacéré l'armure d'ablation. Ce n'est pas perceptible à l'œil nu, mais j'ai fait faire un diagnostic d'intégrité de classe trois. Nous serions morts avant le black-out des couches ionisées.

— Toutes les combinaisons ?

— Sans exception, père capitaine.

De Soya réprime une nouvelle envie de proférer des jurons.

— Nous allons descendre quand même avec le vaisseau, caporal, dit-il.

— À quoi bon, père capitaine ? demande Kee. Nous serons quand même à plusieurs centaines de kilomètres de tout ce qui pourra se passer en bas, sans aucun moyen d'intervenir.

De Soya hoche la tête comme pour dire qu'il sait déjà tout cela, mais il entre néanmoins les paramètres dans le module de navigation. Son esprit embrouillé commet plusieurs erreurs, dont l'une au moins aurait eu pour conséquence de les faire calciner dans l'atmosphère du Bosquet de Dieu, mais le vaisseau les détecte. De Soya modifie ses paramètres en conséquence.

— Je dois vous mettre en garde contre une orbite aussi basse, déclare la voix asexuée du système de bord. Le Bosquet de Dieu possède une haute atmosphère très volatile, et trois cents kilomètres ne suffisent pas à respecter la marge de sécurité fixée par...

— Taisez-vous et obéissez ! ordonne de Soya.

Il ferme les yeux au moment de la mise à feu des réacteurs principaux. Le retour de la gravité rend la douleur encore plus insupportable dans tout son corps. Il entend gémir Kee dans le siège-couchette du copilote.

— L'activation du champ de confinement interne pourrait adoucir l'inconfort d'une accélération de quatre g, déclare la voix du vaisseau.

— Pas question, fait de Soya.

Il a besoin d'économiser l'énergie.

Les trépidations et la douleur se prolongent. Le Bosquet de Dieu grandit à vue d'œil sur les moniteurs, dont il emplit bientôt les écrans.

Et si cette... traîtresse avait programmé le vaisseau pour qu'il nous écrase dans l'atmosphère en cas de tentative de manœuvre avant son retour ? se demande soudain de Soya.

Il sourit malgré l'accélération qui le cloue sur sa couchette.

Dans ce cas, elle ne rentre pas chez elle non plus.

La torture continue.

54

Le gritche n'était plus là quand nous nous retrouvâmes de
l'autre côté du portail.

Au bout d'un moment, j'abaissai le canon de mon fusil et
regardai autour de moi. Le fleuve, à cet endroit, était large
et peu profond. Le ciel était d'un bleu soutenu, plus foncé
que le lapis d'Hypérion. Des strato-cumulus étaient visibles
au nord. Les colonnes de nuages semblaient accrocher la
lumière du couchant, et un rapide coup d'œil en arrière nous
montra un énorme soleil bas sur l'horizon. J'avais l'impression que nous étions juste avant le crépuscule plutôt qu'un
peu après l'aube.

Les rives du fleuve consistaient en rochers nus, herbes
folles et terre cendreuse. L'air lui-même était imprégné de
cendres, comme si nous traversions un terrain récemment
dévasté par un incendie de forêt. La végétation basse renfor-
çait cette impression. Sur notre droite, à plusieurs kilomètres
de là, apparemment, se dressait un volcan bouclier aux pentes noircies.

— C'est bien le Bosquet de Dieu, je pense, nous dit
A. Bettik. Et voilà les restes de l'Arbre-monde.

Je regardai de nouveau le cône volcanique noirci. Il me
semblait impossible qu'un arbre aussi gros eût jamais existé.

— Où est le gritche ? demandai-je.

Énée se leva pour aller à l'endroit où la créature s'était
tenue quelques instants plus tôt. Elle balaya l'air de sa main,
comme si le monstre était devenu invisible.

— Tenez-vous bien ! répétai-je.

Le radeau arrivait sur des rapides plus modestes. Je
retournai me mettre à la godille, que je libérai de ses attaches. Pendant ce temps, l'androïde et la fillette s'occupèrent

des perches de chaque côté. Nous commencions à être secoués et ballottés. Le radeau menaçait de se renverser, mais la zone d'écume blanche fut vite franchie.

— C'était marrant ! s'écria Énée.

Il y avait longtemps que je ne l'avais vue si animée.

— Oui, reconnus-je. Mais le radeau est en train de se disloquer.

C'était peut-être une légère exagération, mais il y avait du vrai dans ce que je disais. Les rondins à l'avant étaient sur le point de se détacher. Notre matériel n'était plus arrimé, et seule la microtoile de tente affaissée le retenait encore.

— Il y a un endroit plat où nous pouvons accoster, nous dit A. Bettik en montrant du doigt une petite zone herbeuse sur la rive. Plus loin, nous risquons d'avoir des problèmes dans les collines.

Je sortis mes jumelles pour scruter les crêtes noires.

— Vous avez raison, lui dis-je. Il doit y avoir d'autres rapides devant nous, et nous ne pourrons plus aborder avant longtemps. Faisons quelques réparations ici.

L'androïde et l'enfant nous poussèrent vers la rive droite. Je sautai à terre le premier et hissai le radeau un peu plus haut sur le terrain boueux. Les dégâts à l'avant et à tribord n'étaient pas trop étendus. Il y avait juste quelques rondins fendus et des attaches en cuir de spectre à refaire. Je jetai un coup d'œil au fleuve en amont. Le soleil était un peu plus bas sur l'horizon, mais il devait nous rester encore une bonne heure de lumière.

— On campe ici pour la nuit ou on continue ? demandai-je.

Il me semblait que c'était un bon endroit, le dernier, peut-être.

— On continue, fit Énée avec force, sans hésiter.

Je comprenais ce qu'elle ressentait. C'était toujours le matin sur Qom-Riyad.

— Je n'aimerais pas être pris dans des rapides la nuit tombée, déclarai-je.

Elle plissa les yeux en se tournant vers l'orbe du soleil.

— Et moi, je ne veux pas être dans le coin quand il fera nuit, dit-elle. Continuons le plus loin possible.

Elle m'emprunta les jumelles et étudia les crêtes noires

qui se succédaient sur notre droite ainsi que les collines sombres que l'on apercevait au loin sur la rive gauche du fleuve.

— Ils n'auraient pas fait passer leur circuit par ici s'il y avait des rapides dangereux, estima-t-elle.

— À mon avis, fit A. Bettik après s'être raclé la gorge, la majeure partie de ces coulées de lave date de l'offensive extro contre cette planète, qui a pu causer des perturbations sismiques susceptibles de donner naissance à des rapides difficilement franchissables.

— Les Extros n'y sont pour rien, murmura Énée.

— Qu'est-ce que tu as dit ? interrogeai-je.

— Les Extros ne sont pas responsables de ce qui s'est passé. C'est le TechnoCentre qui a constitué une flotte pour attaquer le Retz, en faisant croire que c'étaient les Extros.

— D'accord, murmurai-je.

J'avais oublié que Martin Silenus avait écrit à peu près la même chose vers la fin de ses *Cantos*. Ce passage ne m'avait pas paru avoir une grande signification quand j'avais étudié le poème. Et il me semblait totalement hors de propos ici.

— Tout ça n'empêche pas que les collines brûlées soient là, ainsi que des passages d'eaux tumultueuses ou de cataractes, peut-être. Et il n'est pas certain que le radeau puisse les franchir.

Elle remit les lunettes dans mon paquetage en hochant la tête.

— Si c'est impossible, tant pis. Nous continuerons à pied ou à la nage jusqu'au prochain portail. Mais finissons les réparations et allons le plus loin possible. Si nous voyons des rapides trop dangereux, nous accosterons au plus vite.

— Et s'il n'y a plus de rives, mais uniquement des falaises ? Ces formations de lave ne me disent rien qui vaille.

Elle haussa les épaules.

— Dans ce cas, nous ferons de l'escalade et un peu de marche à pied.

J'avoue que j'admirai cette enfant ce soir-là. Je savais qu'elle était épuisée, accablée par des émotions dont je ne saisissais pas très bien la nature, terrorisée, même. Mais à aucun moment je ne l'avais vue disposée à baisser les bras.

— Au moins, déclarai-je, le gritche est parti. C'est bon signe.

Elle se contenta de me regarder, en essayant vainement d'esquisser un sourire.

Les réparations nous prirent vingt minutes. Nous refîmes les attaches défectueuses, en faisant passer à l'avant un certain nombre de rondins du centre. Puis nous étalâmes la microtoile sur le pont pour garder les pieds au sec.

— Si nous devons voyager dans l'obscurité, suggéra Énée, il nous faudrait un nouveau mât pour la lanterne.

— Je sais, murmurai-je.

J'avais gardé un tronc pour cet usage, et nous le plaçâmes dans son logement en l'attachant solidement. Avec mon couteau, je taillai une encoche pour la poignée de la lanterne.

— On l'allume maintenant ? demandai-je.

— Pas encore, murmura Énée en observant le soleil couchant derrière nous.

— Très bien, déclarai-je. Si nous devons être secoués par des rapides, il faudrait ranger quelques affaires dans nos paquetages et mettre les denrées fragiles dans nos sacs étanches.

Nous nous mîmes à l'œuvre. Dans mon sac à dos, je plaçai une chemise de rechange, une corde supplémentaire, le fusil à plasma avec ses munitions, une lampe de casque et la torche laser. J'allais jeter le persoc inutile au fond de mon paquetage habituel lorsque je me ravisai. *Il ne sert à rien, mais il ne pèse pas lourd.* Je l'enfilai à mon poignet. Nous l'avions rechargé, de même que la torche laser et les lampes de casque, à l'hôpital de Qom-Riyad.

— Tout le monde est prêt ? demandai-je en commençant à pousser le radeau à l'eau.

Il avait meilleure allure, à présent, avec son tapis de sol, son nouveau mât avec la lanterne et tout le matériel arrimé solidement.

— Allons-y, fit Énée.

A. Bettik poussa sur sa perche. Nous nous écartâmes rapidement de la rive pour gagner le milieu du fleuve.

Le courant était rapide, au moins vingt ou vingt-cinq kilomètres à l'heure. Le soleil n'était pas encore couché lorsque nous entrâmes dans la zone de lave noire. Les rives se transformèrent de chaque côté en falaise. L'eau bouillonnait par endroits, et l'avant du radeau commençait à taper de plus en plus fort, mais nous restions au sec. Je cherchai du regard un endroit où accoster d'urgence si nous entendions des bruits de cataracte ou de rapides, mais je n'en trouvai aucun. Les seuls endroits plats étaient isolés au milieu d'un terrain trop accidenté pour continuer à pied. Je remarquai cependant que la végétation était plus dense dans les anfractuosités. Il y avait des épineux bleus et même des séquoias nains dont le soleil couchant éclairait les branches hautes d'une riche lumière. J'étais en train de songer que nous pourrions sortir des sacs étanches quelques vivres pour le déjeuner, ou plutôt le dîner, je ne savais plus très bien, afin de les réchauffer, lorsque A. Bettik s'écria :

— Rapides droit devant !

Je me penchai en avant, appuyé à la godille, pour regarder. Il y avait des rochers qui affleuraient, de l'eau blanche et un peu d'écume. Mon œil exercé de batelier du Kans me permit d'évaluer très vite la difficulté du passage.

— Ne vous inquiétez pas, dis-je à mes compagnons d'une voix rassurante. Tenez-vous bien, déplacez-vous vers le centre si cela secoue trop. Poussez très fort avec vos perches quand je vous donnerai le signal. Le principal est de garder l'avant toujours dans la bonne direction. On va y arriver. Si vous tombez à l'eau, nagez dans l'axe du radeau, je laisserai filer une ligne.

Le cordage était déjà tout prêt, lové sous mon pied.

Je n'aimais pas beaucoup l'aspect des blocs et des parois de lave noire sur la rive droite devant nous, mais le cours du fleuve semblait plus calme et plus large à cet endroit. Si c'étaient là toutes les difficultés qui nous attendaient, nous pouvions très bien continuer à naviguer toute la nuit à la lueur de la lanterne et de la torche laser.

Tous les trois, nous nous concentrions de toutes nos forces sur l'alignement du radeau à l'entrée des rapides. Il fallait éviter les rochers à fleur d'eau au milieu de l'écume. Si un tourbillon ne nous avait pas fait faire un double tête-à-queue, tout aurait été terminé pour nous avant que je ne comprenne ce qui se passait. Même ainsi, ce fut de justesse.

Énée hurlait de ravissement. J'avais un sourire béat. Même A. Bettik était joyeux. L'eau un peu tumultueuse a souvent cet effet sur les gens. Je savais cela par expérience. Un rapide de force 5, ça vous fige généralement les traits en un rictus de terreur, mais des secousses anodines comme celles-là, ça vous met plutôt de bonne humeur. Nous nous lancions d'énergiques injonctions : « Pousse à droite ! Attention à ce rocher ! Tiens-toi bien ! » Énée était juste à ma droite, et A. Bettik se tenait à quelques pas derrière nous sur la gauche. Nous venions de faire un tour complet sur nous-mêmes à cause du tourbillon qui entourait le gros rocher que nous venions d'éviter lorsque je vis, en levant la tête, que le mât qui portait la lanterne à l'avant venait d'être sectionné en plusieurs morceaux.

— Qu'est-ce qui se passe ? eus-je le temps de m'écrier.

Puis de vieux souvenirs me revinrent, et avec eux des réflexes que je croyais atrophiés depuis des années.

Le radeau était en train de tourbillonner de droite à gauche.

— Baissez-vous ! hurlai-je en abandonnant ma perche et en me jetant sur Énée pour la plaquer sur le pont du radeau.

Mais nous roulâmes tous les deux dans l'eau écumeuse.

A. Bettik avait, pour sa part, réagi instantanément. Il s'était jeté à plat ventre vers l'arrière du radeau, et les mono-filaments qui avaient sectionné comme du beurre le mât et la lanterne avaient dû le manquer de quelques millimètres. D'un bras, je maintenais Énée par l'épaule. Mes bottes raclèrent le fond rocheux, et je me redressai juste à temps pour voir le monofilament sous-marin sectionner le radeau en deux, puis le resectionner tandis que les tourbillons imprimaient aux rondins un mouvement tournant. Ces filaments étaient invisibles, naturellement, mais une telle force de coupe ne pouvait signifier qu'une chose. J'avais déjà vu ce genre de truc à l'œuvre sur le continent d'Ursus, où plusieurs de mes camarades de brigade avaient péri. Les rebelles avaient tendu des monofilaments en travers de la route, et un car qui revenait d'une séance de cinéma en ville avec trente hommes à bord avait été coupé en deux, tous ses occupants décapités.

J'essayai de crier un avertissement à l'androïde, mais l'eau rugissait trop fort et me pénétrait dans la bouche. Je voulus m'agripper à un rocher. Ma main glissa, mes pieds dérapèrent, et je pus de justesse me rattraper au rocher suivant. Mon scrotum se ratatinait à l'idée qu'il y avait peut-être d'autres foutus monofilaments du même genre au ras de l'eau, juste au niveau de mon cou.

Voyant que le radeau se faisait sectionner une troisième fois, A. Bettik plongea sous l'eau, peu profonde à cet endroit. Mais le courant le projeta aussitôt à la surface. Il leva instinctivement un bras tandis que sa tête restait immergée. Il y eut une brève giclée de sang rose tandis que le bras était tranché juste au-dessous du coude. Il sortit la tête de l'eau, mais ne proféra aucun son. De sa main droite intacte, il saisit un rocher et s'y agrippa tandis que son bras gauche, dont la main était encore agitée de spasmes, était emporté par le courant.

— Seigneur Jésus ! m'écriai-je. Merde de merde !

Énée releva la tête pour me regarder avec des yeux égarés. Mais je ne lus aucune panique dans son regard.

— Ça va ? hurlai-je pour couvrir le bruit des rapides.

Un monofilament tranche si net qu'on peut perdre une jambe sans s'en apercevoir pendant trente secondes.

Elle hocha affirmativement la tête.

— Accroche-toi à mon cou ! hurlai-je.

Il fallait que j'aie les bras libres. Elle obéit. Je sentis ses mains froides autour de ma nuque. L'eau était glacée.

— Merde de merde de merde ! répétai-je comme un mantra tout en fouillant de la main gauche dans mon sac à dos.

Mon pistolet était dans son étui, coincé entre ma hanche droite et le lit du cours d'eau. Il y avait moins d'un mètre de profondeur en certains endroits. Même pas de quoi plonger pour se mettre à l'abri quand le tireur embusqué se mettrait à nous canarder. Mais ça ne servirait à rien, de toute manière, si c'était pour nous faire emporter par le courant vers les monofilaments mortels.

Je vis que l'androïde tenait bon, agrippé à son rocher huit ou dix mètres en aval. Il sortit de l'eau son moignon de bras gauche, et le sang gicla. Je le vis faire la grimace et devenir blême. *Est-ce qu'ils meurent de la même manière que les humains ?* me demandai-je. Mais je chassai aussitôt cette pensée. Son sang avait une couleur vermeille.

Je scrutai du regard les coulées de lave et les éboulis rocheux qui bordaient les rives, à la recherche d'un reflet du soleil couchant sur le métal d'une arme. Le tireur planqué n'allait pas tarder à se manifester. Nous n'entendrions même pas la détonation. L'embuscade était un chef-d'œuvre. Parfaitement dans les règles. Et je nous avais littéralement précipités dedans.

Je trouvai la torche que je cherchais dans le sac, le refermai et coinçai le cylindre de métal entre mes dents. Je défis mon ceinturon sous l'eau en me contorsionnant et le tendis à Énée en lui faisant signe de sortir le pistolet avec sa main libre.

Sans me lâcher la nuque de son bras gauche, elle fit ce que je lui demandais. Je savais qu'elle ne consentirait jamais à utiliser l'arme, mais cela n'avait pas beaucoup d'importance pour le moment. C'était du ceinturon dont j'avais besoin. Je me contorsionnai de nouveau, coinçant ma torche laser sous mon menton et la maintenant en place tandis que ma main gauche redressait la bande de cuir.

— Bettik ! appelai-je.

L'androïde tourna vers nous des yeux hagards où se lisait la souffrance.

— Attrapez ça ! lui criai-je.

Je lançai le ceinturon dans sa direction, le plus loin possible. Je faillis perdre la torche laser dans la manœuvre, mais je la rattrapai au dernier moment et la gardai dans ma main gauche.

L'androïde ne pouvait pas lâcher le rocher de sa main droite. Il n'avait plus de main gauche, mais il utilisa son moignon sanglant et son épaule pour bloquer le ceinturon tourbillonnant au passage. J'avais parfaitement bien visé. Mais je savais que je ne disposais que d'un seul essai.

— Le médipac ! hurlai-je en penchant la tête vers le paquetage secoué à côté de moi par le courant. Un garrot ! Vite !

J'ignore s'il m'entendit, mais il n'en avait pas besoin. Plaqué au rocher par le courant, il passa le ceinturon de cuir autour de son moignon de bras gauche et serra avec ses dents. Il n'y avait pas de trou si bas, mais il fit un deuxième tour et tira d'un mouvement de tête en arrière pour bloquer le garrot.

Entre-temps, j'avais allumé la torche, réglée sur faisceau large, afin de balayer la rive.

Le monofilament n'était pas supraconducteur ; autrement, il n'aurait pas brillé. Le faisceau de la torche mit en évidence tout un réseau de fils chauffés au rouge qui ressemblaient à un entrecroisement de rayons laser partant dans tous les sens, et même sous l'eau. A. Bettik était passé de justesse sous certains d'entre eux. Ils disparaissaient à sa droite et à sa gauche sous la surface du fleuve. Les premiers commençaient à un mètre à peine des pieds d'Énée.

Je balayai l'air avec le faisceau au-dessus de nos têtes, puis à droite et à gauche. Il n'y avait rien. Les filaments qui entouraient A. Bettik continuèrent à rougeoyer durant quelques secondes tandis que leur chaleur se dissipait, puis disparurent comme s'ils n'avaient jamais existé. Je les éclairai de nouveau. Ils se mirent à briller. Puis je mis la torche sur faisceau serré. Le filament que je visais devint d'un blanc brillant, sans fondre pour autant. Ce n'étaient pas des supraconducteurs, mais l'énergie que ma torche était capable de diffuser ne suffisait pas à les détruire.

Où est le tireur embusqué ?

Ce n'était peut-être qu'un piège passif. Il datait peut-être de plusieurs années, sans que personne attende en embuscade.

Je n'y croyais pas trop. Je voyais la main valide de l'androïde glisser peu à peu du rocher tandis que le courant menaçait de l'emporter.

— Merde de merde, murmurai-je.

Je glissai le laser dans mon pantalon à ma taille et saisis fermement Énée de ma main gauche.

— Agrippe-toi, lui dis-je.

En m'aidant de mon bras droit, je nous hissai au sommet du rocher glissant. Il était de forme plus ou moins triangulaire. Plaqué par le courant contre la face orientée vers l'amont, j'aidai Énée à se percher dessus.

— Tu tiendras bon ? demandai-je.

— Oui !

Elle avait le visage blême. Ses cheveux étaient collés à son crâne. Ses joues et sa tempe étaient égratignées, et elle avait une ecchymose au milieu du menton. Mais elle ne semblait pas blessée à part cela.

Je lui donnai une petite tape sur l'épaule, m'assurai qu'elle entourait bien le rocher de ses deux bras et me lâchai. J'aperçus le radeau en aval. Il était en cinq ou six morceaux que le courant emportait rapidement vers les falaises de lave.

Les jambes en avant, essayant de me diriger tant bien que mal en prenant appui sur le fond, mais ballotté par le courant, je réussis à gagner le rocher de l'androïde sans l'en déloger. Je l'agrippai vigoureusement et m'aperçus que sa chemise était toute déchirée. Le sang coulait de plusieurs blessures sur sa peau bleue, mais c'était son bras gauche que je voulais voir. Il gémit de douleur lorsque je soulevai le moignon.

Le garrot réduisait l'hémorragie, mais pas suffisamment. L'eau était rouge autour de lui. Cela me fit songer aux requins arc-en-ciel de Mare Infinitus. Je frissonnai.

— Venez, l'encourageai-je en décollant sa main glacée du rocher. On ne va pas rester là.

L'eau ne m'arrivait qu'à la taille lorsque j'étais debout, mais elle avait la force de plusieurs lances à incendie. Malgré l'état de choc où il se trouvait et tout le sang qu'il avait perdu, A. Bettik réagit. Nos bottes prirent appui sur le lit rocheux du fleuve.

Qu'est-ce que ce tireur embusqué attend pour nous canarder ?

Cela me causait une drôle de sensation entre les omoplates.

La rive la plus proche était sur notre droite. Il y avait là une petite plage herbeuse, le dernier endroit accessible de tout le secteur que j'apercevais à perte de vue en aval. C'était alléchant. Un peu trop alléchant, même.

D'un autre côté, Énée s'agrippait toujours à son rocher, huit mètres en amont.

A. Bettik passa son bras valide autour de mon épaule. Chancelant, trébuchant, perdant pied, nous propulsant à l'aide du fond ou nageant par à-coups, nous remontâmes peu à peu le courant. L'eau nous giflait et nous aveuglait à moitié. Je n'y voyais plus rien lorsque nous atteignîmes le rocher d'Énée. Ses doigts étaient blancs de froid et de fatigue.

— La rive ! me cria-t-elle tandis que je l'aidais à prendre pied dans le lit du fleuve.

Mais notre premier pas nous précipita dans un trou. Le courant jaillit sur sa figure, qui devint blanche d'écume.

— Vers l'amont ! hurlai-je en secouant la tête.

Nous avançâmes tous les trois de front, courbés en avant pour mieux résister au courant. Seule une énergie farouche me faisait progresser en entraînant mes amis. Chaque fois qu'un remous menaçait de nous faire tomber, je m'imaginais aussi solide et inébranlable que l'Arbre-monde qui se dressait jadis un peu plus au sud, ses racines profondément ancrées dans le roc. J'avais repéré un tronc coincé entre deux rochers en amont, à une vingtaine de mètres de nous, non loin de la rive droite. Si nous pouvions nous abriter derrière lui... Je savais qu'il fallait s'occuper du bras de l'androïde de toute urgence avec le médipac, sans quoi il allait mourir. Si nous tentions de le faire ici, dans l'eau, le courant risquait de tout emporter. Mais je ne voulais pas non plus céder à la tentation de grimper sur la rive à l'endroit où la petite plage semblait si accueillante.

Les monofilaments... Je pris la torche laser passée à ma taille et l'allumai pour balayer de son faisceau l'espace situé en amont au-dessus de l'eau. Il n'y en avait pas. *Mais il peut y en avoir sous l'eau, au niveau des chevilles.*

Je fis taire mon imagination délirante et continuai de tirer mes deux compagnons à contre-courant. La torche glissait dans ma main. Je sentais que l'androïde faiblissait et allait me lâcher l'épaule d'un moment à l'autre. Énée s'accrochait à mon bras gauche comme si c'était son unique bouée de sauvetage. Et c'était bien cela.

Nous avions gagné un peu moins de dix mètres en remontant le courant lorsque l'eau explosa devant nous. Je faillis être projeté en arrière. La tête d'Énée disparut sous l'eau, et je dus la faire remonter à la surface en agrippant sa chemise pendant que A. Bettik s'affaissait contre moi.

Soudain, le gritche surgit au milieu du fleuve, à quelques

mètres devant nous en amont, ses yeux rouges lançant des éclairs, ses bras levés.

— Bon Dieu de merde !

J'ignore lequel d'entre nous lança son exclamation le premier. Peut-être tous les trois en même temps.

Nous nous tournâmes pour regarder par-dessus nos épaules tandis que les lames d'acier des doigts de la créature déchiraient l'air à quelques centimètres de nous.

A. Bettik s'affaissa dans l'eau. Je le rattrapai par l'aisselle et le remis debout. La tentation de se laisser aller avec le courant était très forte. Énée trébucha, se rétablit et me montra du doigt la rive droite. Je hochai la tête, et nous luttâmes pour aller dans cette direction.

Derrière nous, le gritche se tenait toujours au milieu du courant, ses quatre bras métalliques levés et oscillant comme la queue d'un scorpion. Mais lorsque je le quittai des yeux un instant pour me tourner de nouveau vers lui, il avait disparu.

Nous perdîmes l'équilibre cinq ou six fois avant que mes pieds trouvent de la vase aux abords de la rive. Je poussai Énée sur l'herbe, puis m'occupai de l'androïde. J'avais toujours de l'eau jusqu'à la taille. Je n'avais même plus la force de grimper sur la rive. Je lançai mon paquetage au sec.

— Le médipac ! criai-je d'une voix étranglée.

Je voulus me hisser à mon tour, mais mes bras n'obéissaient plus, et toute la partie inférieure de mon corps était paralysée par l'eau glacée.

Bien que ses doigts fussent aussi figés que les miens, Énée réussit à sortir le médipac avec le garrot. A. Bettik avait perdu conscience. Elle fixa sur lui les pastilles de diagnostic, retira mon ceinturon et passa le brassard du garrot autour de son moignon. Il se gonfla aussitôt avec un sifflement tandis qu'une aiguille injectait automatiquement à l'androïde un produit analgésique et, peut-être, un stimulant. Les lumières du moniteur se mirent à clignoter de manière pressante.

Je réussis enfin à me hisser sur la rive. Mes dents claquaient lorsque je demandai à Énée :

— Où est... le... pistolet ?

Elle secoua la tête. Ses dents s'entrechoquaient aussi fort que les miennes.

— Je l'ai... perdu... quand le... gritche... a surgi.

J'eus à peine la force de hocher la tête. Le monstre n'était plus nulle part en vue.

— Il est peut-être... reparti, balbutiai-je.

Nous avions perdu notre couverture isotherme en même temps que toutes nos affaires, à l'exception de mon sac à dos. Je relevai la tête pour scruter le fleuve en aval. Les dernières lueurs du couchant éclairaient encore le sommet des arbres, mais les gorges étaient dans l'ombre. J'aperçus alors une femme qui s'avançait vers nous sur le plateau de lave.

Je braquai sur elle ma torche laser, en essayant de la régler sur faisceau étroit avec mes doigts gourds.

— Vous n'avez tout de même pas l'intention d'utiliser ce truc-là contre moi, j'espère ? me demanda l'apparition d'une voix amusée.

Énée leva les yeux de son moniteur de diagnostic et la regarda, médusée. Elle portait un uniforme rouge et noir que j'étais incapable d'identifier. Elle n'était pas très grande, ses cheveux coupés court étaient noirs et son visage blême sous la lumière déclinante du jour. Sa main droite, jusqu'au-dessus du poignet, semblait écorchée et incrustée de petits os en fibre de carbone.

Énée se mit à trembler, ni de froid ni de peur, mais de je ne sais quelle émotion beaucoup plus intense. Ses yeux se plissèrent, et j'aurais pu décrire son expression, à ce moment-là, comme un mélange d'agressivité sauvage et d'intrépidité. Sa petite main glacée se crispa en un poing serré.

La femme éclata de rire.

— Je ne sais pas pourquoi, mais je m'attendais à quelque chose de beaucoup plus intéressant, dit-elle en s'avançant sur la petite plage herbeuse.

55

L'après-midi, pour Némès, avait été long et monotone. Elle avait sommeillé quelques heures, pour se réveiller quand elle avait senti la disruption de déplacement due à l'activation du portail distrans, une quinzaine de kilomètres en amont. Elle s'était alors cachée parmi les rochers pour attendre que le piège fonctionne au deuxième acte.

Le deuxième acte, en fait, avait été une bouffonnerie. Elle les avait regardés en train de se débattre ridiculement pour sauver un homme artificiel manchot. Son intérêt avait été éveillé lorsque le gritche avait fait sa curieuse apparition. Elle savait que le monstre était dans le coin, naturellement, puisque les vibrations qu'il émettait chaque fois qu'il se déplaçait dans le continuum n'étaient pas sans analogie avec celles qui accompagnaient l'ouverture du portail. Elle s'était même mise en mode rapide pour le voir s'avancer au milieu du courant afin de jouer au croque-mitaine devant les humains. Ce comportement la rendait perplexe. À quoi s'amusait donc la créature archaïque ? À empêcher les humains de s'enfoncer dans son piège, ou à les rabattre vers elle, comme un bon chien de berger ? Elle savait que la réponse dépendait des puissances qui avaient envoyé ici ce monstre bardé de ferraille.

Le problème n'était pas là. Le TechnoCentre pensait généralement que le gritche avait été créé puis envoyé en arrière dans le temps par l'une des manifestations précoces de l'IU. On savait que le gritche avait échoué dans sa mission et qu'il serait de nouveau battu dans un avenir lointain au cours des luttes qui mettraient aux prises l'IU encore fragile des humains et le Dieu Machine parvenu à maturité. Dans tous les cas, le gritche était un échec et une quantité négligeable dans cette mission. Le seul intérêt qu'il avait pour Némès était son espoir faiblissant de le voir mettre un peu de piquant, comme adversaire, dans cet affrontement inégal.

Pour le moment, le spectacle des humains épuisés et d'un androïde manchot et comateux l'ennuie souverainement. Cela lui donne envie d'agir. Elle rajuste le sac à prélèvements sous sa ceinture et glisse la carte du piège à Sphinx dans son bracelet adhésif de poignet. Puis elle s'avance sur la roche en direction de la petite plage herbeuse.

Le jeune homme, Raul, a un genou au sol. Il essaie de régler un laser de faible puissance qu'il pointe sur elle.

— Vous n'avez tout de même pas l'intention d'utiliser ce truc-là contre moi, j'espère ? demande-t-elle sans pouvoir réprimer un sourire.

Il ne lui répond pas. Il braque le laser sur elle. Elle se dit que s'il l'utilise, peut-être dans l'intention de l'aveugler, elle se déphasera et lui enfoncera l'engin, sans l'éteindre, jusque dans le côlon et l'intestin grêle.

Pour la première fois, Énée pose les yeux sur elle. Némès comprend pourquoi le Centre est si inquiet à propos du potentiel de cette jeune humaine. Les éléments d'accès à l'Espace qui Lie miroitent autour d'elle comme de l'électricité statique. Mais Némès voit aussi qu'il lui faudra des années pour apprendre à utiliser ses potentialités dans ce domaine. Tout ce *Sturm und Drang*, toute cette précipitation ont été inutiles. La fillette humaine n'est pas seulement immature en ce qui concerne l'utilisation de ses pouvoirs, elle ignore jusqu'à leur signification véritable.

Némès se rend compte, à présent, qu'elle ressentait sans le savoir une certaine mesure d'anxiété à l'idée que l'enfant pourrait lui poser un problème dans les dernières secondes, peut-être en faisant appel à une interface de l'Espace qui Lie susceptible de créer des difficultés. Mais elle a eu tort de surévaluer ses possibilités. Paradoxalement, c'est un sentiment de déception qui s'impose.

— Je ne sais pas pourquoi, mais je m'attendais à quelque chose de beaucoup plus intéressant, dit-elle en faisant un pas de plus en avant.

— Qu'est-ce que vous nous voulez ? demande le jeune Raul en faisant un effort pour se relever.

Némès voit qu'il est épuisé d'avoir sorti ses amis de la rivière.

— Je ne vous veux rien, dit-elle d'une voix tranquille. Je ne veux rien non plus à votre ami à la peau bleue qui est en train de mourir. Je ne désire que quelques secondes de conversation avec Énée.

Du menton, elle désigne le bosquet voisin, où elle a semé les mines.

— Si vous emmeniez votre golem parmi ces arbres en attendant que la jeune fille vous rejoigne ? suggère-t-elle. Juste un mot en privé, et elle est à vous.

Elle fait un nouveau pas en avant.

— N'avancez plus, dit Raul en levant sa petite torche laser.

Némès lève les mains comme si elle était effrayée.

— Non, non, ne tirez pas, mon vieux, dit-elle.

Même si le rayon avait dix mille fois la puissance dont il est capable, elle n'aurait pas à s'en inquiéter.

— Reculez, ordonne Raul, le pouce sur le bouton de déclenchement.

Le jouet laser vise Némès entre les deux yeux.

— D'accord, d'accord, murmure-t-elle en reculant d'un pas.

Puis elle se déphase et se transforme en une vague silhouette chromée aux contours seulement à moitié humains.

— Raul ! s'écrie Énée.

Némès s'ennuie sérieusement. Elle passe en mode rapide. Le tableau se fige devant elle. La bouche d'Énée est ouverte. Elle est encore en train de parler, mais les vibrations de l'air sont figées. Le fleuve bouillonnant est figé lui aussi, comme dans un instantané à la vitesse d'obturation incroyablement élevée. Des gouttelettes d'écume sont en suspens dans l'air. Une autre gouttelette flotte à un millimètre sous le menton mouillé de Raul.

Némès s'avance pour prendre la torche de la main de Raul. Elle est tentée de suivre sa première impulsion maintenant et de revenir en temps ralenti pour observer les réactions de tout le monde, mais elle voit Énée du coin de l'œil — elle a toujours le poing crispé —, et Némès se dit qu'elle a du pain sur la planche avant de pouvoir s'amuser.

Elle abandonne la couche morphique déphasée suffisamment longtemps pour prendre le sac à prélèvements dans sa ceinture. Puis elle se redéphase. Elle s'avance vers la fillette accroupie et ouvre le sac sous son menton avec sa main gauche pour recueillir la tête tout en rigidifiant le tranchant de sa main droite déphasée de manière à disposer d'une lame acérée tout aussi efficace que le monofilament encore tendu au-dessus du fleuve. Elle sourit derrière son masque chromé.

— Adieu..., ma grande, murmure-t-elle.

Elle a écouté leurs conversations quand ils étaient tous les trois à des kilomètres en amont.

Elle commence à décrire de sa main tranchante un arc de cercle meurtrier.

— Que diable se passe-t-il encore ? s'écrie le caporal Kee. Je ne vois plus rien.

— Silence, ordonne de Soya.

Les deux hommes sont dans leurs fauteuils de commandement, penchés sur les moniteurs des télescopes.

— Némès s'est transformée en... je ne sais pas... quelque chose de métallique, fait Kee, repassant la séquence vidéo en incrustation pendant qu'ils continuent d'observer ce qui se passe en bas.

— Le radar ne la voit plus, s'étonne de Soya en essayant plusieurs modes de détection. Il n'y a rien non plus aux infrarouges, bien que la température ambiante se soit élevée de dix degrés Celsius dans les environs immédiats. Je note une forte ionisation.

— Une perturbation météo locale ? demande Kee, étonné.

Avant que de Soya puisse répondre, Kee lui montre le moniteur.

— Qu'est-ce qui se passe encore ? La fille est tombée. Il se passe quelque chose. Ce type...

— Raul Endymion, murmure de Soya, qui s'efforce d'améliorer la qualité de l'image sur le moniteur.

La température en hausse et les turbulences atmosphériques font miroiter l'image, qui devient floue en dépit des efforts de l'ordinateur pour la stabiliser. Le *Raphaël* est toujours stationnaire à deux cent quatre-vingts kilomètres à peine au-dessus du niveau hypothétique de la mer sur le Bosquet de Dieu. C'est beaucoup trop bas pour une orbite géosynchrone, mais suffisamment bas pour que le vaisseau devienne paranoïaque à l'idée que l'expansion atmosphérique ajoute encore à l'échauffement moléculaire qu'il doit affronter.

Le père capitaine de Soya en a vu assez pour prendre sa décision.

— Réduisez les consommations d'énergie de toutes les fonctions, ordonne-t-il. Supports de vie au minimum. Poussez le réacteur de fusion à cent quinze pour cent. Désactivez les boucliers de déflection avant. Réservez l'énergie à l'utilisation tactique.

— Il n'est pas très recommandable de..., commence la voix du vaisseau.

— Annulez toutes les réponses vocales et tous les protocoles de sécurité, aboie de Soya. Code de priorité delta neuf neuf deux zéro en vertu du disque papal. Exécution immédiate. Confirmation des paramètres sur écran.

Tandis que les moniteurs se remplissent de colonnes d'informations en surimpression par rapport à l'image animée de ce qui se passe au sol, Kee observe le spectacle avec de grands yeux en murmurant :

— Doux Jésus... Dieu du ciel !

— Je sais, chuchote de Soya.

Sur l'écran, les sources d'énergie de tous les systèmes à l'exception des moniteurs visuels et tactiques descendent au-dessous de la ligne rouge.

C'est alors que commencent les explosions à la surface.

À ce stade, j'eus à peine le temps de percevoir un écho rétinien de la jeune femme en train de se transformer en une image floue argentée. Je clignai des yeux, et la torche laser m'échappa des doigts. L'air était en train de devenir superchaud. Autour d'Énée, un tourbillon flou se forma soudain, au centre duquel semblait évoluer à toute vitesse une silhouette chromée hérissée de lames, avec six bras et quatre jambes. Je bondis vers Énée, sachant que je n'arriverais jamais à accomplir quoi que ce soit à temps, mais je pus la saisir aisément, à mon grand étonnement, pour la forcer à se jeter dans l'herbe et à se laisser rouler à l'écart du tourbillon brûlant.

316

L'alarme sonore du médipac retentit comme le crissement d'un ongle sur une ardoise. Impossible d'ignorer un tel bruit. Nous étions en train de perdre A. Bettik. Couvrant Énée de mon corps, je rampai avec elle en direction de l'homme bleu. C'est alors que les explosions commencèrent dans le bosquet juste derrière nous.

Némès abat son bras, en s'attendant à ne rien sentir lorsque le tranchant de sa main entamera les muscles et les vertèbres, mais un violent impact la fait sursauter.

Elle baisse les yeux. Sa main déphasée est prise entre deux lames de métal courbe et acéré. Son avant-bras est prisonnier de deux autres mains en forme de scalpel. La masse du gritche la domine, les piquants de son abdomen sont presque en contact avec le visage figé de la fillette. Les yeux du monstre sont d'un rouge étincelant.

Némès est prise au dépourvu, mais elle se sent surtout irritée. Elle n'est pas inquiète, cependant. Elle retire sa main et fait un bond en arrière.

Le tableau environnant est exactement ce qu'il était à la seconde précédente. Le fleuve est gelé, la main de Raul Endymion se crispe sur la crosse de son ridicule laser pour enfoncer le bouton, l'androïde est en train de mourir dans l'herbe avec tous les voyants de son médipac figés au milieu d'un clignotement. Seule la fillette a changé, la masse du gritche projetant maintenant son ombre sur elle.

Némès sourit derrière son masque de chrome. Elle s'est trop concentrée sur la nuque de la fillette et elle n'a pas vu ce gros lourdaud arriver sur elle en mode rapide. C'est une erreur qu'elle ne commettra pas deux fois.

— Tu la veux ? demande-t-elle avec un rictus. On t'a envoyé aussi pour la tuer ? Ne te gêne pas pour moi... Pourvu que tu me laisses la tête.

Le gritche retire ses bras et fait le tour de l'enfant. Ses épines et les lames de ses genoux passent à moins d'un centimètre d'elle. Les pieds écartés, il se dresse de toute sa stature entre la fillette et Némès.

— Ah ! C'est comme ça ? Ce n'est pas elle que tu veux ? Il va donc falloir que je te la reprenne.

Se déplaçant encore plus vite qu'en mode rapide, elle feinte à gauche, vire à droite et s'élance. Si l'espace autour d'elle n'avait pas été gauchi par le mouvement, les bangs soniques auraient tout fait éclater à des kilomètres à la ronde.

Le gritche pare le coup. Des étincelles jaillissent du chrome, et des éclairs se déchargent dans le sol. Le monstre griffe l'air à l'endroit où Némès se trouvait une nanoseconde auparavant. Elle arrive par-derrière, lançant un coup de pied à l'enfant avec une telle force que son cœur et son échine devraient jaillir de sa poitrine.

Le gritche dévie le coup et projette Némès dans les airs. Sa forme floue décrit trente mètres au milieu des arbres. Elle arrache au passage des branches et des troncs, qui restent en suspens dans son sillage. Le gritche s'élance en accéléré derrière elle.

Némès heurte un rocher dans lequel elle s'incruste de cinq centimètres. Elle sent que le gritche passe en temps ralenti tout en se ruant vers elle, et elle suit son déplacement jusque dans la zone de bruit et de mouvement. Les arbres craquent, se rompent et s'enflamment. Les mines de sol ne détectent pas de battements de cœur ni de souffle respiratoire, mais elles sentent la pression au sol et bondissent vers la source. Des centaines d'explosions retentissent, formant une véritable réaction en chaîne de charges creuses qui poussent Némès et la créature l'une vers l'autre comme les deux moitiés d'une vieille bombe à uranium à implosion.

Le gritche a une très longue lame courbe au milieu de la poitrine. Némès connaît toutes les histoires que l'on raconte sur les innombrables victimes que le monstre a empalées ainsi pour aller les accrocher ensuite à l'Arbre de la Douleur, dont les épines étaient encore plus longues. Mais elle n'est pas impressionnée. Tandis que les charges creuses qui explosent autour d'eux la poussent contre le monstre, son champ de déplacement recourbe l'épine de poitrine du gritche contre lui. Le monstre ouvre sa gueule de pelle mécanique pour hurler dans l'ultrason. Elle lui balance dans le cou un revers de main coupant et l'envoie voler sur quinze mètres jusqu'au fleuve.

Ignorant le monstre, elle se tourne alors vers Énée et les deux autres. Raul s'est jeté sur la fillette pour lui faire un bouclier de son corps. *Comme c'est touchant !* se dit Némès. Elle passe en mode accéléré, figeant sur place même les nuages bouillonnants de flammes orangées qui s'étendent à partir de l'endroit où elle se trouve, au cœur de l'explosion en corolle.

Elle s'avance au trot à travers le mur semi-solide de l'onde de choc, en direction de la fillette et de son copain. Elle va leur couper la tête à tous les deux. Elle gardera celle de Raul en souvenir quand elle aura livré celle de la fille.

Elle est à moins d'un mètre de la gamine quand le gritche émerge du nuage de vapeur qui monte de la rivière et la pousse du côté gauche. Sa main rate les deux têtes humaines de quelques centimètres. Le gritche et elle roulent dans la direction opposée à celle du fleuve, laissant dans leur sillage la roche à nu, coupant tous les arbres au passage, jusqu'à ce qu'un nouveau mur de roche les arrête. La carapace du gritche lance des étincelles tandis que ses mâchoires de pelleteuse s'ouvrent grand pour se refermer sur la gorge de Némès.

— Tu... veux... rigoler ! halète-t-elle sous son masque de déplacement.

Elle n'a pas prévu dans son agenda de se faire broyer à mort par un décale-temps archaïque. Transformant sa main en couperet, elle l'enfonce dans le thorax du monstre, dont les multiples rangées de dents font jaillir des étincelles sur son cou blindé. Elle a un rictus de triomphe quand elle sent les quatre doigts tendus de sa main pénétrer l'armure et la carapace. Elle saisit une poignée de ce qu'elle trouve à l'intérieur et l'arrache violemment, en espérant avoir atteint un organe vital. Mais sa main ne ressort qu'avec une série de tendons tranchants comme des rasoirs et de débris de carapace. Tandis que le gritche vacille en arrière en agitant ses quatre bras comme des fléaux, ses mâchoires s'ouvrent et se ferment spasmodiquement, comme s'il n'arrivait pas à croire qu'il n'est plus en train de mâcher des morceaux de sa victime.

— Allez ! Viens ! s'écrie-t-elle en s'avançant vers la créature.

Elle brûle d'envie de la détruire une bonne fois pour toutes. Son sang ne fait qu'un tour dans ses veines, comme disent les humains. Mais elle est assez lucide pour se rendre compte que ce n'est pas son objectif premier. Son objectif est de distraire le monstre ou de le neutraliser suffisamment longtemps pour décapiter la fillette. Ensuite, le gritche ne fera plus jamais partie de ses préoccupations. Peut-être Némès et ses semblables le mettront-ils dans un zoo pour s'amuser à lui donner la chasse quand ils s'ennuieront trop.

— Allez ! l'excite-t-elle en faisant un pas en avant.

Le monstre est suffisamment blessé pour repasser en mode ralenti sans désactiver les champs de déplacement qui l'entourent. Némès aurait pu le détruire à loisir s'il n'y avait pas eu ces champs. Mais si elle essaie de les contourner, à présent, il est capable de se déphaser pour surgir derrière elle. Elle le suit donc en mode ralenti, heureuse de cette occasion d'économiser son énergie.

— Doux Jésus ! m'écriai-je en relevant la tête.

J'étais couché sur Énée pour la protéger, et elle regardait ce qui se passait à travers le cercle protecteur de mon bras. Tout arrivait en même temps. L'alarme du médipac de l'homme bleu faisait entendre sa sonnerie grinçante, l'air était aussi brûlant que le souffle d'un haut fourneau, la forêt derrière nous n'était plus qu'une explosion de bruits et de flammes, les échardes des arbres que la vapeur superchaude faisait éclater remplissaient l'air au-dessus de nos têtes, le fleuve jaillissait en un geyser de vapeur, et soudain le gritche et la forme humaine chromée se livrèrent à un ballet mortel à moins de trois mètres de là.

Ignorant le capharnaüm autour de nous, Énée se dégagea de mon étreinte et rampa en direction de l'endroit où gisait A. Bettik. Je la suivis, plaqué au sol, sans quitter des yeux l'affrontement titanesque des deux tourbillons d'où l'électricité statique jaillissait en éclairs qui bondissaient parmi les rochers et sur le sol dévasté.

— Réanimation d'urgence ! s'écria la fillette en commençant à s'occuper de l'androïde.

Je passai de l'autre côté de l'homme bleu et lus les indications du médipac. L'androïde ne respirait plus. Son cœur s'était arrêté de battre trente secondes plus tôt. Il avait perdu trop de sang.

Quelque chose d'argenté et d'acéré vola vers le dos d'Énée. Je voulus la pousser de côté ; mais avant que j'aie eu le temps de la toucher, une autre forme métallique intercepta la première, et l'air résonna du choc du métal contre le métal.

— Laisse-moi faire ! m'écriai-je.

Je la tirai de l'autre côté du corps de l'androïde, en essayant de la forcer à rester derrière moi pendant que je pratiquais les mouvements de réanimation. Les voyants du médipac indiquaient que le sang irriguait de nouveau le cerveau grâce à nos efforts. Les poumons recevaient et expulsaient l'air, mais ils ne le faisaient pas sans notre aide. Je continuai les mouvements en rythme, tout en surveillant l'affrontement des deux tourbillons presque supersoniques. Il flottait dans l'air une odeur d'ozone. Le vent apportait des braises de la forêt en flammes, et nous étions entourés de nuages de vapeur sifflante.

— L'année... prochaine, s'écria Énée pour couvrir le tapage, en claquant des dents malgré la chaleur d'étuve, nous prendrons... nos vacances... autre part !

Je levai la tête pour lui jeter un regard ahuri, pensant qu'elle avait soudain perdu la raison. Ses yeux brillaient, mais elle n'était pas encore totalement folle. Tel fut mon diagnostic pendant que le médipac continuait à crisser et que je poursuivais mes mouvements de réanimation sur A. Bettik.

Derrière nous, il y eut une soudaine implosion, parfaitement audible par-dessus les craquements des flammes, les sifflements de vapeur et le choc des surfaces en métal. Je regardai par-dessus mon épaule sans interrompre les mouvements de réanimation.

L'air se mit à miroiter, et une seule silhouette chromée se dressa à l'endroit où il y en avait deux qui s'affrontaient un instant plus tôt. Puis la surface métallique ondula et disparut. La femme de tout à l'heure apparut. Ses cheveux n'étaient pas décoiffés, et elle ne manifestait aucun signe d'essoufflement.

— Bon, fit-elle d'une voix calme. Où en étions-nous ?
Elle s'avança sans se presser.

Dans les dernières secondes de la bataille, il n'a pas été facile de mettre le piège à Sphinx en place. Némès utilise toute son énergie pour lutter contre les lames en mouvement du gritche. C'est comme si elle se battait contre plusieurs hélices vrombissantes à la fois. Il lui est arrivé de séjourner sur des mondes où il y avait encore des avions à hélice. Deux siècles plus tôt, elle a tué le consul de l'Hégémonie sur l'un de ces mondes.

À présent, elle évite les bras tourbillonnants sans jamais quitter du regard les deux petits yeux rouges comme des escarboucles. *Ton temps est fini*, pense-t-elle à l'adresse du gritche tandis que leurs bras et leurs jambes, enrobés de leurs champs de déplacement, se fendent et se contrefendent comme des épées tournoyantes invisibles. Tendant subitement la main vers la partie la plus floue du champ du monstre, elle saisit une jointure de son bras et fait voler lames et épines. Le bras tombe, mais les cinq scalpels de la main inférieure lacèrent son abdomen, en essayant de l'éventrer à travers son champ de déplacement.

— Holà ! s'écrie-t-elle en fauchant sous lui la jambe droite du monstre durant une fraction de seconde. Pas si vite !

Le gritche titube. Némès profite de ce court instant de vulnérabilité pour faire glisser la carte du Sphinx de son bandeau de poignet et l'insérer, à la faveur d'une faille de cinq nanosecondes, dans son champ de déplacement, à plat sur la paume de sa main, en la plaquant contre une épine du cou du gritche.

— Et voilà ! s'écrie-t-elle en faisant un bond en arrière.

Elle est repassée en mode accéléré, agitant les mains pour empêcher le gritche d'arracher la carte, qu'elle active en pensant à un cercle rouge. Elle fait un nouveau bond en arrière lorsque le champ hyperentropique entre en action avec un bourdonnement pour propulser le monstre gigotant cinq minutes en avant dans le futur. Tant que ce champ existe, il n'a aucun moyen de revenir.

Radamanthe Némès repasse en mode normal et désactive

le champ. La brise, bien que superchaude et chargée de débris ardents, lui paraît délicieusement fraîche.

— Bon, dit-elle en savourant le regard des deux humains, où en étions-nous ?

— Allez-y ! crie le caporal Kee.

— Impossible, fait de Soya, la main crispée sur la poignée du manche tactique universel. L'eau du sol. Explosion de vapeur. Ce serait leur mort.

Les indicateurs du *Raphaël* montrent que toute l'énergie possible a été mobilisée, mais ce n'est encore pas suffisant. Kee abaisse son micro-perle devant sa bouche, règle le bouton sur toutes les fréquences et commence à émettre sur faisceau étroit, en faisant en sorte que le réticule centre bien le garçon et la fille, et non la femme qui avance vers eux.

— Ça ne servira à rien, lui dit de Soya, qui ne s'est jamais senti aussi frustré de sa vie.

— Les rochers ! est en train de hurler Kee. Les rochers !

J'étais dressé devant la femme, maintenant Énée derrière moi, regrettant de n'avoir sous la main ni pistolet, ni torche laser, ni quoi que ce soit d'autre. Le fusil à plasma était resté dans mon sac étanche au bord de l'eau, à deux mètres de moi à peine. Il aurait fallu que j'aille d'un bond ouvrir le sac, défaire la sécurité, déplier la crosse, mettre en joue et tirer. Je doutais que cette créature au sourire glacial m'en laisse le temps, ou que la petite Énée soit encore en vie lorsque je presserais la détente.

À cet instant précis, le ridicule bracelet persoc que je portais au poignet se mit à vibrer contre ma peau comme l'une de ces anciennes alarmes silencieuses. Je l'ignorai. Il m'envoya des fourmillements électriques dans le poignet. Je portai le stupide objet à mon oreille. Il me chuchota :

— Courez dans les rochers. Prenez l'enfant et courez avec elle sur les rochers de lave.

Ça n'avait aucun sens. Je jetai un coup d'œil aux indicateurs du médipac, en train de fluctuer du jaune au vert. Mais je commençai à reculer, en maintenant Énée derrière moi.

— Allons, allons, me dit la femme. Ce n'est pas très poli, ça. Énée, si tu viens gentiment vers moi, ton copain pourra continuer de vivre, et l'homme bleu également, s'il est capable de s'en occuper.

Je baissai les yeux vers Énée, craignant qu'elle accepte le marché. Mais elle s'accrochait à mon bras, une lueur d'une terrible intensité dans les yeux, sans manifester cependant aucune crainte.

— Ça va aller, ma grande, chuchotai-je en continuant de me déplacer avec elle sur notre gauche.

Derrière nous, il y avait le fleuve. Cinq mètres plus loin sur la gauche, le plateau de lave commençait.

La femme obliqua à droite pour se mettre en travers de notre chemin.

— Ça commence à durer trop longtemps, murmura-t-elle. Je ne dispose plus que de quatre minutes. Mais c'est plus qu'il n'en faut. Une éternité.

— Viens.

Saisissant Énée par le poignet, je courus vers les rochers. Je n'avais pas le moindre plan. Je n'obéissais qu'aux instructions insensées que le persoc m'avait données avec une voix qui n'était pas la sienne.

Nous n'atteignîmes jamais les rochers de lave. Il y eut un bref souffle d'air chaud, puis la silhouette chromée de la femme s'interposa devant nous, trois mètres plus haut, perchée sur la lave noire.

— Adieu, Raul Endymion, dit-elle en levant son bras de chrome miroitant.

L'explosion de chaleur me brûla les sourcils, mit le feu à ma chemise et nous projeta en arrière, la fillette et moi, dans les airs. Nous retombâmes durement au sol et nous laissâmes rouler pour échapper à l'insupportable fournaise. Les cheveux d'Énée rougeoyaient et fumaient comme s'ils étaient près de s'embraser. Je les frappai avec mes avant-bras pour empêcher les flammes de naître. Le médipac de l'androïde hurlait de nouveau, mais le rugissement de l'air superchaud, derrière nous, couvrait presque tout le reste. Je vis que ma manche de chemise était en train de fumer, et je l'arrachai avant qu'elle ne prenne feu. Énée et moi nous tournâmes le dos à la chaleur en nous éloignant aussi rapidement que possible. Nous avions l'impression de fuir la bouche d'un volcan.

Je saisis l'androïde au passage et le traînai vers le fleuve. Nous n'hésitâmes pas une seconde avant de nous laisser glisser dans le courant fumant. Je dus faire des efforts inouïs pour maintenir la tête de l'homme bleu inconscient hors de l'eau pendant qu'Énée luttait pour empêcher le courant de nous entraîner. Juste au-dessus de la surface de l'eau, là où nos visages étaient presque collés à la vase de la rive, l'air demeurait presque assez frais pour être respirable.

Je sentis que des cloques se formaient sur mon front. J'ignorais encore que mes sourcils et des plaques entières de cheveux avaient disparu. Je levai précautionneusement la tête au-dessus du talus de la rive pour regarder ce qui se passait.

La forme féminine chromée essayait de venir vers nous, mais le rayon à haute énergie qui la clouait au sol semblait exercer sur elle trop de pression. Elle demeurait cependant debout, et le champ chromé qui l'entourait vira au rouge, puis au vert, puis au blanc aveuglant. Mais elle était toujours debout, le bras levé, secouant le poing vers le ciel. Sous ses pieds, le socle de lave devint rouge et se mit à couler en gros ruisseaux de roche fondue. Une partie se déversa dans le fleuve, à moins de dix mètres de nous en aval, et des nuages de vapeur s'élevèrent, accompagnés d'un grand sifflement. À ce moment-là, j'avoue avoir éprouvé, pour la première fois de ma vie, un sentiment quasi religieux.

La silhouette de chrome sembla se rendre compte du danger quelques secondes avant qu'il ne soit trop tard. Elle disparut, reparut sous la forme d'une masse floue, le poing toujours levé vers le ciel, disparut de nouveau, reparut une dernière fois, puis se fondit dans la lave, sous ses pieds, là où, quelques instants avant, se dressaient de solides rochers.

Le rayon s'attarda sur cet endroit durant une minute entière. J'étais incapable de le fixer des yeux plus longtemps. La chaleur m'excoriait la peau des joues. J'enfouis mon visage dans la boue froide tout en maintenant A. Bettik et Énée contre la rive pour empêcher le courant de nous emporter vers les coulées de lave et les microfilaments.

Levant la tête une dernière fois, je vis le poing chromé disparaître sous la surface de la roche en fusion. Puis le champ de force sembla changer de couleur plusieurs fois avant de s'éteindre définitivement. La lave commença aussitôt à refroidir. Avant que j'aie eu le temps de faire sortir de l'eau la fillette et l'homme bleu puis de reprendre les mouvements de réanimation, la roche se solidifiait de nouveau, à l'exception de quelques coulées secondaires. Des lamelles se détachèrent de la surface et se soulevèrent, portées par des colonnes d'air chaud, pour rejoindre les débris volants de la forêt toujours en flammes derrière nous. Il n'y avait plus aucune trace de la femme de chrome.

Chose étonnante, le médipac fonctionnait encore. Les voyants clignotaient du rouge au jaune tandis que nous forcions le sang à circuler jusque dans le cerveau et les membres de l'androïde et que nous lui insufflions la vie. Le garrot était bien serré. Lorsqu'il se remit à respirer à peu près normalement, je regardai Énée pour lui demander :

— Qu'est-ce qu'on fait, maintenant ?

Il y eut une implosion étouffée derrière nous, et je me tournai juste à temps pour voir le gritche surgir de nulle part.

— Par les larmes du Christ ! m'exclamai-je doucement.

Énée était en train de secouer la tête. Je vis que ses lèvres et son front étaient également couverts d'ampoules de chaleur. Ses cheveux étaient tombés par plaques, et sa chemise était une loque indescriptible. À part cela, elle ne semblait pas blessée.

— Non, dit-elle. Il ne nous fera rien.

Je m'étais penché sur mon paquetage pour sortir le fusil à plasma. Mais mon geste était inutile. Le sac avait été exposé au rayon d'énergie. La sous-garde avait à moitié fondu, et tous les éléments en plastique de la crosse pliante avaient fusionné avec le canon de métal. C'était un miracle que les cartouches à plasma n'aient pas explosé. Elles nous auraient vaporisés. Laissant tomber le sac inutile, je fis volte-face pour affronter le gritche avec mes poings nus. Il faudrait qu'il me passe sur le corps, bordel.

— Ne crains rien, répéta Énée en me tirant en arrière. Il ne nous fera rien. C'est terminé.

Nous nous penchâmes de nouveau sur A. Bettik. Il battit des paupières en demandant d'une voix rauque :

— J'ai raté quelque chose ?

Nous n'avions pas envie de sourire. Énée toucha la joue

de l'homme bleu et me regarda. Le gritche demeurait à l'endroit où il était apparu. Des débris enflammés continuaient de voler autour de ses yeux rouges, et des escarbilles retombaient sur sa carapace.

A. Bettik ferma les yeux. Les voyants se remirent à clignoter.

— Il faut le conduire quelque part, chuchotai-je à Énée. S'il ne reçoit pas des soins efficaces, il va mourir.

Elle hocha la tête. Je crus qu'elle me répondait à voix basse, mais ce n'était pas sa voix que j'entendais.

Je levai mon bras gauche, ignorant les boursouflures de la peau sous la chemise en lambeaux. Tous les poils de mon avant-bras avaient brûlé.

Nous écoutâmes la petite voix qui sortait du persoc. C'était une voix masculine que nous connaissions bien.

56

Le père capitaine de Soya est étonné quand ils lui répondent sur le canal libre. Il n'aurait jamais cru que leur communicateur archaïque fût capable d'émettre sur le faisceau étroit établi par le vaisseau. Il y a même une image. C'est la représentation holo très floue de deux visages brûlés, noircis de suie, qui flottent au-dessus du moniteur central.

Le caporal Kee se tourne vers de Soya pour murmurer :

— Que je sois damné, père capitaine...

— Moi aussi, fait de Soya.

S'adressant aux deux visages, il murmure :

— Je suis le père capitaine de Soya, du vaisseau de la Pax *Raphaël*...

— Je me souviens très bien de vous, réplique aussitôt la fillette.

De Soya se rend compte que le vaisseau transmet également des images holo qu'ils peuvent voir. Sans doute leur apparaît-il sous la forme d'un visage fantôme miniature surmontant un col romain et flottant au-dessus du poignet du jeune homme, où se trouve son persoc.

— Je me souviens de vous aussi, fait de Soya.

C'est tout ce qu'il trouve à dire. La poursuite a été si longue... Il scrute les yeux noirs et la peau pâle sous la suie et les brûlures superficielles. Et elle est si proche, à présent...

C'est Raul Endymion qui parle.

— Qui était cette femme ? Cette *chose* ?

De Soya secoue la tête.

— Je l'ignore. Elle disait s'appeler Radamanthe Némès. On nous l'a assignée il y a quelques jours à peine. Elle prétendait faire partie d'une nouvelle légion qu'ils sont en train de...

Il s'interrompt soudain. Tout cela est secret. Il est en train de parler à l'ennemi. Il jette un coup d'œil au caporal Kee. Dans le petit sourire de ce dernier, il voit un condensé de leur situation. Ils sont condamnés, de toute manière.

— Elle prétendait faire partie d'une nouvelle légion de guerriers formée par la Pax, reprend-il. Mais je ne pense pas qu'elle nous ait dit la vérité. Je ne crois pas qu'elle ait été humaine.

— Amen, fait l'image de Raul Endymion.

Le petit visage se détourne quelques instants du persoc, puis le regarde de nouveau.

— Notre ami est en train de mourir, père capitaine de Soya. Pouvez-vous faire quelque chose pour lui ?

Le prêtre-capitaine secoue la tête.

— Nous ne pouvons pas arriver jusqu'à vous. Cette créature, Némès, s'est emparée de notre vaisseau de descente et a court-circuité notre autopilote télécommandé. Impossible de communiquer avec. Mais si vous arrivez à le rejoindre, il y a une machine autochirurgicale à bord.

— Où se trouve-t-il ? demande Énée.

Le caporal Kee se penche en avant vers le champ imageur.

— D'après nos radars, il est à un kilomètre et demi de vous environ, en direction du sud-est, dans les collines. Il est camouflé, mais vous n'aurez pas de mal à le trouver. Nous vous guiderons.

— C'était votre voix, dans le persoc, qui nous a crié d'aller dans les rochers.

— Oui, fait Kee. Nous avons concentré toute l'énergie du vaisseau dans le système tactique. Cela représente environ quatre-vingts gigawatts à transporter à travers l'atmosphère. Mais l'humidité du sol aurait été vaporisée et vous aurait tués. Les rochers, c'était mieux.

— Elle y est arrivée avant nous, fait Raul en tordant la bouche pour sourire.

— Justement. C'était le but.

— Merci, murmure Énée.

Le caporal Kee hoche la tête, embarrassé, et sort du champ.

— Comme vous le disait ce brave caporal, continue le père capitaine de Soya, nous sommes disposés à vous guider jusqu'au vaisseau.

— Mais pourquoi ? demande l'image floue de Raul. Et pour quelle raison avez-vous anéanti votre propre créature ?

Le prêtre-capitaine secoue la tête.

— Ce n'était pas ma créature.

— Celle de l'Église, alors. Pourquoi ?

— J'espère que ce n'était pas non plus la créature de l'Église, fait tranquillement de Soya. Mais si elle l'était vraiment, c'est que mon Église est devenue un monstre.

Un silence s'établit, uniquement rompu par le léger sifflement de la transmission sur faisceau étroit.

— Vous feriez mieux de vous mettre en route, déclare finalement de Soya. Il commence à faire nuit.

Les deux visages en représentation holo regardent autour d'eux d'une manière presque comique, comme s'ils avaient complètement oublié leur environnement.

— Vous avez raison, murmure Raul. Et votre rayon ou BCC ou je ne sais trop quoi a fondu toute mes affaires, y compris ma lampe.

— Je pourrais éclairer votre chemin, fait de Soya sans sourire, mais cela signifie qu'il faudrait activer de nouveau tout le système tactique.

— Merci bien, réplique Raul. Nous allons nous débrouiller comme ça. Je coupe l'imageur, mais nous resterons en contact audio jusqu'à ce que nous arrivions au vaisseau.

57

Il nous fallut plus de deux heures pour parcourir les mille cinq cents mètres. Les collines de lave étaient très accidentées. Même sans le poids de l'homme bleu sur mon dos, j'aurais risqué à tout moment de me briser une cheville dans une crevasse ou contre une aspérité. Et il faisait très sombre. De gros nuages occultaient les étoiles. Je ne pense pas que nous y serions arrivés si Énée n'avait pas retrouvé la torche laser dans l'herbe au moment où nous rassemblions nos quelques affaires intactes pour partir.

— Comment diable est-elle arrivée ici ? m'étonnai-je.

La dernière fois que je l'avais eue en main, j'étais en train de la braquer sur les yeux de cette femme infernale. Puis elle avait disparu subitement. *Peu importe, après tout*, me dis-je. De toute manière, c'était la journée des mystères. Nous en laissions d'ailleurs un derrière nous, et de taille, sous la forme du gritche, toujours figé à l'endroit où il avait fait sa réapparition. Il ne donnait aucun signe de vouloir nous suivre.

Ce fut Énée qui ouvrit la voie avec la torche réglée sur faisceau large. Nous progressions lentement et péniblement sur les roches noires et les cendres. De temps à autre, nous nous arrêtions pour nous occuper de l'androïde.

Le médipac eut vite fait d'épuiser sa réserve d'antibiotiques, de stimulants, d'analgésiques, de plasma et de sérum pour perfusion intraveineuse. C'était grâce à lui que notre ami était encore vivant, mais combien de temps cela allait-il durer ? Il avait perdu beaucoup trop de sang dans la rivière. Le garrot avait ralenti l'hémorragie, mais ce n'était pas suffisant. Nous le ranimions quand c'était nécessaire, pour que son cerveau, au moins, continue d'être irrigué, et nous cessions les mouvements quand l'alarme du médipac se mettait à couiner. Le persoc, par la voix du caporal de la Pax, continuait de nous guider vers le vaisseau, et je devais admettre que, même si tout cela n'était qu'un stratagème pour capturer Énée, nous devions tout de même une fière chandelle à ces deux hommes.

Pendant que nous progressions avec peine dans la pénombre, la torche d'Énée éclairant les formes noires des rochers et celles des arbres morts, qui ressemblaient à des squelettes fantasmagoriques, je m'attendais presque à voir surgir du sol la main chromée de Radamanthe Némès pour m'agripper la cheville.

Nous trouvâmes le vaisseau à l'endroit que nous avaient indiqué les deux hommes de la Pax. Énée commença à gravir les échelons de métal qui conduisaient au sas, mais je l'agrippai par la jambe de son pantalon en lambeaux et la forçai à redescendre.

— Je préfère que tu ne montes pas à bord, ma grande, lui dis-je. On ne sait jamais. Ils n'ont peut-être pas dit la vérité en affirmant qu'ils ne peuvent pas télécommander le vaisseau. S'ils ont menti, tu seras à leur merci là-dedans.

Elle s'adossa, épuisée, à l'échelle.

— Je leur fais confiance, me dit-elle. Ils auraient pu...

— Je sais. Mais deux précautions valent mieux qu'une. Tu restes ici pendant que je fais monter A. Bettik à bord, pour voir s'ils sont vraiment une machine d'autochirurgie.

Je gravis lentement les échelons, non sans un serrement de cœur. Et si le sas était bloqué ? Si la femme infernale avait les clés dans la poche de sa combinaison ?

Il y avait un pavé numérique éclairé à côté de la porte.

— Six, neuf, neuf, deux, me dicta la voix du caporal Kee par l'intermédiaire du persoc.

Je tapai le code. La porte extérieure du sas s'ouvrit.

L'autochirurgien était bien là, et il s'activa lorsque je le touchai. Je déposai délicatement mon ami à la peau bleue dans le logement capitonné, en prenant bien soin de ne pas en heurter les côtés avec son moignon à vif. Je m'assurai que les pastilles de diagnostic et les manchons de pression se positionnaient correctement, puis refermai le couvercle, qui ressemblait beaucoup trop à celui d'un cercueil.

Les diagnostics n'étaient pas très prometteurs, mais l'autochirurgien se mit aussitôt au travail. Je surveillai quelque temps les moniteurs, puis je m'aperçus que ma vision se brouillait et que j'étais sur le point de m'endormir debout. Je me frottai les joues et retournai à l'entrée du sas.

— Tu peux grimper sur l'échelon du bas, ma grande !

criai-je à Énée. Si tu vois que le vaisseau va décoller, tu sautes !

Elle fit ce que je lui disais et éteignit la torche. La seule lumière qui nous éclairait à présent venait de l'autochirurgien et de la console de commandement.

— D'accord ! me répondit-elle. Je saute, et le vaisseau décolle avec A. Bettik et toi. Je serai bien avancée, alors. Qu'est-ce que je ferai ?

— Tu cours vers le portail suivant.

— Nous comprenons que vous soyez suspicieux, fit la voix du père capitaine de Soya à travers le persoc.

Assis à l'entrée du sas, écoutant le bruissement du vent qui soufflait des débris végétaux contre la coque du vaisseau, je demandai d'une voix tranquille :

— Pourquoi ce revirement, père capitaine ? Vous vouliez capturer Énée. À quoi puis-je attribuer cette volte-face ?

Je songeais à la poursuite dans le système de Parvati et à l'attaque qu'il avait déchaînée sur le vecteur Renaissance.

Au lieu de me répondre directement, la voix du prêtre-capitaine murmura :

— J'ai votre tapis hawking, Raul Endymion.

— Ah oui ? répliquai-je d'un ton las.

J'essayai de me souvenir à quel moment je l'avais vu pour la dernière fois. Volant vers la plate-forme océanique de Mare Infinitus, sans doute.

— L'univers est petit, déclarai-je, comme si tout cela n'avait plus beaucoup d'importance.

En mon for intérieur, je me disais que j'aurais donné n'importe quoi pour avoir ce petit tapis volant avec moi en ce moment. Accrochée à son échelon, Énée écoutait. De temps en temps, je regardais derrière moi pour voir si l'autochirurgien poursuivait ses efforts.

— C'est vrai, me répondit la voix du père capitaine. Et je commence à comprendre un peu ce que vous ressentez, mes amis. Peut-être comprendrez-vous un jour, à votre tour, ce qu'il y a dans ma tête.

— Peut-être, admis-je.

Je l'ignorais, naturellement, à ce moment-là, mais cela devait se réaliser, plus tard, littéralement.

Il me parla soudain d'une voix efficace et presque brusque.

— Nous pensons que cette Radamanthe Némès a court-circuité le téléguidage de l'autopilote à l'aide d'un programme prioritaire, mais nous n'essaierons pas de vous en convaincre. Ne vous gênez pas pour utiliser le vaisseau de descente afin de poursuivre votre voyage sans aucune crainte de nous voir capturer Énée.

— Comment en avoir la certitude ? demandai-je.

Mes brûlures commençaient à être vraiment douloureuses. Dans une minute ou deux, j'espérais trouver l'énergie de fouiller dans les casiers qui entouraient la machine autochirurgicale, pour voir si le vaisseau avait son propre médipac. J'étais à peu près certain d'en trouver un.

— Nous allons quitter le système, me répondit de Soya.

Je redressai vivement la tête.

— Quelle assurance aurons-nous ? insistai-je.

Le père capitaine émit un gloussement dans le persoc.

— Un vaisseau propulsé par fusion en train de quitter le puits gravifique d'une planète, ça se voit, dit-il. Nos télescopes indiquent que vous n'avez pour le moment au-dessus de vous qu'une couverture nuageuse assez dispersée. Vous ne manquerez pas de nous remarquer.

— Nous vous verrons quitter votre orbite basse, répliquai-je. Comment saurons-nous si vous vous êtes translatés hors du système ou non ?

Énée monta alors me tirer le poignet pour parler dans le persoc.

— Père capitaine, où comptez-vous aller ?

Il y eut un silence où l'on n'entendit plus que le sifflement de la liaison.

— Nous retournons sur Pacem, murmura finalement de Soya. Nous possédons l'un des trois vaisseaux les plus rapides de l'univers, et mon compagnon et moi, en notre for intérieur, avons envisagé de nous donner une autre... destination, mais, tout bien réfléchi, nous sommes des soldats, et nous appartenons à la Flotte de la Pax et à l'Armée du Christ. Notre devoir est de retourner sur Pacem et de répondre aux questions. D'affronter... ce qu'il nous faudra affronter.

Même sur Hypérion, le Saint-Office de l'Inquisition avait étendu son ombre sinistre. Je frissonnai, et ce n'est pas uniquement le vent venu de la Souche du Monde carbonisée qui me faisait froid dans le dos.

— Sans compter, poursuivit de Soya, que nous avons un camarade, à bord, qui n'a pas pu être ressuscité avec succès. Il a besoin qu'on s'occupe de lui sur Pacem.

Je tournai la tête vers l'autochirurgien bourdonnant. Pour la première fois au cours de cette interminable journée, je fus convaincu que le prêtre qui nous parlait de là-haut n'était pas notre ennemi.

— Père de Soya, murmura Énée en attirant mon poignet vers elle pour parler à hauteur du persoc, que vont-ils vous faire ? À vous tous ?

De nouveau, un gloussement se fit entendre par-dessus le sifflement parasite.

— Si nous avons de la chance, ils nous exécuteront avant de nous excommunier. Si nous n'en avons pas, ce sera l'ordre inverse.

Je vis qu'Énée ne goûtait pas la plaisanterie.

— Père capitaine, caporal Kee, murmura-t-elle, pourquoi ne pas nous rejoindre sur cette planète ? Renvoyez le vaisseau sur Pacem avec votre compagnon et venez franchir avec nous le portail suivant.

Cette fois-ci, le silence se prolongea suffisamment longtemps pour que je soupçonne une panne de communicateur. Mais la voix douce du père capitaine de Soya finit par nous répondre :

— Je suis tenté de le faire, ma jeune amie. Nous sommes tentés tous les deux. J'aimerais beaucoup voyager par distrans, un jour, et j'aimerais encore plus apprendre à vous connaître. Mais nous sommes de fidèles serviteurs de l'Église, ma chère, et notre devoir est clair. J'ai bon espoir que cette... aberration... qui s'appelait Radamanthe Némès ait été le résultat d'une erreur. Si nous voulons jamais savoir ce qu'il en est, nous devons retourner là-bas.

Soudain, il y eut dans le ciel une explosion de lumière bleue. Je penchai la tête à l'extérieur du sas. Nous pûmes voir tous les deux la traînée de lumière d'un blanc bleuté qui passait en pointillé parmi les nuages épars.

— En outre, fit la voix de De Soya, tendue comme s'il était sous le coup de plusieurs gravités, nous n'avons aucun moyen de vous rejoindre en bas. Cette créature, Némès, a saboté nos armures de combat, de sorte que même ce choix désespéré nous est interdit.

Énée et moi, nous étions à présent assis sur le rebord du sas, en train de contempler la traînée de fusion, qui devenait de plus en plus nette et brillante. Une éternité semblait s'être écoulée depuis que nous avions quitté notre propre vaisseau. Une pensée me frappa soudain, avec la force d'un coup de poing au creux de l'estomac, et je levai le persoc à hauteur de mes lèvres pour demander :

— Père capitaine, cette... Némès... Vous croyez qu'elle est vraiment morte ? Je l'ai vue de mes yeux disparaître dans la lave en fusion, mais... Est-ce qu'elle n'est pas en train de gratter pour ressortir ?

— Nous ne pouvons pas savoir, répondit la voix du prêtre-capitaine, de plus en plus faible. De toute manière, je vous conseille de quitter ces lieux le plus vite possible. Le vaisseau de descente est notre cadeau d'adieu. Je vous en souhaite la meilleure utilisation possible.

L'espace d'une minute, je laissai errer mon regard sur le champ de lave. Chaque fois que le vent agitait une branche morte ou faisait voler des cendres, je m'imaginais voir cette femme infernale en train de ramper vers nous.

— Énée, fit la voix de De Soya.

— Oui, père capitaine ?

— La liaison va être coupée dans un instant, et nous ne serons plus visibles. Mais il faut que je vous dise une chose.

— Laquelle, père capitaine ?

— Mon enfant, s'ils m'ordonnent de repartir à votre recherche... non pas pour vous faire du mal, mais seulement pour vous retrouver... Vous comprenez, je ne suis qu'un fidèle et obéissant serviteur de l'Église, et un officier de la Pax...

— Je comprends, mon père, lui dit Énée, dont le regard était toujours fixé sur la traînée de fusion en train de disparaître à l'horizon ouest. Adieu, père capitaine. Adieu, caporal Kee. Et merci.

— Adieu, ma fille, souffla de Soya. Que Dieu vous bénisse tous les deux.

Nous l'entendîmes murmurer sa bénédiction, puis la liaison fut coupée brusquement, et un épais silence tomba.

— Viens, dis-je à Énée. On s'en va. Tout de suite.

Nous n'eûmes pas trop de mal à refermer les deux portes du sas. Après avoir vérifié une dernière fois que l'autochirurgien s'occupait convenablement de notre ami — tous les voyants étaient encore au jaune, mais ne clignotaient plus —, nous nous sanglâmes dans les couchettes d'accélération. Il y avait des écrans blindés pour couvrir le pare-brise, mais ils étaient levés, et la vue s'étendait sur les champs de lave. Quelques étoiles étaient visibles à l'est.

— Allons-y, déclarai-je.

Je regardai les centaines de commutateurs, lecteurs de disques, pavés tactiles, plaquettes holos, moniteurs, écrans plats, boutons et bidules divers du tableau de bord. Il y avait une console basse entre nos sièges et deux manches universels avec des logements pour les doigts et des fentes pour insérer des disques de contrôle, plus une douzaine d'endroits où enfoncer des fiches de liaison directe.

— On y va, répétai-je en me tournant vers Énée, toute pâle et menue dans son fauteuil capitonné. Tu as une idée de ce qu'il faut faire ?

— Si on y allait plutôt à pied ?

Je soupirai.

— Ce serait peut-être la meilleure solution, s'il n'y avait pas...

Je mis mon pouce en arrière par-dessus mon épaule pour indiquer la machine autochirurgicale qui bourdonnait toujours.

— Je sais, me dit Énée en se laissant aller en arrière contre son harnais. Je plaisantais.

Je lui touchai la main sur la console. Comme d'habitude, il y eut une légère décharge électrique, une sorte de sensation physique de déjà vu. Je retirai ma main en disant :

— Zut de zut, on dit toujours qu'une technologie avancée est plus facile à utiliser qu'une autre, mais j'ai l'impression de me retrouver sous le cockpit de je ne sais quel chasseur-bombardier du passé de l'Ancienne Terre.

— Ces commandes sont destinées à un pilote profession-
nel, et nous n'en avons pas.

— Bien sûr que vous en avez un, pépia le persoc avec sa
voix habituelle.

— Vous savez piloter un vaisseau ? demandai-je, sceptique.

— Essentiellement, on peut dire que je *suis* un vaisseau,
répliqua la voix pincée tandis que le boîtier du persoc s'ouvrait avec un déclic. Veuillez insérer la fiche rouge dans
n'importe quel port d'interface de la même couleur.

Je le branchai sur la console. Aussitôt, le tableau de bord
s'éclaira, les moniteurs scintillèrent, les ventilateurs bour-
donnèrent, et le manche universel vibra. Un écran plat, au
centre du tableau de bord, s'éclaira en jaune, et la voix du
persoc demanda :

— Où souhaitez-vous aller, H. Endymion et H. Énée ?

L'enfant répondit avant moi.

— Au prochain portail, dit-elle d'une voix douce. Le
dernier.

58

Il faisait jour de l'autre côté. Nous demeurâmes un instant
en vol stationnaire au-dessus du courant, puis nous suivîmes
lentement le fleuve. Le persoc nous avait appris à nous servir
du manche pendant qu'il s'occupait des autres systèmes de
bord et nous surveillait du coin de l'œil pour corriger nos
bourdes éventuelles. Énée et moi nous nous regardâmes,
puis descendîmes au ras des arbres. À moins que la créature
infernale ne soit capable de franchir un portail distrans, nous
étions désormais en sécurité.

Cela nous faisait une drôle d'impression de franchir notre
dernier portail sans le radeau, mais il n'aurait pas pu passer
ici, de toute manière. Le fleuve Téthys n'était plus qu'un
mince filet d'eau coulant entre des berges escarpées. Il ne
devait pas dépasser huit ou dix centimètres de profondeur
sur trois ou quatre mètres de large, et méandrait à travers un

terrain extrêmement boisé. Les arbres étaient à la fois étranges et familiers. Il y avait surtout des essences à feuilles caduques, des kampas, des vorts, mais aussi des espèces à feuilles larges et plates comme les demichênes, dont les feuilles d'un jaune éclatant et d'un rouge luisant tapissaient les berges du cours d'eau.

Le ciel était d'un bleu agréable, moins foncé que celui d'Hypérion, mais plus soutenu que sur la plupart des mondes de type terrestre où nous étions allés. Le soleil était gros et lumineux, sans être toutefois insoutenable au regard. La lumière pénétrait par le pare-brise et nous caressait les genoux.

— Je me demande quel effet ça fait de marcher à la surface, murmurai-je.

Le persoc... ou le vaisseau, ou je ne sais plus quoi, dut croire que je m'adressais à lui, car le moniteur central s'anima, et les paramètres s'inscrivirent l'un après l'autre.

Atmosphère :
0,77 N_2
0,21 O_2
0,009 Ar
0,0003 CO_2
H_2O variable (-0,01)
Pression surfacique : 0,986 bar
Champ magnétique : 0,318 gauss
Masse : 5,976 x 10^{24} kg
Vitesse de libération : 11,2 km/s
Gravité en surface : 980 km/s
Inclinaison de l'axe magnétique : 11,5°
Moment dipolaire : 7,9 x 10^{25} gauss/cm^3

— C'est drôle, fit la voix du persoc. Une coïncidence, probablement, mais...

— Quoi ? demandai-je.

Mais je savais déjà.

— Ces données planétaires correspondent presque exactement à celles qui sont indiquées dans ma base de données pour l'Ancienne Terre. C'est très rare que deux mondes se ressemblent à ce...

— Arrête ! s'écria Énée en montrant quelque chose à travers le pare-brise. Descends ! Pose-toi tout de suite, s'il te plaît !

J'aurais cassé du bois si le vaisseau n'avait pas pris la relève. Il trouva une clairière rocheuse à une vingtaine de mètres de la berge bordée d'arbres et toucha le sol en douceur. Énée était déjà en train de taper le code du sas. Pour ma part, j'étais paralysé par la vue d'une petite maison au toit plat qui se dressait à la lisière des arbres.

Énée descendit les échelons avant que j'aie pu lui dire quoi que ce soit. Je la suivis, en m'arrêtant quelques secondes au passage pour lire les indications de l'autochirurgien. Je fus heureux de constater que plusieurs voyants s'étaient fixés au vert. Je dis au vaisseau :

— Prenez bien soin de lui. Et soyez prêt à décoller d'urgence.

— À vos ordres, H. Endymion.

Nous arrivâmes à la petite maison en remontant le courant sur la rive opposée. C'est une construction difficile à décrire, mais je vais essayer.

La maison proprement dite était bâtie sur une modeste chute d'eau de trois ou quatre mètres de dénivellation, qui formait un petit lac naturel à sa base. Des feuilles jaunes flottaient dans l'eau avant de se faire emporter en tournoyant par un courant de plus en plus rapide. Les parties les plus remarquables de l'édifice étaient ses toitures légères et ses terrasses rectangulaires, qui semblaient être en surplomb sur la cascade et le petit lac, défiant toutes les lois de la pesanteur. La maison semblait en pierre et en verre, avec un peu de béton et d'acier. Sur la gauche des terrasses en surplomb, un mur de pierre s'élevait sur l'équivalent de deux étages. Il était percé, sur presque toute sa hauteur, d'une porte vitrée au cadre métallique d'une douce couleur orangée.

— C'est du cantilever, me dit Énée.

— Hein ?

— C'est ainsi que les architectes appellent ces terrasses en porte-à-faux. Cantilever. Elles rappellent les gradins de calcaire qui sont là depuis des millions d'années.

Je m'arrêtai pour la regarder. Le vaisseau était hors de vue, caché par les arbres qui se trouvaient derrière nous.

— C'est ta fameuse maison, murmurai-je. Celle dont tu as rêvé avant ta naissance.

— Oui, fit-elle, les lèvres tremblantes. Je sais même comment elle s'appelle, à présent. Cascatelle.

Je hochai la tête, humant l'air. Il était chargé de senteurs de feuilles en décomposition, de plantes vives, de terreau, avec en plus je ne sais quelle saveur vivifiante. Il était très différent de l'atmosphère d'Endymion, mais cela me donnait néanmoins une certaine nostalgie du retour.

— L'Ancienne Terre, murmurai-je. Cela se peut-il vraiment ?

— La Terre tout court, me dit Énée en me prenant la main. Viens, entrons.

Nous traversâmes le cours d'eau sur un petit pont situé en amont de la maison. Nous suivîmes ensuite une allée de gravier crissant et entrâmes par une loggia percée d'une porte étroite. Nous avions l'impression de pénétrer dans une caverne confortable.

Parvenus dans le vaste séjour, nous demandâmes en criant s'il y avait quelqu'un, mais on ne nous répondit pas. Énée traversa la grande salle comme si elle était en transe, laissant traîner ses doigts sur les surfaces de pierre et de bois, poussant de petites exclamations chaque fois qu'elle découvrait quelque chose.

Il y avait de la moquette à certains endroits, mais de la pierre nue ailleurs. Des rayonnages remplis de livres couvraient une niche murale, mais je ne pris pas le temps d'en lire les titres. Des étagères métalliques couraient sous le plafond bas. Elles étaient vides. Peut-être servaient-elles uniquement de décoration. Le mur d'en face était presque entièrement occupé par une énorme cheminée au foyer de pierre non dégrossie (peut-être la partie supérieure du rocher où la maison semblait être plantée en équilibre), dont la dalle s'avançait de près de deux mètres par rapport au conduit.

Un grand feu crépitait dans la cheminée malgré la chaleur printanière de cette journée ensoleillée. J'appelai de nouveau, mais seul un lourd silence me répondit.

— On dirait qu'on nous attendait, murmurai-je avec un sourire pâle.

La seule arme que je possédais maintenant était la torche laser que j'avais dans la poche.

— C'est vrai, murmura Énée. On nous attendait.

Elle s'avança jusqu'à la cheminée, sur la gauche, et posa les deux mains sur une sphère de métal posée dans son propre renfoncement mural hémisphérique. Elle devait faire un mètre et demi de diamètre et était d'une riche couleur rouge brique.

— L'architecte l'avait conçue comme une sorte de bouilloire pour réchauffer le vin, me dit-elle. Mais elle n'a été utilisée qu'une seule fois. Ensuite, ils ont chauffé le vin dans la cuisine avant de l'apporter ici. Elle était trop grosse. Et le vernis est probablement toxique.

— C'est l'architecte que tu cherchais ? Celui avec qui tu veux étudier ?

— Oui.

— Je croyais que c'était un génie. Si c'en était un, il n'aurait pas fait une bouilloire trop grosse et trop toxique pour qu'on puisse s'en servir.

Elle se tourna vers moi avec un sourire. Ou plutôt, avec un rictus.

— Les génies aussi font des bourdes, Raul. Si tu ne me crois pas, considère notre aventure. Viens, jetons un coup d'œil.

Les terrasses étaient superbes, et la vue sur la cascade fort agréable. À l'intérieur, les plafonds et les encorbellements étaient bas, mais cela contribuait à donner l'impression, à travers tout ce verre, de se pencher du cœur d'une caverne vers le monde verdoyant de la forêt. Dans le séjour, une trappe de métal et de verre s'ouvrait pour former des marches soutenues par des tiges ancrées au sol au-dessus d'elles et qui ne menaient qu'à une plate-forme de ciment à peine plus large surplombant un petit lac formé par le cours d'eau alimentant la cascade.

— Le plongeoir, fit Énée, comme si cet endroit lui était parfaitement familier.

— À quoi ça sert ? demandai-je en passant la tête par l'ouverture.

— À rien de bien pratique, me répondit-elle. Mais l'architecte a considéré — je cite — que c'était « absolument nécessaire à tous points de vue ».

Je lui touchai l'épaule. Elle se tourna vers moi en souriant, non pas de façon mécanique ou rêveuse, mais avec une vitalité presque communicative.

— Où sommes-nous, Énée ?

— Cascatelle. Bear Run. Ouest de la Pennsylvanie.

— Une nation ?

— Une province. Ou plutôt un État. Faisant partie des anciens États-Unis d'Amérique. Continent d'Amérique du Nord, planète Terre.

— La Terre, répétai-je en regardant autour de moi. Mais où sont-ils tous ? Où est ton architecte ?

Elle secoua la tête.

— Je n'en sais rien. Nous devrions être fixés bientôt.

— Combien de temps allons-nous rester ici, ma grande ?

J'avais dans l'idée de commencer à rassembler du matériel, des vivres et des armes pendant que A. Bettik finissait de récupérer, afin de repartir au plus vite.

— Quelques années, me dit-elle. Six ou sept, pas plus, je pense.

— Quelques *années* ?

Je m'étais figé sur la terrasse où nous avions débouché en haut des marches.

— J'ai bien entendu ? Tu as dit des années ? insistai-je.

— Il faut que j'étudie avec cet homme, Raul. J'ai des choses à apprendre.

— En architecture ?

— Oui, et aussi sur moi-même.

— Et moi, qu'est-ce que je vais faire pendant que tu apprendras... des trucs sur toi-même ?

Au lieu de me répondre par une plaisanterie, elle hocha gravement la tête.

— Je sais. Ça semble un peu injuste, mais tu auras des choses à accomplir pendant que je... grandirai.

J'attendis sans rien dire.

— La Terre a besoin d'être explorée, reprit-elle. Mon père et ma mère l'ont visitée. D'après ma mère, les lions, les tigres et les ours — c'est-à-dire les forces qui ont enlevé la Terre avant que le TechnoCentre ne puisse la détruire — s'en servaient pour faire des expériences.

— Des expériences ? De quel genre ?

— Des expériences sur le génie, essentiellement. Mais je devrais peut-être dire plutôt sur l'humanité.

— Explique.

Elle désigna d'un geste large la maison autour de nous.

— Cette demeure a été édifiée en 1937.

— Après Jésus-Christ ?

— Oui. Et je suis sûre qu'elle a été détruite au cours des émeutes de classe nord-américaines du XXIe siècle, sinon avant. Ceux qui ont amené la Terre ici l'ont reconstruite, je pense. De même qu'ils ont reconstruit la Rome du XIXe siècle pour mon père.

— La Rome ?

Je me faisais l'impression d'un idiot sourd comme un pot en train de répéter tout ce que disait cette fillette, la main en cornet autour de l'oreille. Il y a des jours comme ça.

— La Rome où John Keats a vécu ses derniers jours, me dit-elle. Mais c'est une autre histoire.

— Je vois. J'ai lu ça dans les *Cantos* de ton oncle Martin. Et je n'ai pas compris ce qui s'est passé non plus.

Elle fit son geste habituel de ses deux mains.

— Je ne sais pas grand-chose, Raul. Mais je peux te dire que ceux qui ont amené la Terre ici amènent aussi les gens en même temps que les bâtiments et les cités anciennes. Ils cherchent à créer une *dynamique*.

— Au moyen de la résurrection ?

Ma voix était sceptique.

— Non. Plutôt par... Tu n'ignores pas que mon père était un cybride. Sa personnalité résidait dans une matrice IA, mais son corps était humain.

— Mais toi, tu n'es pas une cybride.

Elle secoua la tête.

— Tu sais bien que non.

Elle me précéda vers le bord la terrasse, d'où nous dominions le cours d'eau qui se précipitait vers la petite cascade.

— Tu auras pas mal de choses à faire pendant que j'irai... à l'école, me dit-elle.

— Par exemple ?

— En plus d'explorer la Terre pour essayer de comprendre ce que ces... entités cherchent à accomplir ici, il faudra que tu repartes un peu avant moi pour récupérer notre vaisseau.

— Notre vaisseau ?

Je me forçai à retirer de mon oreille mon cornet métaphorique.

— Tu veux dire qu'il me faudra faire tout le chemin en sens inverse à travers les portails distrans pour aller chercher le vaisseau du consul ?

— Oui.

— Et le ramener ici ?

Elle secoua la tête.

— Cela risquerait de prendre des siècles, Raul. Nous nous donnerons rendez-vous quelque part dans l'ancien Retz.

Je me frottai la joue. Je sentis crisser ma barbe de plusieurs jours.

— Et à part ça ? Tu as d'autres petits projets d'une dizaine d'années pour me tenir occupé ?

— Juste un aller et retour dans les Confins pour voir les Extros. Mais je t'accompagnerai, pour ce voyage-là.

— D'accord. J'espère qu'il n'y a pas trop d'autres aventures qui nous attendent. Je ne suis plus tout jeune, tu sais.

Je faisais des efforts pour me montrer enjoué, mais le regard d'Énée était on ne peut plus grave. Elle plaça ses petits doigts dans ma main.

— Ne dis pas ça, Raul, car ce n'est qu'un début.

Le persoc se mit à vibrer avec insistance.

— Qu'est-ce qu'il y a ? demandai-je avec un sursaut d'inquiétude pour A. Bettik.

— Je viens de recevoir des coordonnées sur la fréquence générale, me dit la petite voix éraillée, qui semblait intriguée.

— Pas de transmission vocale ou visuelle ?

— Non, rien d'autre que des coordonnées de déplacement, accompagnées d'indications d'altitude optimale. Ce n'est qu'un plan de vol.

— Pour aller où ?

— Un point situé sur ce continent, à trois mille kilomètres au sud-ouest de l'endroit où nous sommes actuellement.

Je regardai Énée. Elle secoua la tête.

— Aucune idée ? demandai-je.

— J'en ai une, mais sans certitude. Allons nous faire surprendre.

Sa petite main était toujours dans la mienne. Je ne la lâchai pas lorsque nous retournâmes, parmi les feuilles jaunes sous la lumière dorée du matin, vers le vaisseau qui nous attendait.

59

J'ai dit un jour plus haut que vous lisiez ceci pour de mauvaises raisons. Ce que j'aurais dû dire, c'est que je l'ai écrit, en fait, pour de très mauvaises raisons.

J'ai rempli ces jours et ces nuits sans discontinuité, j'ai rempli ces pages de microvélin avec mes souvenirs d'Énée. Énée enfant, sans dire un mot de sa vie de messie, la messie que vous connaissez tous, probablement, et que vous vénérez peut-être à tort. Mais ce n'est pas pour vous que j'ai écrit ces pages, je m'en aperçois maintenant, ni pour moi-même. J'ai fait vivre Énée enfant sur le papier parce que je veux qu'elle soit vivante en tant que femme, contre toute logique, malgré les faits, malgré tous les espoirs perdus.

Chaque matin, à chaque illumination préprogrammée des globes d'éclairage, devrais-je dire, je me réveille dans ce casier à chat de Schrödinger de six mètres sur trois, et je m'émerveille d'être vivant. Une nuit s'est encore écoulée sans le parfum d'amande amère.

Chaque matin, je me bats contre le désespoir et la terreur en écrivant ces mémoires sur mon ardoise et en empilant les pages de microvélin à mesure qu'elles sortent. Mais le recycleur de mon microcosme est limité. Il n'est capable d'en produire qu'une douzaine à la fois. Lorsque je termine douze pages de mes mémoires, je les réinsère, en commençant par la plus vieille, dans la fente de l'appareil, afin d'en avoir de toutes neuves pour continuer. C'est le serpent qui se nourrit de sa propre queue. C'est de la démence. Ou alors l'essence absolue de la lucidité.

Il est possible que le processeur de l'ardoise retienne en mémoire tout ce que j'ai écrit, tout ce que j'écrirai encore dans les jours qui viennent, si mon destin m'en accorde quelques-uns. Mais la vérité est que tout cela m'est égal. Seules les douze pages de microvélin que j'écris chaque jour ont de l'intérêt pour moi. Ces pages vierges et immaculées le matin, noircies d'encre et couvertes de mes fines pattes de mouche le soir.

C'est alors que, pour moi, Énée prend vie.

Mais la nuit dernière, lorsque les lumières de mon casier de Schrödinger se sont éteintes, alors que plus rien d'autre ne me séparait de l'univers que la coquille statodynamique d'énergie figée qui m'entoure, avec son ampoule de cyanure, son minuteur qui bat et son incorruptible détecteur de radiations, la nuit dernière, dis-je, j'ai entendu Énée qui m'appelait par mon nom. Je me suis redressé dans l'obscurité totale, trop étonné et trop plein d'espoir pour essayer de commander l'allumage des globes, certain d'être encore en train de rêver, lorsque j'ai senti ses doigts me toucher la joue. C'étaient ses doigts. Je les connaissais bien quand elle était enfant. Je les avais embrassés quand elle était femme. Je les avais portés à mes lèvres quand on me l'avait enlevée définitivement.

C'étaient ses doigts qui me touchaient la joue. Son haleine était suave et tiède contre mon visage. Ses lèvres étaient chaudes contre le coin de ma bouche.

— On va s'en aller d'ici, Raul, mon chéri, chuchota-t-elle la nuit dernière dans les ténèbres. Pas tout de suite, mais dès que tu auras fini ton récit. Dès que tu te seras souvenu de tout, dès que tu auras tout compris.

Je voulus la toucher à ce moment-là, mais je sentis sa chaleur s'éloigner. Quand les lumières se rallumèrent, j'étais tout seul dans mon microcosme ovoïde.

J'avoue que je fis les cent pas jusqu'à l'heure habituelle de mon réveil. Ma plus grande peur, ces derniers jours et mois, n'était pas la mort — Énée m'avait appris à la replacer dans sa juste perspective —, mais la folie. La démence était la seule chose susceptible de me dérober ma lucidité et mes souvenirs, mes souvenirs d'Énée.

J'aperçus alors quelque chose qui me figea sur place. L'ardoise s'était activée. Le stylet n'était pas à sa place habituelle, mais glissé sous le couvercle, comme faisait toujours Énée quand elle tenait son journal durant nos voyages lorsque nous avions quitté la Terre. D'un doigt tremblant, je recyclai la liasse de feuillets de la veille et activai le port de l'imprimante.

Une seule page émergea de l'appareil. Elle était couverte de lignes manuscrites d'une écriture que je connaissais bien. Celle d'Énée.

Je suis à une croisée des chemins. Ou bien j'ai réellement perdu la mémoire, et rien de tout cela n'a d'importance, ou bien je suis sauvé, et tout prend maintenant une très grande importance.

Je lis ces lignes en même temps que vous, en espérant être sain d'esprit, en espérant le salut, non point de mon âme, mais le salut de ma personne, dans la certitude renouvelée d'une réunion — une réunion physique et réelle — avec celle dont je garde le souvenir et l'amour plus que de toute autre personne.

Et c'est cela, la meilleure raison de me lire.

60

Tu peux considérer cela, Raul, comme un post-scriptum aux mémoires que tu as rédigés aujourd'hui et que j'ai lus cette nuit. Il y a tant d'années... tant d'années de cela... Ces trois dernières heures de notre premier voyage ensemble, quand A. Bettik endormi, toi, mon Raul chéri, et moi, nous sommes allés avec le vaisseau de descente jusqu'à Taliesin West, où j'ai commencé mon long apprentissage, j'avais envie, ce jour-là, de tout te dire : les rêves où je nous voyais amants célébrés plus tard par les poètes, les visions des

grands dangers qui nous guettaient, la découverte de nou-
veaux amis, la mort de nos compagnons, la certitude d'af-
flictions indicibles qu'il nous faudrait supporter, celle, aussi,
de triomphes inimaginables à venir.

Mais je ne t'ai rien dit.

Te souviens-tu ? Nous n'avons pas cessé de sommeiller
durant le vol. Comme la vie est étrange, parfois... Nos der-
nières heures ensemble, la fin de l'une de nos périodes les
plus intimes, la fin de mon enfance, le commencement de
notre vie d'adultes à part entière... Et dire que nous les
avons passés, ces moments, à dormir, et dans des couchettes
séparées ! La vie est brutale, c'est ainsi. On perd irrémédia-
blement de précieux instants au profit de futilités sans nom.

Il faut dire que nous étions fatigués. Nous avions quelques
rudes journées derrière nous.

Tandis que le vaisseau continuait de descendre sur le
désert au sud-ouest en direction de Taliesin et de ma nou-
velle existence, j'ai déchiré une page de mon journal intime
en lambeaux — il avait survécu tout de même à l'eau et aux
flammes alors que la majeure partie de mes vêtements y
était restée — pour t'écrire rapidement quelques mots. Tu
dormais. Ton visage était contre le vinyle de la couche d'ac-
célération, et tu bavais légèrement. Tes sourcils avaient
brûlé, et il te restait juste une touffe de cheveux au sommet
du crâne, ce qui te donnait un air comique, celui d'un clown
surpris en train de sommeiller. (Plus tard, nous avons parlé
de clowns, tu te souviens, Raul ? Pendant notre odyssée chez
les Extros. Tu avais vu un spectacle de clowns à Port-
Romance, adolescent, et j'en avais vu, moi aussi, à Jack-
town, à l'occasion de la fête annuelle des Pionniers.)

Nos brûlures et les onguents que nous avions généreuse-
ment appliqués dessus pour calmer les douleurs de nos
joues, nos tempes et nos lèvres nous faisaient vraiment res-
sembler à des clowns maquillés de rouge et de blanc. Tu
étais adorable. J'étais amoureuse de toi, en avant et en
arrière dans le temps. Je t'aimais au-delà des frontières de
la durée et de l'espace.

J'écrivis rapidement mon petit mot, le glissai dans la
poche — ou ce qu'il en restait — de ta chemise en lambeaux,
et t'embrassai tout doucement au coin de la bouche, à un

endroit qui n'était ni brûlé ni couvert d'onguent. Tu fis un mouvement, mais sans te réveiller. Tu ne me parlas pas du petit mot le lendemain ni les jours suivants, et je me suis toujours demandé si tu l'avais trouvé, ou s'il avait glissé de ta poche trouée, ou encore si tu avais jeté la chemise sans le lire à notre arrivée à Taliesin.

Le mot contenait des vers écrits par mon père il y a des siècles. Il est mort, et il a ressuscité, d'une certaine manière, sous la forme d'une personnalité cybride, avant de mourir de nouveau comme un homme. Mais il a continué de vivre en essence, tandis que sa personnalité parcourait le méta-espace et quittait finalement Hypérion en compagnie du consul, dans les rubans d'ADN de l'IA du vaisseau. Les dernières paroles qu'il adressa à ma mère ne seront jamais connues, malgré les licences poétiques de mon oncle Martin dans ses Cantos. Mais les mots suivants furent découverts dans le stylet à texte de ma mère, quand elle s'éveilla le jour où il la quitta définitivement, et elle garda le feuillet imprimé original durant le restant de ses jours. Je suis bien placée pour le savoir. Je me suis glissée en cachette au moins une fois par semaine, dès que j'ai eu deux ans, dans sa chambre, à Jacktown, sur Hypérion, pour y lire ces vers rapidement couchés sur le vélin jauni.

Ce sont les mots dont je t'avais fait présent, accompagnés d'un baiser, pendant ton sommeil, à la fin de notre dernier voyage, mon Raul chéri. Ce sont les mots que je te laisse ce soir avec un baiser pour te réveiller. Je te demanderai de me les réciter la prochaine fois que je viendrai, quand l'histoire sera terminée et que notre dernier voyage commencera.

Tout objet de beauté est une joie qui demeure :
Son charme croît sans cesse, et jamais
Ne sombrera dans le néant, mais restera pour nous
Un paisible havre, au sommeil peuplé de doux songes,
Riche de santé et de respiration paisible.

Ainsi, Raul Endymion, jusqu'à nos retrouvailles dans tes pages, dans la frénésie, je te dis au revoir...

Enfant nourri par le silence et les lentes années,
Sylvestre conteur qui sais en ta langue exprimer
Un récit tout fleuri plus suavement que nos poèmes :
Quelle légende frangée de feuilles s'évoque à l'entour
  de tes flancs,
Légende de dieux ou de mortels, ou des deux peut-
  être,
À Tempé ou dans les vallons d'Arcadie ?
Quels sont ces hommes ou bien ces dieux ? Et ces
  vierges rebelles ?
Et cette folle poursuite ? Qui se débat pour
  s'échapper ?
Quels sont ces pipeaux et ces tambourins ? Quelle est
  cette frénésie [1] ?

*En attendant, mon amour, je te souhaite de doux songes,
de la santé et une respiration paisible.*

1. *Ode on a Grecian Urn*. Traduction Albert Laffay (éditions Aubier-
Flammarion). *(N.d.T.)*